TECHNOLOGIE UND KULTUR

EUROPAS BLICK AUF AMERIKA VOM 18. BIS ZUM 20. JAHRHUNDERT

herausgegeben von

MICHAEL WALA und
URSULA LEHMKUHL

2000

BÖHLAU VERLAG KÖLN · WEIMAR · WIEN

T
14.5
.T44
2000

Gedruckt mit Unterstützung des
U.S. Information Service
der Universität Erfurt und
der Friedrich-Alexander-Universität Erlangen-Nürnberg

Die Deutsche Bibliothek – CIP-Einheitsaufnahme

Technologie und Kultur:
Europas Blick auf Amerika vom 18. bis zum 20. Jahrhundert /
hrsg. von Michael Wala und Ursula Lehmkuhl. –
Köln ; Weimar ; Wien : Böhlau, 2000
(Beiträge zur Geschichte der Kulturpolitik; Bd. 7)
ISBN 3-412-07100-5

© 2000 by Böhlau Verlag GmbH & Cie, Köln
Ursulaplatz 1, D-50668 Köln
Tel. (0221) 91 39 00, Fax (0221) 91 39 011
vertrieb@boehlau.de
Alle Rechte vorbehalten
Druck: MVR-Druck GmbH, Brühl
Bindung: Buchbinderei Freitag, Kassel
Gedruckt auf chlor- und säurefreiem Papier
Printed in Germany
ISBN 3-412-07100-5

46937782

Inhalt

Vorwort

Das Verhältnis von Kultur und Technologie, das sich in Europa seit der zweiten Hälfte des 18. Jahrhunderts, also nach dem Höhepunkt der Aufklärung, eher spannungsreich und gegensätzlich entwickelt hat, ist in den nordamerikanischen Kolonien und im neuen Staat der USA nach 1776 eher von einer geradezu symbiotischen Nähe zueinander gekennzeichnet gewesen und eigentlich immer noch gekennzeichnet. Die naturwissenschaftlichen und technischen Errungenschaften eines Benjamin Franklin, eines Robert Fulton, eines John Deere oder eines Thomas Alva Edison und der Land Grant Colleges und A & M Universities seit 1862 nebst ihren schnell wachsenden Laboratorien gehörten ebenso in den Bildungshorizont des US-Bürgers wie seine Anteilnahme an den großen, in Amerika veranstalteten Weltausstellungen von 1876, 1893 und 1904 mit ihren vielfältigen technischen und kulturellen Darbietungen. Das ausgeprägte amerikanische Interesse an den Expositionen der Technik und der Naturwissenschaften verband sich 1904 auf der Weltausstellung von St. Louis bezeichnender Weise mit einer Einladung an die europäischen Staaten, ihr Bildungssystem und ihr Unterrichtswesen in voller Breite bis in den tertiären Bereich hinein zu präsentieren, und zwar nicht nur das Ausbildungswesen der Ingenieure. Ergänzend wurde in St. Louis ein internationaler Gelehrtenkongreß veranstaltet, der die Breite des menschlichen Wissens als Gegenstand eines Diskurses aufgriff, der weit über diese Weltausstellung hinaus gewirkt hat. In den USA selbst fand die nachbarschaftliche Nähe zwischen den Geistes- und den Natur- bzw. Ingenieurwissenschaften auch in der räumlichen Nähe der altehrwürdigen Harvard University und des Massachusetts Institute of Technology (M.I.T.) einen symbolischen Ausdruck.

Wie ist dieses enge Verhältnis von Technik- und Naturwissenschaften einerseits und Geistes- und Gesellschaftswissenschaften andererseits für die USA genauer zu charakterisieren? Und welche "Ausstrahlung" hat schließlich das amerikanische kulturelle System mit seiner Offenheit hin zur Technologie vor allem auf Europa gehabt? Diese Fragen behandelt der vorliegende Band junger Forscherinnen und Forscher, die sich auf einer intensiven Tagung mit den verschiedenen Aspekten des amerikanischen Technologieverständnisses und seinen Wahrnehmungsweisen befaßt haben. Der Band, der die historische Frage nach der kulturellen Bedeutung der Technik in den USA und deren transatlantischen „spill over“ beschreibt und damit das wichtige Thema einer neuen Kulturgeschichtsschreibung als „Wahrnehmungsgeschichte“ vergleichend aufgreift, verdient meines Erachtens besonders bei deutschen Lesern besondere Beachtung.

Kurt Düwell

für

Aileen und Henry

Lisa und Peter

„AMERIKA“, Gabriele Meyer, 1999, copy/scan/inkjet on paper

Einführung

Technikentwicklung und technologischer Fortschritt haben die Geschichte der Vereinigten Staaten von Amerika in entscheidender Weise geprägt. Neue Technologien - Dampfkraft, Eisenbahn, Elektrizität, Telegraphie und nicht zuletzt die Computertechnologie - beeinflußten Entstehung, Besiedlung, territoriale Expansion und schließlich auch den Aufstieg der USA zur hegemonialen Macht im 20. Jahrhundert.[1] So waren Kommunikationsmöglichkeiten schon bei der Konzeption des „Empire" durch die Gründerväter der USA ein bedeutender Gesichtspunkt. Daß ein Land regierbar sein würde, das sich über den gesamten riesigen nordamerikanischen Kontinent erstreckte, konnten sich viele nicht vorstellen. Schließlich benötigte ein Expressreiter zu dieser Zeit immerhin ganze zwei Tage, um eine Nachricht von New York nach Boston zu überbringen. Der Übermittlung einer Nachricht zwischen dem Sitz der Bundesregierung und der späteren Westgrenze der USA hätte Monate gedauert. An den Rocky Mountains sollte die Republik daher ihr geographisches Ende finden, schlug Senator Thomas Hart Benton (Missouri) noch 1825 vor; eine Tochterrepublik könnte ihr von der Pazifikküste aus entgegenwachsen.[2] Diese Einschätzung wurde zwar schon 1825 nur noch von wenigen geteilt, aber die Grenze des „American Empire" wurde erst überwunden durch neue Technologien in den Bereichen Transport, Kommunikation und Landwirtschaft, die während der ersten industriellen Revolution entwickelt wurden. Erst der Eisenbahnbau und die Entwicklung landwirtschaftlicher Maschinen, wie etwa der stahlverkleidete Pflug, ermöglichten eine rasche Besiedlung des Mittleren Westens und der Prärie und trugen damit zur Erfüllung des Traumes von der „Great Republic" bei.[3]

Technikentwicklung und technologischer Fortschritt als Grundlagen amerikanischer Geschichte stehen in einer engen Wechselbeziehung zur Kulturentwicklung und Kulturgeschichte im atlantischen Raum. Die Wechselwirkungen zwischen Kultur- und Technikentwicklung prägten dabei in

1 Siehe hierzu etwa Walter LaFeber, "Technology and U.S. Foreign Relations", *Diplomatic History* 24.1 (2000): 1-19.

2 Zitiert in Bradford Perkins, *The Creation of a Republican Empire, 1776-1865* (Cambridge, MA: Cambridge University Press, 1993) 172-173.

3 Einen guten Überblick bietet Ruth Schwartz Cowan, *A Social History of American Technology* (Oxford: Oxford University Press, 1997).

besonderer Weise die europäische Wahrnehmung der USA. Amerikanische Kultur sei ein Massenphänomen – „mass culture" oder „popular culture" –, das nur entfernt etwas oder überhaupt nichts mit dem europäischen Selbstverständnis von Kultur und seinen Objektivationen in den Bereichen Literatur, Kunst und Musik zu tun habe, war ein gängiges Urteil schon im 19. Jahrhundert.[4] Hingegen übte der amerikanische Erfindungsgeist, der für die Industrialisierung der landwirtschaftlichen Produktionsweise im 19. Jahrhundert ebenso zentral war wie für den industriell-technologischen Fortschritt und den damit verbundenen Wirtschaftsaufschwung in den 1920er Jahren, eine breite Faszination auf den europäischen Beobachter aus. Der Erfindungsgeist galt als wichtiger Faktor in einer als genuin amerikanisch verstandenen technologischen Kultur.[5] Die mit der Massenproduktion einhergehende Modernisierung des Alltagslebens vergrößerte allerdings die zwischen Europa und den USA bestehenden sozio-ökonomischen Unterschiede ebenso wie die Unterschiede in den normativen Rahmenbedingungen, die die Gesellschaften diesseits und jenseits des Atlantiks prägten. Gleichzeitig nahmen die Divergenzen zwischen Selbst- und Fremdwahrnehmung des amerikanischen politischen und gesellschaftlichen Systems zu, Divergenzen, welche die für die europäische und insbesondere auch für die deutsche Gesellschaft und Politik typische Spannung zwischen Modernisierungsbereitschaft („Amerikanisierung") und Anti-Amerikanismus erzeugten.

Die Beiträge dieses Sammelbandes bemühen sich darum, exemplarisch die Wandlungen, die das hier skizzierte Spannungsverhältnis in den letzten drei Jahrhunderten durchlaufen hat, darzustellen. Dabei bestätigt sich die diesem Band als Programm zugrunde liegende These, daß anhand des sich wandelnden Verhältnisses von Technologie und Kultur die Entstehung neuer Wahrnehmungsmuster, neuer „Bilder von Amerika" sowie damit einhergehend die Revision von Stereotypen nicht nur historisch rekonstruiert, sondern auch ursächlich erklärt werden kann. Insofern gibt die Beschäftigung mit dem spannungsreichen Wechselverhältnis von Technik- und Kulturentwicklung in der amerikanischen Geschichte, wenn man sie im Sinne einer die nationale Perspektive überwindenden atlantischen Geschichtsschreibung

---

4 Vgl. etwa Volker Depkat, „The Enemy Image as Negation of the Ideal: Baron Dietrich Heinrich von Bülow (1763-1807)", in Ragnhild Fiebig-von Hase und Ursula Lehmkuhl, Hg., *Enemy Images in American History* (Providence/Oxford: Berghahn Books, 1997) 109-36.

5 Thomas P. Hughes, *American Genesis: A Century of Invention and Technological Enthusiasm, 1870-1970* (New York: Viking, 1989) 9.

betreibt, Aufschluß über weitere, die Beziehungen zwischen Europa und den USA prägende Dimensionen. Es sind insbesondere zwei Themenkomplexe zu nennen, die den Kontext und analytischen Fluchtpunkt der einzelnen Beiträge bilden und für die wir uns mit den hier vorliegenden Analysen neue Einsichten erhoffen. Zum einen geht es um den Zusammenhang von „amerikanischer Kultur" und den Grundpfeilern des „Americanism": Ein entscheidender Faktor für die amerikanische Technikentwicklung ist der auch die amerikanische politische Kultur prägende Individualismus. Das Zusammenwirken von Individualismus und Pragmatismus scheint eine entscheidende Antriebskraft der Technikentwicklung in den USA gewesen zu sein. Deshalb ist danach zu fragen, wie sich das Verhältnis von Individualismus/Pragmatismus und Technikentwicklung in den hier untersuchten drei Jahrhunderten darstellt und wie diese Beziehung in Europa rezipiert wurde.[6] Zum anderen ist der Zusammenhang zwischen Technikentwicklung, Modernisierung und Modernisierungsangst zu thematisieren. Amerikanische Kultur wird, wie eingangs erwähnt, verstanden als mechanische Kultur. „Amerika" steht dabei häufig in der europäischen Wahrnehmung als Metapher für die negativen Folgen von Modernisierung. Und nicht nur das: Dahinter sowie hinter dem unterschiedlichen Verständnis von Kultur in der neuen und der alten Welt steht auch ein jeweils spezifischer Umgang mit den gesellschaftlichen Herausforderungen technologischer Entwicklung. In diesem Kontext ist die Frage zu stellen, ob die zunehmenden Auseinandersetzungen mit den amerikanischen Entwicklungen in Europa eine Veränderung in der Bewertung von Modernität und im Umgang mit Modernisierung nach sich ziehen. Ist die viel beschriebene „Amerikanisierung" Europas insofern nicht vielmehr als Prozeß einer sich global abzeichnenden Modernisierung zu interpretieren?[7]

Beide thematischen Zusammenhänge sind jeweils einzubetten in die Frage nach den Veränderungen in den Wahrnehmungsmustern und den

---

6 Siehe hierzu auch John Higham, „Rediscovering the Pragmatic American", *Gesellschaft und Diplomatie im transatlantischen Kontext*, Michael Wala Hg. (Stuttgart: Steiner, 1999) 435-42.

7 Hierzu u.a. Anselm Doering-Manteuffel, *Wie westlich sind die Deutschen? Amerikanisierung und Westernisierung im 20. Jahrhundert* (Göttingen: Vandenhoeck & Ruprecht, 1999); Anselm Doering-Manteuffel, Volker Berghahn und Christof Mauch, Hg., *The American Impact on Western Europe: Americanization and Westernization in Transatlantic Perspective*: GHI Conference Papers on the Web, No. 1, http://www.ghi-dc.org/conpotweb/Westernization/ (1999).

damit verbundenen Bewertungen der USA durch die europäischen Gesellschaften. Die jeweiligen Fremdwahrnehmungen sollen dabei dem dominierenden Selbstverständnis, der Selbstwahrnehmung der amerikanischen Gesellschaft, gegenübergestellt werden. Somit sind die hier abgedruckten Beiträge theoretisch-methodologisch einzuordnen in den Kontext der seit der kognitiven Wende der 1970er Jahre viel diskutierten Perzeptionsforschung bzw. der historiographischen Tradition der „Wahrnehmungsgeschichten".[8] Auch die hier thematisierte Frage nach den Veränderungen in den Wahrnehmungsmustern zieht sich als roter Faden durch die einzelnen Beiträge. Die Rekonstruktion der für die einzelnen Zeitabschnitte typischen Inhalte der Fremdwahrnehmung wird dabei ergänzt durch die Analyse des zeitgleich existierenden jeweiligen Selbstverständnisses der USA.

Wie sehr Technologie schon zu Beginn der amerikanischen Republik eine Rolle gespielt hat, ja zur Grundlage der politischen und gesellschaftlichen Struktur wurde, belegt Hans J. Kleinsteubers Beitrag. Er zeigt, daß der für das 18. Jahrhundert fortschrittlichste Stand der Technikentwicklung, das Konzept der sich selbst steuernden Maschine, in der Verfassung mit ihrem System der „checks and balances" abgebildet wurde. Daß die Vorstellung von den Vereinigten Staaten als einem Land des technischen Fortschritts sich schon vor dem Beginn der Industriellen Revolution im relativ rückständigen Deutschland durchsetzte, macht Volker Depkats Aufsatz deutlich. Der von ihm skizzierte Prozeß ging allerdings Hand in Hand mit der Zerstörung der Hoffnung darauf, daß sich in den Vereinigten Staaten die Utopie der Aufklärung in gesellschaftlicher und politischer Hinsicht realisieren ließe. Die USA wurden als Land des technischen Fortschritts gesehen, aber gleichzeitig als kulturlos. Gregory Zieren zeigt in seinem Beitrag, daß die Vereinigten Staaten in der zweiten Hälfte des 19. Jahrhunderts zunehmend die zuvor von Großbritannien ausgeübte Vorbildfunktion im Bereich industrieller Produktion und Technikentwicklung wie auch im Bereich Patentschutz übernahmen. Vorbereitet und getragen wurde dieser Funktionstransfer zu einem großen Teil von der publizistischen Arbeit von Männern wie Hermann Grothe.

---

8 Siehe hierzu die Zusammenfassung des Forschungsstandes bei Volker Depkat, *Amerikabilder in politischen Diskursen. Deutsche Zeitschriften von 1789 bis 1830* (Stuttgart: Klett-Cotta, 1998) 19-29 und Ragnhild Fiebig-von Hase, „Introduction", Enemy Images in American History, 1-40.

Obwohl sich am Ende des 19. Jahrhunderts im europäischen Wahrnehmungshorizont das Stereotyp von den USA als technologisch fortschrittlichem Land fest etabliert hatte, waren viele europäische Besucher der Columbia Exposition in Chicago im Jahr 1893 verblüfft, in welchem Umfang neuere Technologien in das Alltagsleben der Bürger eingegriffen hatten. Insbesondere die technisch fortschrittliche Architektur der Stadt erregte Aufsehen. Die daraufhin einsetzende Debatte in Deutschland, ob Hoch- oder „Thurmhäuser" nach amerikanischem Muster die deutsche architektonische Landschaft bereichern oder verschandeln würden, stellt Mathias Eberenz in den Kontext der Amerikanisierungsdebatte der 1920er und 30er Jahre. Gabriele Metzler zeigt in ihrem Beitrag, daß, parallel zu dieser Debatte über den „Anschluß" an die amerikanische Architektur, die wissenschaftliche Vormachtstellung deutscher Physiker durch die Erfolge der amerikanischen Kollegen vor allem im Bereich der angewandten Physik zunehmend in Frage gestellt wurden. Diese Entwicklung war kein Resultat der repressiven nationalsozialistischen Innenpolitik, sondern war schon vor der Machtübernahme durch die Nationalsozialisten abgeschlossen. Während an amerikanischen Universitäten auf offene Kommunikation und Kooperation sowie auf Teamarbeit gesetzt wurde, hielten die deutschen Physiker am Prinzip des individuellen Forschens fest und nahmen die amerikanischen Entwicklungen im Bereich von Forschungsorganisation und Forschungsinhalten nicht wahr. Eklatante Fehleinschätzungen der amerikanischen Physik durch die deutschen Wissenschaftler und deren Selbstbezogenheit trugen nicht unerheblich zum relativen Niedergang der deutschen Physik bei. Michael Wala macht in seinem Beitrag deutlich, daß im Kern des deutschen Amerikanismusdiskurses während der Zwischenkriegszeit Modernisierungs- und Überfremdungsängste standen, die sich an Technologie festmachten, und daß die Amerikakritik sich insbesondere gegen den universellen egalitären Anspruch, gegen die scheinbare Ideologienferne der amerikanischen Gesellschaft richtete, die inzwischen selbst Ideologie geworden war.

Auch im Dritten Reich blieb Amerika Referenzpunkt für das Konzept technischer Modernität, obwohl in Deutschland ein eigenständiges, nationalsozialistisches Modell entwickelt wurde, welches mit Hilfe des Ideologems der „Volksgemeinschaft" zur Überwindung des ambivalenten Verhältnisses großer Teile der deutschen Gesellschaft gegenüber Objektivationen von Moderne oder Modernität beitragen sollte. Philipp Gassert demonstriert in seinem Beitrag, daß in dem Versuch, das über Jahrzehnte häufig durch den negativen Rekurs auf das deutsche Amerikabild geprägte Bild von moderner Technologie von den USA zu entkoppeln, als „amerikanisch" verstandene Phänomene systematisch aber nicht immer erfolgreich „germanisiert" wurden. Schon vor der endgültigen Niederlage des Deutschen Reiches im Mai 1945 wurde daher den Vereinigten Staaten, zumal von der jüngeren deutschen Generation, wieder uneingeschränkt technologische Überlegenheit zugebilligt. So verwundert es nicht, daß kaum einer die Gelegenheit zu einer Umsiedlung in die USA ausschlug, die im Rahmen des „Project Paperclip" und ähnlicher amerikanischer Aktionen in der Hochphase des Kalten Krieges besonders Ingenieuren angeboten wurde. Tasso Proppe, dessen Eindrücke Burghard Ciesla zusammenfaßt und analysiert, berichtete als einer derjenigen, die im Rahmen dieser Programme in die USA gegangen war, aus einer deutscher Perspektive und für eine deutsche Leserschaft in den 1950er und 60er Jahren über die Unterschiede zwischen alter und neuer Heimat. Dabei rückt für den Ingenieur Proppe Technologie und besonders das Automobil in den Vordergrund. Angesichts einer zunehmenden Nivellierung der Unterschiede in der Technikentwicklung und auch Lebensqualität zwischen den USA und Deutschland in den 1960er Jahren stellte Proppe desillusioniert fest, daß die USA seine Erwartungen als Land des technischen Fortschritts nicht erfüllt haben. Für die Geschäftswelt in der Bundesrepublik blieben die Vereinigten Staaten jedoch ein zwar ambivalenter aber wichtiger Orientierungspunkt. Schließlich war die Wahrnehmung der USA als technologisch führende Nation, wie S. Jonathan Wiesen in seiner Analyse nachweist, nach dem Zweiten Weltkrieg auch gekoppelt an die Auseinandersetzung mit dem amerikanischen Gesellschaftsmodell, vor allem seinen demokratischen und kapitalistischen Komponenten. Die Sorge um die kulturelle Integrität Deutschlands (ein tief verwurzelter Kulturpessimismus, der bereits die Zeit vor 1945 prägte) beeinflußte die Entwicklung der jungen deutschen Demokratie: Die Amerikanisierung/Modernisierung der deutschen Gesellschaft blieb aufgrund dieser Sorge letztendlich unvollständig.

Daniel Gossel zeichnet in seinem Beitrag die Auswirkungen der auch in den 1960er Jahren weiterhin ungebremsten wirtschaftlichen und technologischen Führung der Vereinigten Staaten auf die britische Wirtschaft nach. Sämtliche westeuropäischen Industrienationen hatten gegenüber den USA Defizite im Bereich von Forschung und Entwicklung, bei Investitionen, in der Unternehmensführung und in der Ausbildung zu beklagen, aber dies traf in besonderem Maße auf Großbritannien zu. Die Abwanderung von hochqualifizierten Arbeitskräften ließ befürchten, daß der technologische

Vorsprung der USA unaufholbar werden würde. Auf die „amerikanische Herausforderung" reagierten die Briten mit einer Intensivierung der Zusammenarbeit mit den europäischen Nachbarn auf technischer und wirtschaftlicher Ebene – eine Entwicklung, die für die Ausgestaltung der Kooperationsfelder in der Europäischen Gemeinschaft von zentraler Bedeutung werden sollte.

Die in diesem Band zusammengestellten Beiträge sind im weitesten Sinne als Beiträge zur „new cultural history" zu verstehen.[9] Sie distanzieren sich jedoch von den radikalen Varianten des Konstruktivismus und des „linguistic turn". Die Autoren dieses Bandes haben sich auf einen anthropologischen Kulturbegriff geeinigt, der die Beschäftigung mit und die Analyse von Lebenswelten und Lebensweisen in den Mittelpunkt stellt. Durch die eingangs skizzierten gemeinsamen Fragestellungen wird das kulturgeschichtliche Analysespektrum um den Bereich Technologie erweitert. Technikgeschichte wird auf diese Weise vor allem im Hinblick auf die kulturelle Bedingtheit und die kulturellen Folgen spezifischer Technikentwicklungen rekonstruiert. Und umgekehrt wird das Kulturkonzept, das dem anthropologischen Kulturbegriff zugrunde liegt, durch den analytischen Rekurs auf die Technikentwicklung aufgebrochen und erweitert.[10] Es geht den Autoren und Herausgebern nicht primär darum, einen in den Bereich der Kultur fallenden Gegenstand, ein Ereignis oder eine Person aus der Vergangenheit zu erforschen. Vielmehr soll durch die Einbeziehung der um die Dimension der technologischen Entwicklung erweiterten kulturellen Perspektive der Blick auf vergangene „Beziehungsgeschichten" geschärft werden. Im Vordergrund steht dabei die Analyse und Rekonstruktion von Deutungs- und Interaktionsmustern, die „in einer auf Macht zentrierten Politikgeschichte oder einer strukturell argumentierenden Gesellschaftsgeschichte unterbelichtet geblieben sind."[11] Es geht also in diesem Band nicht darum, die Faktoren

---

9 Zum Begriff und Gegenstandsbereich siehe die Diskussionsbeiträge in dem Review Symposium „Kultur und Geschichte", http://hsozkult.geschichte.hu-berlin.de.

10 Zur Kritik am dem Kulturbegriff als analytisches Konzept und der Forderung, ihn in seine verschiedene Facetten (Wissen, Kunst, Glauben, Technologie, Tradition, Ideologie) aufzubrechen, siehe Adam Kuper, *Culture: The Anthropologists' Account* (Cambridge, MA/London: Harvard University Press, 1999) x-xi.

11 Konrad H. Jarausch, „Eine 'nachholende' Diskussion: Transatlantische Anmerkungen zur Debatte über die neue Kulturgeschichte", in: h-soz-u-kult Review Symposium. Kultur und Geschichte, http://hsozkult.geschichte.hu-berlin.de, 22.5.1998.

Technologie und Kultur additiv zu einer politik- oder sozialgeschichtlichen Perspektive hinzuzufügen, sondern darum, durch sie eine neue historiographische Perspektive der transatlantischen Beziehungen zu eröffnen. So läßt sich vielleicht als zentrales Fazit der oben skizzierten Beiträge zu diesem Sammelband folgendes festhalten: Aus der Perspektive Europas verbinden sich Technologie und Kultur der Vereinigten Staaten zu einer genuin amerikanischen Ideologie.[12] Amerikanische Technologie und Kultur ergänzen einander zu einer neuen Denk- und Lebensart, die zumindest in Deutschland stets sehr ambivalent wahrgenommen wurde. Gesellschafts- und sozialgeschichtlich werden diese Ambivalenzen in der deutschen Fordismus-Begeisterung und der simultanen Ablehnung einer mechanistischen Massengesellschaft, in der Gleichzeitigkeit von Heilserwartungen und Modernisierungsängsten am augenfälligsten.

Ein Sammelband ist immer das Produkt der Arbeit vieler, und wir möchten den Autoren für ihre Geduld aber auch für ihre Bereitschaft zu Überarbeitungen und Änderungen danken. Ohne die finanzielle Unterstützung durch den U.S. Information Service, die Universität Erfurt und die Friedrich-Alexander-Universität Erlangen-Nürnberg hätte dieser Band nicht gedruckt werden können. Unser besonderer Dank gilt Sigrid Schneider, die sich der mühevollen Arbeit unterzog, das Manuskript korrekturzulesen, und Kurt Düwell für seine hilfreichen Anregungen. Michael Lenz hat geholfen, das Register zu erstellen. Der Band ist unseren Kindern gewidmet und damit auch all denjenigen in der nächsten Generation, die sich mit amerikanischer Technologie und Kultur auseinandersetzen werden.

Michael Wala und Ursula Lehmkuhl
Erlangen-Nürnberg/Köln und Erfurt

---

12 Zum Wechselverhältnis von Kultur und Ideologie siehe besonders Frank Ninkovich, „Culture, Power, and Civilization: The Place of Culture in the Study of International Relations", *On Cultural Ground: Essays in International History*, Robert David Johnson, Hg. (Chicago, Imprint, 1994) 1-22.

Hans J. Kleinsteuber

Die Verfassung der USA – Modell einer technologischen Republik? Zur politischen Logik selbstregulativer Maschinen

Dieser Beitrag sucht eine Hypothese zu begründen. Sie besagt, daß die Väter der Verfassung der Vereinigten Staaten in der Konzeptionierung ihres Werkes wesentlich von den technologischen Vorstellungen und Errungenschaften ihrer Epoche geprägt wurden und sich in Idee und Text der Verfassung viele Parallelen zur damals erst entstehenden Welt der Maschinen finden. Verkürzt gesagt, mit der US-Verfassung wurde die seinerzeit entdeckte, sich selbst steuernde Maschine in den gesellschaftlichen Bereich übertragen. Die viel später entstandene Theorie des politischen Pluralismus knüpft metaphorisch an manche dieser mechanischen Vorstellungen an.

Dieser Herangehensweise liegt die Vorstellung zugrunde, daß bewußt – oder eher noch unbewußt – alltägliche Erfahrungen mit oder gezielt erworbene Kenntnis über Technik in den Prozeß der Verfassungskonzeptionierung eingeflossen sind. Bestärkt wird diese Vermutung durch die vielfach verbürgten technischen Interessen führender Politiker jener Tage wie Thomas Jefferson oder Benjamin Franklin. Aber der eigentliche Beleg für die Hypothese wird in Begrifflichkeiten und Strukturen der Verfassung selbst zu suchen sein.

Der Beitrag wurde von der für den ausländischen Beobachter auffälligen Häufung technischer Interpretationen des politischen Systems der USA angestoßen, etwa von Daniel J. Boorstins weitverbreiteter These von der „Republic of Technology“.[1] Ansätze, die technische und politische Leitbilder in unmittelbare Verbindung miteinander bringen, sind in den USA verbreitet, in der deutschen Politikwissenschaft sicherlich die Ausnahme. Schon Max Weber fiel dieser Bezug auf Technik in der Beschreibung von Parteien auf, „die Entwicklung der bezeichnenderweise sogenannten 'Maschine' in Amerika“.[2] Der komparative Ansatz unterstreicht, wie normal die Verbindung von Technik und Politik in den USA erscheint, während bei uns vergleichbare Herangehensweisen kaum auszumachen sind.

---

1 Daniel Boorstin, The Republic of Technology: Reflections on Our Future Community (New York: Harper & Row, 1987).

2 Max Weber, Wirtschaft und Gesellschaft (Köln: J. C. B. Mohr, 1956) 1066.

Der Beitrag beginnt mit einer Aufarbeitung des Verhältnisses von Technik und Politik. Darauf wird der Stand der Technik in der zweiten Hälfte des 18. Jahrhunderts thematisiert, und es wird Analogien in der Verfassung nachgespürt. Die These von der Verfassungsordnung als Analogie zur 'selbstregulativen Maschine' wird an konkreten Beispielen erörtert, insbesondere an den Komplexen Gewaltenteilung und Regulierung. Weiterhin wird über die Konsequenzen der Begründung eines Staates als 'technologische Republik' reflektiert und das Weiterwirken dieses Gedankens bis in unsere Tage verfolgt. Schließlich wird auf technische Konnotationen im (bei uns nach US-Anstößen übernommenen) Ansatz des (Neo-) Pluralismus verwiesen.

Zur Begrifflichkeit von Technik und Politik

Die gedanklichen oder gesellschaftlichen Konstruktionen von abstrakten Leitvorstellungen in der Politik werden historisch wie gegenwärtig begleitet von - meist unbewußten - konkret-materiellen Bezügen. Hier wird die Annahme zugrunde gelegt, daß es intensive Wechselwirkungen zwischen Technik und Gesellschaft gibt: Technische Innovationen geben Impulse zur gesellschaftlichen Erneuerung und umgekehrt. Gerade in Bezug auf die USA mit einer Geschichte der ständigen, dynamischen und phantasiereichen technologischen Wandlungen macht es Sinn, von einer Art „dialectical interchange“ zwischen Technologie und Ideologie zu sprechen.[3] Aber auch die internationale Technikforschung betont heute, wie eng bei der sozialen Konstruktion technologischer Systeme Fakten und Artefakten beisammenstehen und einander befruchten,[4] beziehungsweise daß Technik eng mit dem sozialen Wandel verknüpft ist.[5]

Karl W. Deutsch gibt einige Beispiele für den postulierten Zusammenhang: In der ägyptischen Pyramide lebt die strenge 'soziale Pyramide' der antiken Gesellschaft weiter. Das reale Rad verkörpert Momente der Kreisbe-

---

3 John F. Kasson, Civilizing the Machine: Technology and Republican Values in America, 1776-1900 (New York: Penguin, 1977) 50.

4 Trevor J. Pinch und Wiebe E. Bijker, „The Social Construction of Facts and Artefacts: Or How the Sociology of Science and the Sociology of Technology Might Benefit Each Other“, The Social Construction of Technological Systems: New Directions in the Sociology and History of Technology, Hg. Wiebe E. Bijker, Thomas P. Hughes und Trevor J. Pinch (Cambridge, MA: MIT Press, 1989) 17ff.

5 Ulrich Troitzsch und Gabriele Wohlauf, Hg., Technikgeschichte. Historische Beiträge und neuere Ansätze (Frankfurt/M.: Suhrkamp, 1980) 27ff.

wegung oder des Schicksals ('Schicksalsrad') in sich. Die Fortuna steht auf der Kugel, die Instabilität der Teile bei Stabilität des Ganzen versinnbildlichend.[6] Genau betrachtet, schwingen in vielen politologischen Fachtermini konkrete und materielle Bedeutungen mit, in der Verfassung zum Beispiel die Fassung, im Grundgesetz der Untergrund etc.

Differenzierte mechanische Strukturen sind – mit Ausnahmen – eine Innovation des europäischen Mittelalters. Immer wieder wird als technisches Leitbild das komplizierte Räderwerk der Uhr, in frühen Formen bekannt seit dem 13. Jahrhundert, genannt (jemand gerät in das 'Räderwerk der Bürokratie').[7] Mechanische Modellvorstellungen drangen seit Thomas Hobbes auch in die politische Theorienbildung ein. Hobbes gilt als erster bedeutender Denker, der ein mechanistisches Menschen- und damit Weltbild zur Grundlage seiner Vorstellungen machte. In diesem mechanischen Weltentwurf wurden die natürlich-hierarchischen Vorstellungen der aristotelisch geprägten Antike endgültig überwunden. Zudem entsprach die (Schein-) Neutralität der Mechanik den Lebensbedingungen und Gesellschaftserwartungen der in dieser Epoche allmählich zur politischen Macht strebenden Gruppe der Kaufleute.[8] Hobbes begründete eine Art geographischer Staatsphilosophie, wobei Geometrie zur Kennzeichnung einer Methode der Mechanik bzw. der exakten Naturwissenschaften steht. Er entwarf die „Idee der Staatstheorie als mechanistischer Wissenschaft vom sozialen Körper, sozusagen der Staats'physik'",[9] der allerdings eine zweite Staatstheorie als autonomer Normwissenschaft entgegenstand.

Im 'Zeitalter der Vernunft', in der Epoche zwischen 1650 und 1790, sind technische oder mechanische Analogien bzw. Übertragungen fester Bestandteil der herrschenden Denkansätze geworden. Viele Vorstellungsgebäude, etwa von René Descartes und Isaac Newton, gehen auf mechanische Vorbilder zurück und interpretieren die Welt als Maschine, gelenkt von unabänderlichen, für den Wissenschaftler ergründbaren Gesetzen. John Locke

---

6 Karl W. Deutsch, Politische Kybernetik. Modelle und Perspektiven (Freiburg i.Br.: Rombach, 1963) 64.

7 So auch die Eigenwerbung der Europäischen Kommission: „The Commission is a lean administrative machine, providing cost-effective services for Europe's citizens, firms and governments", The European Commission 1995-2000, (Online). URL: http://europa.eu.int/ en/comm/c9500/admin.html [29. Nov. 1996].

8 Ulrich Steinvorth, Stationen der politischen Theorie. Hobbes, Locke, Rousseau, Kant, Hegel, Marx, Weber (Stuttgart: Reclam, 1981) 11ff., insbes. S. 18.

9 Wolfgang Röd, Geometrischer Geist und Naturrecht. Methodengeschichtliche Untersuchungen zur Staatsphilosophie im 17. und 18. Jahrhundert (München: Verlag der Bayerischen Akademie der Wissenschaften, 1970) 18.

knüpfte mit seinen politischen Lehren an diese mechanisch interpretierte Welt an und sah Menschen ähnlich dem physischen Universum von Naturgesetzen beherrscht.

Aus den ständigen wissenschaftlichen Grenzüberschreitungen dieser Denker mit universellem Wissenshorizont und breitgestreuten Interessen ergaben sich auch ständige Bedeutungstransfers zwischen Naturwissenschaft/Technik und Politik/Gesellschaft. Die Beobachtung und Interpretation des gerade entschlüsselten Planetensystems und seiner 'Himmelsmechanik' legte zum Beispiel die Grundlagen für unseren modernen Begriff der Revolution, ursprünglich zyklische Bewegungen und nicht abrupte Veränderungen beschreibend.[10] Es scheint, daß vor allem britische Theoretiker, von Hobbes über Newton bis Adam Smith eine höchst innige Verbindung von mechanischen Strukturen und Gesellschaftsvorstellungen pflegten. Querverbindungen dieser Art waren besonders im wichtigsten Lieferland für die politischen Ordnungsvorstellungen der nordamerikanischen Revolutionäre, im britischen Königreich, eine überaus verbreitete Angelegenheit.

Rahmenbedingungen der Verfassungsgebung

Jede Verfassungsgebung orientiert sich an den Zeitumständen. Die der amerikanischen Verfassungsgebung waren solche einer erfolgreich abgeschlossenen politischen Revolution zum Beginn einer aus Europa herüberschwappenden industriellen Revolution. Mit letzterer mußten sich die Verfassungsväter auseinandersetzen. Ob die neu zu begründenden USA ein Agrarstaat bleiben oder den Weg forcierter Industrialisierung gehen sollten, hatte auch weitreichende Auswirkungen auf die zu wählende Verfassungskonstruktion. Hier liegen wesentliche Motive für die unterschiedlichen Ordnungsvorstellungen zwischen dem agrarisch denkenden Thomas Jefferson und Alexander Hamilton begründet, dem die Schaffung der Infrastruktur für eine zukünftige Industrialisierung vorschwebte.

Für den Politikwissenschaftler Michael Foley ist eine der dauerhaftesten, gleichwohl auch für Amerikaner wenig verstandenen Konstanten, daß die amerikanische Gesellschaft ihrer Natur nach mechanisch ist. Es sind „mechanical processes that they have come to represent the principal features of American life".[11] Das Verfassungswerk steht für Foley in dieser Tradition

---

10 J. Bernard Cohen, Revolution in Science (Cambridge, MA: Belknap Press of Harvard University Press, 1985) 4ff.

11 Michael Foley, Laws, Men and Machines. Modern American Government and the Appeal of Newtonian Mechanics (London: Routledge, 1990) 1.

und wird zur Analogie einer Maschine: „the Founding Fathers' objective was geared towards producing a multiplicity of parts operating with and against one another at different levels and at different times deliberately, in order to generate a framework of continuous material interaction".[12] Im Mittelpunkt stehen dabei nach Foley Grundprinzipien der Newton'schen Mechanik, etwa das Verhältnis von Aktion und Reaktion oder das Prinzip der Gravitation, wie sie den Staatsgründern wohlbekannt waren. Nach Foley ist es vor allem die Gewaltenteilung, die voller mechanischer Referenzen steckt, teilweise bewußt, teilweise unbewußt. Er spricht von „constitutional mechanics".[13]

John E. Kasson schildert in seiner Arbeit *Civilizing the Machine*, wie in der Gründungsphase der amerikanischen Nation Republikanismus und Technologie eine innige Verbindung eingingen. Republikanische Ideale, einschließlich so hoch gehaltener Werte wie 'public virtue' oder 'social service', verbanden sich in dieser Formierungsphase mit spezifisch positiven Vorstellungen von Technologie. 'Republikanische Technologien' sollten beispielsweise den Krieg gegen die Briten gewinnen helfen und die 'Freiheit' Nordamerikas sichern. Ein fester Bestandteil dieses Drangs nach Freiheit bestand darin, Freiheit von Abhängigkeit schaffenden Maschinenimporten aus dem britischen Mutterland zu erringen.[14] Wenige Jahre später begann tatsächlich ein reger Technologietransfer im Bereich von Textilmaschinen zwischen dem Vereinigten Königreich und den USA, der in vieler Hinsicht den Beginn der amerikanischen industriellen Revolution einläutete.[15]

Deutlich wurde die amerikanische Sichtweise einer eigenen, landestypischen Version von Technologie in den Worten des Kaufmanns Tench Coxe, der am 9. August 1787 eine Inaugural Address vor der Pennsylvania Society for the Encouragement of Manufactures and the Useful Arts hielt. Als politischer Aktivist unterstützte er die Abkehr von den Articles of Federation. Er machte seine Ausführungen während der Arbeit der Constitutional Convention, welche die spätere Verfassung der USA ausarbeitete. Völlig richtig betonte er, daß in Nordamerika mit den notorisch knappen Arbeitskräften die Grundlage für den maschinellen Weg günstiger sei als in Europa mit seinem reichlichen und billigen Angebot. Seine Visionen reichten bis zur automatisierten Fabrik, in der das Gros der Arbeit von Maschinen

---

12 Ibid., 2.

13 Ibid., 45ff.

14 Kasson, Civilizing the Machine, 3ff.

15 David J. Jeremy, Transatlantic Industrial Revolution - the Diffusion of Textile Technologies between Britain and America, 1790-1830s (Cambridge, MA: MIT Press, 1981).

erledigt werde. Technologie, so sein Argument, habe eine ganz spezifische Bedeutung für die jetzt unabhängigen Kolonien, und es gelte zu demonstrieren, wie die Maschine zugunsten einer republikanisch-amerikanischen Zivilisation angeschirrt werden könne.[16]

Die technologische Dimension wurde auch auf dem Verfassungskonvent von Philadelphia 1787 diskutiert. Viele Delegierte wünschten sich eine Verfassung, die technische Innovation fördere, mit „public institutions, rewards, and immunities for the promotion of agriculture, commerce, trades, and manufactures". Die Verfassung schweigt zu technischen Fragen, allerdings wurde dort festgelegt, daß der Bund nun das Recht erhält, Patente zu erteilen, eine Kompetenz, welche zuvor den Einzelstaaten zustand. Bereits 1790 wurde ein Gesetz erlassen, das es leichter und kostengünstiger machte, in den USA ein Patent zu erwerben als im britischen Königreich.[17] Der politische „push" der Revolution, so der Historiker David Freeman Hawke, zeige seine Ergänzung im Bereich staatlich geförderten technischen Wandels.

Es ließen sich viele weitere Belege für die von technologischem Denken durchdrungene Epoche zur Zeit der Verfassungsgebung beibringen. Sie sind hinreichend von US-Autoren vorgelegt worden. Dieser Beitrag präzisiert die allgemeine These dahingehend, daß die führenden technischen Leitbilder der Verfassungsväter die einer sich selbst steuernden Maschine waren.

Die Entdeckung der technischen Selbststeuerung

Komplexe technische Systeme mit selbststeuernden Fähigkeiten fanden sich vereinzelt schon im Altertum, insbesondere in der Alexandrinischen Schule, die mit so illustren Namen wie Pythagoras, Euklid und teilweise auch Archimedes verbunden wird.[18] Es handelt sich dabei um selbstfahrende und selbststeuernde Gerätschaften, Mechanismen und Androiden - meist ohne konkrete gesellschaftliche Anwendung. Viele dieser Kenntnisse wurden über die Araber in die Kultur der Renaissance hinübergerettet, in der wiederum die Konstruktion von Automaten die technische Phantasie beflügelte. Diese komplizierten Räderwerke folgten zwar eher einem hierarchischen Uhr-

16 Kasson, Civilizing the Machine, 29ff.

17 David F. Hawke, Nuts and Bolts of the Past: A History of American Technology 1776-1860 (New York: Harper & Row, 1988) 25.

18 Sigvard Strandh, Die Maschine. Geschichte, Elemente, Funktion. Ein enzyklopädisches Sachbuch (Freiburg i.Br.: Herder, 1980) 167ff.

werk-Schema, doch schufen sie in ihrer Komplexität die Voraussetzung zur Entwicklung automatischer Steuerungseinrichtungen.

Echte selbststeuernde Systeme waren auch in der Antike die Ausnahme, genannt wird hier etwa ein Gerät zur Kontrolle von Flüssigkeitsständen, das auf Heron zurückgeht.[19] Im 17. Jahrhundert tauchten Temperaturregler (die mit Bimetallen arbeiteten) und etwas später Druckregler auf, die als Vorläufer der Sicherheitsventile an Dampfkesseln gesehen werden können.

Das 18. Jahrhundert wurde zum Zeitalter, in dem die mechanische Selbstregulierung als technisches Prinzip voll entwickelt wurde. Die nachfolgend beschriebenen Gedankengänge folgen dem Technikhistoriker (und zur Zeit der Autorenschaft Direktor des Deutschen Museums in München) Otto Mayr, der das Wechselverhältnis von Technik und Politik in einer Studie zur Technologie in der frühen Neuzeit mit dem Titel 'Uhrwerk und Waage' aufarbeitet. Will man seine Argumentation kurz zusammenfassen, so sieht er im 18. Jahrhundert zwei zentrale Ordnungsmodelle in Europa entstehen. Auf dem Kontinent findet sich ein autoritäres Modell, das mit der Metapher des Uhrwerks beschrieben wird, während auf den britischen Inseln liberale Prinzipien eines dynamischen Gleichgewichts und der Rückkopplung vorherrschen, oft symbolisiert in dem Bild der Waage.

Mayr, der sich in dieser Studie nicht mit den USA beschäftigt, entfaltet eine Argumentation, der zufolge Großbritannien im 18. Jahrhundert eine sehr erfolgreiche europäische Gleichgewichtspolitik betrieb, wobei das Land in der internationalen Bündnispolitik mit ausgezeichneten Erfolgen - auch dies eine Metapher - das 'Zünglein an der Waage' habe spielen können. Gleichlaufend mit dieser Schaukelpolitik stabilisierte sich nach der Glorreichen Revolution (also nach 1688) auf der Basis einer substantiellen Gewaltenteilung ein neues, bürgerliches Herrschaftssystem als Voraussetzung für nachfolgende Industrialisierungsprozesse im Vereinigten Königreich. Es war dieses politische System, von dem wir wissen, daß es, über Locke, Montesquieu und andere Theoretiker vermittelt,[20] zum beherrschenden Organisationsprinzip in der Gründungsphase der USA wurde. Mayr betont nun, daß in dieser, von leistungsfähigen Gleichgewichtserfahrungen geprägten Epoche, technisch wie politisch das Prinzip der Selbstregulierung erdacht und 'erfunden' wurde (oder genauer wiederentdeckt, denn es kennt ja Vorläufer in der Antike).

---

19 Ibid., 179.

20 Ernst Fraenkel, Das amerikanische Regierungssystem (Opladen: Westdeutscher Verlag, 1976) 220ff.

Ein erstes wesentliches Gebiet, in dem mechanische Reglertechnik erprobt und eingesetzt wurde, war der Bau von Windmühlen. Über die Installation einer Windrosette gelang es, den Kopf der Windmühle mit seinen Flügeln immer im Wind zu halten. Einmal richtig eingestellt, lief diese Maschine also ohne menschliches Zutun quasi endlos weiter. Ein erstes Patent für eine „sich selbst steuernde Windmaschine" wurde in den 1740ern dem Engländer Edmund Lee gewährt, ein anderes Design stammt von dem Amerikaner Oliver Evans, der in den 1780ern eine weitgehend automatisierte Getreidemühle erbaute.[21] Die entscheidende Erfindung, für die industrielle Revolution von überragender Bedeutung, wurde dann der Fliehkraftregler, den sich James Watt 1788 patentieren ließ (wie in der Technikgeschichte häufig, lag diese Erfindung schon jahrelang quasi in der Luft und andere, heute vergessene Pioniere waren wesentlich an ihr beteiligt).

Ein Seitenhinweis: Als erste Form eines elektrischen Reglers wird das Relais beschrieben, auf dessen Grundlage der Amerikaner Samuel Morse 1837 den elektromagnetischen Schreibtelegrafen entwickelte. Mit dieser Erfindung wurde eine spezifisch amerikanische Tradition elektrischer, später elektronischer Kommunikation über Telephon und Computer bis hin zum Internet begründet. Dieser Ansatz wird hier nicht weiter verfolgt, aber es sei daran erinnert, daß diese Techniklinie von de Sola Pool mit seiner These der *Technologies of Freedom* als besonders freiheitsspendend interpretiert wird. Auch hier geht es um eine genuin amerikanische Technik-Tradition, der unmittelbar politische Prägekraft zuerkannt wird.[22]

Selbststeuerung als gesellschaftliches Modell

Ein Ideentransfer aus der technischen in die gesellschaftlich-politische Sphäre kann angenommen werden, wenn hinreichend erwiesen ist, daß technische Modelle beziehungsweise Leitbilder und speziell solche der Selbststeuerung in den Köpfen der damals wissenschaftlich Denkenden und politisch Handelnden präsent waren. Es gibt eine Fülle von Indikatoren für diesen Zusammenhang. So war die seinerzeit entstehende liberale Wirtschaftstheorie von der Vorstellung durchdrungen, daß nicht staatliche Intervention, son-

---

21 Strandh, Die Maschine, 181ff.

22 Ithiel de Sola Pool, Technologies of Freedom: On Free Speech in an Electronic Age (Cambridge, MA: Belknap Press, 1983); Hans J. Kleinsteuber, „Technologies of Freedom: Warum werden in den USA Medien so ganz anders interpretiert?", Amerikastudien/American Studies 40.2 (1995): 183-208.

dern der Markt als selbststeuernde Instanz im Mittelpunkt wirtschaftlichen Handelns stehen solle.

Adam Smith, in vielerlei Hinsicht der Begründer einer liberalen Wirtschaftslehre, war mit dem 'Erfinder' der modernen Dampfmaschine James Watt befreundet, hatte Kontakt mit Gründungsvätern der USA wie Benjamin Franklin und war wahrscheinlich auch Thomas Jefferson begegnet. Er zeigt in seinen Analysen einen eindrucksvoll hohen technischen Sachverstand. So beschreibt er bereits auf den ersten Seiten seines epochalen Werks *Wealth of Nations* von 1776 (im Zusammenhang mit Arbeitsteilung und -ersparnis) die Dampfmaschine, deren Ventil seinerzeit von der Hand eines arbeitenden Jungen gesteuert wurde, der doch viel lieber gespielt hätte. „One of those boys, who loved to play with his companions, observed that, by tying a string from the handle of the valve which opened this communication to another part of the machine, the valve would open and shut without his assistance... One of the greatest improvements that has been made upon the machine, since it was first invented..."[23] Plastischer kann man kaum den Übergang von der menschenbedienten Maschine zur mechanischen Selbststeuerung beschreiben. So wie von dem Jungen die Dampfmaschine rückgekoppelt wurde, sollte dies nach Smith auch über das Regelsystem Markt im liberalen Wirtschaftssystem geschehen.[24]

Für die spezifischen Bedingungen der USA ist charakteristisch, daß führende Vertreter der damaligen Epoche begeisterte Wissenschaftler und Erfinder oder zumindest doch technisch sehr interessierte Bürger waren. Mehr als jeder andere steht Benjamin Franklin für dieses universale Interesse an politischen wie an technischen Problemen der Zeit. Er gilt nicht nur als Erfinder des Blitzableiters und Entwickler eines nach ihm benannten Ofens, er beschäftigte sich auch mit amphibischen Grabgeräten, mit Hochdruckdampfmaschinen, ja, er konzipierte sogar einen Armlehnstuhl mit ausklappbarer Bibliotheksleiter. Sigfried Giedion würdigte ihn dafür ausführlich in seiner Geschichte der Mechanisierung.[25]

Ähnliches kann von Thomas Jefferson berichtet werden. Ein in unserem Zusammenhang interessanter Rechtsstreit brachte Jefferson direkt mit der revolutionär neuen, weitgehend selbstgesteuerten Mühle des bereits oben

---

23 Adam Smith, The Wealth of Nations (New York: Knopf/Random House, 1937) 9.

24 Otto Mayr, „Adam Smith und das Konzept der Regelung. Ökonomisches Denken und Technik in Großbritannien im 18. Jahrhundert", Technikgeschichte. Historische Beiträge und neuere Ansätze, Hg. Ulrich Troitzsch und Gabriele Wohlauf (Frankfurt/M.: Suhrkamp, 1980) 241-68.

25 Sigfried Giedion, Die Herrschaft der Mechanisierung. Ein Beitrag zur anonymen Geschichte (Frankfurt/M.: Europäische Verlagsanstalt, 1982) u. a. 110, 357, 574f.

erwähnten Oliver Evans in Verbindung. Evans hatte eine Anlage entwickelt, die Getreide vermahlte, ohne daß menschliche Arbeitskraft daran direkt beteiligt war (zugleich eine frühe Variante der Fließbandproduktion, für welche die USA später berühmt werden sollten).[26] Das erste Modell war 1784/85 fertig geworden und arbeitete in den Wäldern von Delaware im Tal des Redclay Creek. Andere Mühlenbauer übernahmen diese Maschinentechnik, wollten aber keine Lizenzgebühr an Evans zahlen. In dem aufgebrochenen Streit wurde Jefferson als Sachverständiger herangezogen. Nach dessen Meinung waren die technischen Komponenten des Verfahrens bereits hinreichend bekannt - er nennt die archimedische Schraube und Rad-Schöpfwerke - und folglich die innovative Leistung von Evans zu gering, um Lizenzzahlungen an ihn rechtfertigen zu können.[27] Der sich hier als technisch sachkundig darstellende Jefferson galt als leidenschaftlicher Tüftler, der zum Beispiel mechanische Vorrichtungen erfunden hatte, um Türen selbsttätig zu öffnen oder Flaschen aus seinem Weinkeller auf seinem Landsitz Monticello heranzuschaffen.

Leo Marx faßt das seinerzeit vorherrschende Zutrauen zur mit der industriellen Revolution entstehenden maschinellen Welt zusammen. Viele der Zeitgenossen Jeffersons, so schreibt er, teilten seine Vorstellungen einer doppelten Bedeutung von Wissenschaft und Technologie „(1) as instruments of emancipation from ignorance, superstition, and political oppression and (2) as basic resources in the building of a more productive, humane, and just society“.[28]

Unter den geschilderten Bedingungen wird verständlich, daß sich - deutlich mehr als im deutschen Sprachgebrauch - in den USA Anspielungen auf technische Strukturen bei der Benennung politischer Sachverhalte finden lassen. Das gesamte Vokabular der Zeit, so sah es Commager, war durchdrungen von mechanischen Konzepten: „state of nature, natural law, social compact, inalienable rights, immutable laws, eternal principle of justice, a standing law to live by“.[29] Viele dieser Konzepte stammen in der Tat, wie oben erörtert, aus den mechanistischen Grundanschauungen der Epoche.

---

26 Kasson, Civilizing the Machine, 28.

27 Giedion, Die Herrschaft der Mechanisierung, 103ff.

28 Leo Marx, „Does Improved Technology Mean Progress?“, Technological Change and the Transformation of America, Hg. Steven E. Goldberg und Charles R. Strain (Carbondale, IL: Southern Illinois University Press, 1987) 26.

29 Henry S. Commager, The American Mind: An Interpretation of American Thought and Character since the 1880's (New Haven, CT: Yale University Press, 1950) 312.

Selbstregulierung in der Verfassung der USA

Umreißen wir kurz, welche spezifischen, sich aus den Zeitumständen ergebenden Forderungen an die US-Verfassung gestellt werden mußten. Zuerst einmal sollte die politische Grundordnung zeitlich und räumlich offen sein. In der Zeitdimension mußte der Beitritt weiterer Staaten ermöglicht werden. Im Raum bedurfte es einer strukturellen Offenheit, um die Expansion des Staates in Richtung der unerschlossenen Territorien im Westen zu ermöglichen. Beides zusammen ließ die Grundlagen des Föderalstaates und der mit ihm verbundenen horizontalen und vertikalen Gewaltenteilungsstrukturen entstehen. Offenheit war auch geboten, um die unterschiedlichen Staatsvorstellungen der Gründergeneration in einem Verfassungswerk bündeln zu können.

Balance of Power

Die Steuerung des so angelegten Staatswesens sollte in einem Geflecht der verschiedenen Staatsgewalten und ihren internen Machtverschränkungen erfolgen, realisiert in einem System von 'balance of power' und 'checks and balances'.[30] Diese Verfassungsprinzipien erlauben, daß einzelne Bestandteile des Systems durchaus in Extreme ausschlagen können, die Gesamtstruktur aber immer wieder in einen Gleichgewichtszustand zurück'pendeln' wird. Das 'politische Spiel' folgt eigenen Regeln, wobei politische Gegner immer auch legitime Mitspieler sind.[31] Das so entstandene politische System soll den Eindruck vermitteln, daß es offen arbeitet, auf jede spezifische ideologische Festlegung verzichtet und ohne eine (Staats-)Zielbestimmung auskommt.

Der zentrale Bestandteil der US-Verfassung ist unbestritten die Gewaltenteilung, die 'balance of power'. Die ambivalente Bedeutung von 'power' als Autorität oder Einfluß über andere, aber auch Energie oder physikalische Kraft ist offensichtlich. Als Beleg für die These von der Wechselwirkung zwischen gesellschaftlichen und technischen Konzepten ist er trefflich

30 Nicht berücksichtigt wird hier, daß die analysierten Termini 'balance' und 'checks' neben ihrer technischen und politischen auch eine ökonomische Bedeutung haben. Als Begriffe des Geldverkehrs und der Buchführung verweisen sie auf die enge Nachbarschaft des hier erläuterten mechanischen Weltbildes und seiner politischen Komponente zur bürgerlich-kapitalistischen Gesellschaft.

31 Otto Mayr, Uhrwerk und Waage. Autorität, Freiheit und technische Systeme der frühen Neuzeit (München: Beck, 1987) 187ff.

geeignet.[32] Allerdings fehlt ihm der selbstregulative Bezug. 'Balance', so belehrt uns jedes Wörterbuch, beschreibt in seiner ältesten Wortbedeutung die Waage, was ein einfaches Regelsystem zur Feststellung von Gewicht beziehungsweise Gewichtsunterschieden beschreibt, „an apparatus for weighing, consisting of a beam poised so as to move freely on a central pivot, with a scale pan at each end" (Oxford English Dictionary). Der Archetyp der Waage setzt immer ein tendenzielles Ungleichgewicht voraus, was bereits sehr früh auch auf politische Interessen und Durchsetzungspotentiale übertragen wurde. Werden Interessen abgewogen, etwa vor Gericht, so gleicht man sie gegeneinander ab, sucht quasi den Ausgleich; daher auch die Waage als uraltes Symbol der Justiz.

Oben war von dem Wechselverhältnis zwischen Technik und Politik die Rede. Wer immer die Benennung vornahm: Ein zentrales Aggregat der Wattschen Dampfmaschine trägt die Bezeichnung Balancier.[33] Es handelt sich um einen (hölzernen) Balken, mit dem die im Zylinder entstehende Auf- und Abbewegung auf das Schwungrad übertragen wird. Mit einem kunstvollen Parallelogramm-Gestänge wird die Bewegung der vom Zylinder kommenden Kolbenstange so begrenzt, daß nur der fast gradlinige, folglich energiestärkste Teil der Kolbenbewegung genutzt wird. Diese Balancier-Balken ist horizontal über der Dampfmaschine gelagert und erinnert in seiner Wippbewegung an einen Waagebalken. Das Parallelogramm-Gestänge sichert gleichermaßen seine Beweglichkeit und grenzt diese im Interesse einer optimalen Kraftübertragung zugleich wieder ein. Das Parallelogramm wird uns als Metapher in der Theorie des Pluralismus wiederbegegnen.

Karl Deutsch zählt zu den Politikwissenschaftlern, die ihre sozialwissenschaftlichen Denkentwürfe immer wieder mit technischen Analogien untermauert und begründet haben (etwa seine Nationalismustheorie mit Kommunikationstechniken).[34] Er hat sich, zumindest kursorisch, auch mit der amerikanischen Situation beschäftigt. Dabei bezieht er allerdings – und hier widerspricht dieser Beitrag entschieden – sowohl balance of power wie

---

32 In den wesentlichen westlichen Sprachen läßt sich diese Mehrdeutigkeit von 'power' feststellen, vergleiche französisch 'pouvoir', spanisch 'poder'. Erst in der deutschen Rezeption ging mit '(Staats-)Gewalt' die physikalische Konnotation verloren. Der Zusammenhang wird am Beispiel des Begriffs „Vierte Gewalt" für die Medien entwikkelt: Hans J. Kleinsteuber, „Vierte Gewalt – Ein Schlüsselbegriff im Verhältnis von Medien und Politik", Gegenwartskunde 46.3 (1997): 159-74.

33 Strandh, Die Maschine, 53, 122f.

34 Karl W. Deutsch, Nationalism and Social Communication. An Inquiry into the Foundations of Nationality (Cambridge, MA: MIT Press, 1953) 86ff.

checks and balances der amerikanischen Verfassung metaphorisch auf den Mechanismus des Uhrwerks.[35]

Unabhängig davon gelingt es ihm an anderer Stelle aber sehr sensibel, die spezifische gesellschaftliche Logik der Waage zu erklären, die doch etwas ganz anderes als die lineare und messende Logik der Uhr verkörpert. „Aus der Verbindung der beiden Waagschalen ergab sich der Begriff des stabilen Gleichgewichts und daraus die Folgerung, daß die Gegenkräfte um so stärker sein müßten, je mehr die wahre Gleichgewichtsstellung gestört sei. Die Idee der *diké*, des 'Nicht-zu-viel', der goldenen Mitte, und die Statue der Justitia,..., sind vielsagende Zeugen dieses Modells. Rad und Waage lassen beide an eine Bewegung denken, die am Ende wieder zur Ausgangsstellung zurückkehrt. *Plus ça change, plus c'est la même chose.*“[36]

Checks and Balances

Oder nehmen wir das ähnlich grundlegende Prinzip der 'checks and balances', ein anderes Grundelement der US-Verfassung, in dem neben der bereits bekannten 'balance' der 'check' angesprochen wird. Check, übrigens ein Wort, das mit dem Schachspiel aus dem arabisch-persischen Raum nach Europa kam, meint in diesem Kontext so etwas wie „restraint upon action or conduct by a supervising or controlling power“ (Oxford English Dictionary). Hier steht also eine kontrollierende Funktion im Mittelpunkt, die - wenn man will - auch als technische Qualitätskontrolle (check) interpretiert werden kann. Der Begriff Kontrolle bezieht sich in seiner Wortherkunft übrigens wieder auf einen materiellen Sachverhalt, auf 'contre-role', Bestandteile einer in der Mitte durchrissenen Schriftrolle, die bei den Beteiligten hinterlegt wurde, um die Echtheit des Dokuments belegen zu können.[37]

Regulation

In der Verfassung findet sich an mehreren Fundstellen der Begriff 'to regulate' beziehungsweise 'regulation'. Im Artikel 1, Section 8 heißt es, daß der Kongreß unter anderem das Recht habe „to regulate Commerce“. Gemeint ist die bekannte Interstate Commerce-Klausel, die gleichermaßen zur Begründung wirtschaftspolitischer Aktivitäten des Bundes wurde, wie Na-

35 Deutsch, Politische Kybernetik, 67.

36 Ibid., 64f.

37 Vgl. Winfried Steffani, „Formen, Verfahren und Wirkungen der parlamentarischen Kontrolle“, Parlamentsrecht und Parlamentspraxis in der Bundesrepublik Deutschland, Hg. Hans-Peter Schneider und Wolfgang Zeh (Berlin: de Gruyter, 1989) 1325.

mensgeber der Interstate Commerce Commission, der ältesten Regulierungskommission der USA. An anderer Stelle ist von „regulation" die Rede (Art. 1, Sect. 8, Sect. 9), von Regelungen bestimmter Rechts- und Politikbereiche. Der 'regulator' zählt gleichfalls zu den Begriffen, die ambivalent zwischen Technik und Politik pendeln. Er beschreibt „a device for controlling machinery in motion or for regulating the passage of air, electricity, gas, steam, water etc." (Oxford English Dictionary), also den bereits bekannten Regler.[38] In anderen Zusammenhängen bezeichnet „regulation" politische Regelungen, „a rule prescribed for the management of some matter, or for the regulating of conduct, a governing precept or direction; a standing rule" (ebenda), also etwa staatliche Gesetze, Anordnungen, Aufsichtsmaßnahmen etc. Regulierung bezieht sich gleichermaßen auf technische Regler wie auf eine regulierende Behörde, etwa die sehr amerikanische Einrichtung der Independent Regulatory Commissions, die privatwirtschaftliche Unternehmen möglichst regierungsfern beaufsichtigen sollen. Auch das selbstregulative Moment wird in diesem Zusammenhang deutlich, sind diese Regulierungsbehörden doch gesetzlich wie auch in ihrer Praxis gehalten, weniger hoheitlich anzuordnen als die Selbstordnungsbedürfnisse ihrer (Klientel-) Industrien aufzugreifen und in 'regulations' umzusetzen.[39]

Der 'Governor', der Kopf der Exekutive in den Kolonien und später den Einzelstaaten, leitet sich vom lateinischen *gubernator* und dieser wieder vom griechischen *kybernetes*, dem Steuermann, ab. Der Begriff des 'governor' als einem „who governs, or exercises authoritative control over subjects or inferiors" (Oxford English Dictionary) ist sehr viel älter als die US-Verfassung und schon im britischen Mittelalter verbürgt. Hier finden wir einen gegenüber den bisherigen Befunden umgekehrten Prozeß: Der Begriff wurde von der Technik adoptiert. Der 'governor' ist nämlich seit Beginn des 19. Jahrhunderts auch „a self-acting contrivance for regulating the passage of gas, steam, water, etc., esp. the supply of any of these to a machine, in order to ensure an even and regular motion" (ebenda). Er wurde also zur Bezeichnung für das Reglerventil auf einer sich selbst regelnden Maschine, den zentralen Mechanismus bezeichnend, der kybernetische Kreisläufe in Gang hält.[40] Die sprachliche Ambivalenz verdeutlicht, daß Transferprozesse zwischen Technik und Gesellschaft keineswegs monodirektional zu sehen

38 Nicht verschwiegen werden soll, daß der Regulator auch eine Uhr bezeichnen kann, solche mit akkurater Zeitangabe, nach der andere Uhren eingestellt werden.

39 Am Beispiel der FCC entwickelt: Hans J. Kleinsteuber, „Regulierung des Rundfunks in den USA", Rundfunk und Fernsehen 45.1 (1996): 27-50.

40 Norbert Wiener, Kybernetik. Regelung und Nachrichtenübertragung in Lebewesen und Maschine (Reinbek: Rowohlt, 1968) 32; Mayr, Uhrwerk und Waage, 231.

sind, gesellschaftlich geläufige Vorstellungen sickern auch in den Sprachgebrauch der Ingenieure ein.

Um der technischen Metapher noch einmal deutliche Konturen zu geben: In den Staatsstrukturen der USA thront der Gouverneur als zentraler Regulator über dem milden Chaos gegeneinander und miteinander wirkender Kräfte, genau wie der Fliehkraftregler auf der Dampfmaschine. Gleichgewicht in dieser von einer festen Form lebenden, gleichwohl nicht zielbestimmten Struktur bedeutet systemisch gesehen Stabilität – oder politisch gewendet – Konservativismus im Sinne des Beharrens auf einem vorher bestimmten Gleichgewichtszustand. Das korrespondiert unmittelbar mit dem insgesamt konservativen Grundtenor der Verfassung.

Aber das Konzept der selbstregulierten Maschine bietet mehr. Es zeichnet sich ja gerade durch seine Fähigkeit aus, auf veränderte Außenbedingungen differenziert und ohne menschliches Zutun reagieren zu können. Wenn sich bei einer Dampfmaschine beispielsweise die Kraftabnahme ändert, vermag der Regler die notwendige neue Dampfmenge differenziert einzustellen. Ebenso kann am Regler auch die Gesamtleistung der Maschine verändert, also der jeweils konkret eingestellte Druck erhöht oder erniedrigt werden. Die Maschine ist somit in der Lage, 'geregelte' Veränderungen ihres Zustandes herzustellen, also eine Strategie begrenzter Statusveränderungen zu verarbeiten: Reformen und Wandel werden so fester Bestandteil der geregelt dynamischen Struktur. Versagt das Regelsystem vollständig, so droht dem System allerdings eine – technische oder politische – Explosion.

Wenn ich es recht sehe, so wird die selbstregulative Logik der US-Verfassung in der US-Analyse eher seltener betont, vielleicht weil diese Interpretation naheliegend und selbstverständlich erscheint. Mit aller gebotenen Klarheit wird sie allerdings von Richard Mosier entwickelt, der das Prinzip einer self-regulation von Newton ableitet und in einer „machinery of government" realisiert sieht, die gezwungen ist, sich ständig selbst zu wiederholen. „In its structure, therefore, the republic was a mechanism; not simply an instrument of government, but a political machine, the structure of which was determined by the universal reign of law, and regulated by a cosmic constitution."[41]

Es sieht so aus, daß sich in der ursprünglichen US-Verfassung viele Merkmale finden, welche die kybernetische Theorie erst weit später abstrakt entworfen hat und die in den Theorien der Selbstorganisation, etwa in

---

41 Richard D. Mosier, The American Temper: Patterns of Our Intellectual Heritage (Berkeley, CA: University of California Press, 1952) 131.

Formeln wie „nicht Kontrollhierarchie, sondern stratifizierte Autonomie"[42] ihren heutigen und sehr aktuellen Niederschlag finden. In die Theoriebildung der Politischen Wissenschaft flossen diese Ideen vor allem durch Karl W. Deutschs „politische Kybernetik" ein.[43] Und vergessen wir nicht, daß die Worte Kybernetik und Gouverneur auf dieselben Ursprünge verweisen.

Das Motiv Technologie in der wissenschaftlichen Rezeption der Verfassungsordnung

Die unverkennbar technologische Logik der US-Verfassung ist in der historischen und systematischen Erforschung des politischen Systems der USA vielfach rezipiert worden. Nehmen wir zum Beispiel die Verfassungsgeschichte von Michael Kammen, in der er sich bewußt von der sonst üblichen historischen Reihung von Supreme Court-Interpretationen der Verfassung distanziert und statt dessen die kulturelle Bedeutung des Dokuments und seine Wirkungsgeschichte betont. Er nennt die Verfassung (und seine Arbeit) „A machine that would go by itself" und begründet diese Etikettierung mit einer beeindruckenden Fülle von diesbezüglichen Zitaten. So sprach Thomas Jefferson schon 1774 von „the great machine of government" oder John Quincy Adams 1839 von „the wheels of this political machine".[44] Kammens Darstellung ist nicht nur von der Metapher der sich selbst steuernden Maschine durchdrungen. Er betont auch die geläufige Etikettierung der Verfassung als 'Instrument', also mit einem weiteren ambivalenten Terminus zwischen Technik und Gesellschaft. Ein Instrument, das eine tiefe, fast mythische Verankerung in der amerikanischen Kultur findet.[45]

Eine andere Sichtweise vermittelt uns Daniel J. Boorstin in seiner Studie zur *Republic of Technology*. Die Verfassung nennt er „political technology", den Verfassungsvätern attestiert er, daß sie weniger an Ideologien als an „technology of politics" interessiert waren, er lobt ihren „open, experimental, technological spirit.[46] Technik stellt für ihn ein Synonym für Erfahrung dar, eine Bezeichnung für die erfolgreiche Anwendung der Naturwissenschaften, welche Lösungen anbieten, um die zur Gründung der USA not-

42 Erich Jantsch, Die Selbstorganisation des Universums. Vom Urknall zum menschlichen Geist (München: dtv, 1982) 338ff.

43 Deutsch, Politische Kybernetik.

44 Michael Kammen, A Machine that Would Go by Itself. The Constitution in American Culture (New York: St. Martin's Press, 1987) 17, 18.

45 Ibid., 3ff., 17.

46 Boorstin, The Republic of Technology, 49.

wendige Trennung durch politische Grenzen, Sprachen, Religionen und lokale Traditionen zu überwinden.[47] An anderer Stelle betont Boorstin einen weiteren Aspekt der Verfassung: Politische Technologie bezeichnet für ihn auch den offenen, empirischen Charakter der Verfassung, deren „experimental spirit", welcher die USA zu einem „Laboratorium" werden ließ, in dem Ideen getestet und an der Praxis weiterentwickelt werden konnten.[48]

Der experimentelle Impetus erfordert eine spezifische „freedom to conduct experiments", die sich in der Logik der Verfassung wiederfinden muß. Diese Experimentierfreiheit setzt einen hohen Grad von Autonomie voraus. Sie ist optimal in einer dezentralen Grundordnung gesichert, wie sie der Föderalismus konstituiert: Zudem ist – diesem Denkmodell folgend – ein Markt notwendig, der es dem Experimentierenden unmöglich macht, die Marktbewertung eines neuen Produkts selbst vornehmen zu können. Nur der Kapitalismus erlaubt in dieser Sichtweise eine hohe technologische Kreativität, marxistisch-sozialistische Systeme bleiben dagegen technologisch unergiebig.[49] Entsprechend häufig wird argumentiert, daß liberale Demokratie und Technologie quasi miteinander vermählt sind; in der Sicht von Alvin M. Weinberg stärken sie einander, garantieren technologisches Wachstum, gesellschaftlichen Reichtum und damit internationale Friedfertigkeit.[50]

Eine verwandte Sichtweise findet sich auch bei Vertretern der pragmatischen Philosophie-Schule, die von einem spezifischen Zukunftsoptimismus lebt, der zumindest teilweise auf mechanisch-linearen Extrapolationen in die Zukunft basiert. John Dewey etwa sah in materieller und politischer Technologie eine notwendige Voraussetzung für genuine Demokratie.[51] Schließen wir mit der Einschätzung des Historikers Thomas P. Hughes, dem zufolge die Vorstellung, die Amerikaner seien essentiell ein Volk der Politiker und Geschäftsleute, falsch ist. Für ihn steht deren „technological enthusiasm"

---

47 Ibid., xiii.

48 Daniel J. Boorstin, „Political Technology", Hidden History. Exploring our Secret Past, Hg. Daniel J. Boorstin (New York: Harper&Row, 1989) 190ff.

49 Nathan Rosenberg, „Technological Change Under Capitalism and Socialism", Thinking about America. The United States in the 1990s, Hg. Annelise Anderson und Dennis L. Bark (Stanford, CA: Hoover Institution Press, 1988) 191ff.

50 Alvin M. Weinberg, „Technology and Democracy", Minerva (Spring 1990): 83-90.

51 Frank J. Kurtz, „Political Technology, Democracy and Education: John Dewey's Legacy", Democratic Theory and Technological Society, Hg. Richard B. Day, Ronald Beiner und Joseph Masciulli (Armonk, NY: M.E. Sharpe, 1988) 204.

während der gesamten Geschichte im Vordergrund (wobei nach seiner Einschätzung die Kulmination in der Epoche 1870 - 1970 erfolgte).[52]

Es wäre nicht schwer, an dieser Stelle mit einer Fülle weiterer Autoren zu belegen, daß Technik und Technologie zu Schlüsselbegriffen des amerikanischen Selbstverständnisses geworden sind, sowohl auf der realen wie auf der mythologischen Ebene, sowohl in der Technologiepolitik wie auch in der Herrschaftstechnik.[53] Aus der Literaturgeschichte erfahren wir zum Beispiel, „the coupling of the human and the machine remained a luring topic for nineteenth-century American authors."[54] Die Geschichte der USA war auf ein tiefes Vertrauen auf die fortschrittliche Kraft der Technik gebaut und von einem entsprechenden Technikoptimismus geprägt: Mit Einsatz von Technik wurden - nach den jeweiligen Möglichkeiten der Epoche - der Atlantik durchquert und der Kontinent erschlossen, das Land durch weiße Siedler in Besitz genommen, die Unabhängigkeit vom Mutterland erstritten und gesichert, schließlich ein Massenwohlstand erarbeitet und eine Art Pax Americana errichtet. Euphorie über diese, den Staat konstituierende Technik wurde immer, gleichfalls eine Besonderheit der USA, von einer ähnlich radikalen Skepsis begleitet. Mit Recht, denn es bleibt zu fragen, in welchem Maß die Logik von Balance und kontrollierter Gewalt tatsächlich überwiegt oder ob nicht die lineare und hierarchische Logik des Uhrwerks an Terrain gewann, etwa in der Militärtechnik oder in der gleichfalls sehr amerikanischen Entwicklung des Taylorismus.[55] Das müßte Gegenstand einer eigenen Analyse sein.

Abschließend erscheint es sinnvoll, einige Merkmale des (Neo-)Pluralismus, dessen Popularisierung in Deutschland eng mit der Person Ernst Fraenkels und einer positiven Beschreibung der Verfassungsordnung in den USA verbunden war, auf ihre Nähe zum selbstregulativen Politikmodell abzuklopfen. Bereits bei den amerikanischen Vordenkern des Pluralismus sind

52 Thomas P. Hughes, American Genesis. A Century of Invention and Technological Enthusiasm (New York, Pengiun Books, 1990) 2.

53 Ein guter Überblick: Richard B. Day, Ronald Beiner und Joseph Masciulli, Hg., Democratic Theory and Technological Society (Armonk NY: M.E. Sharpe, 1988).

54 Klaus Benesch, „Romantic Cyborgs: Technology, Authorship, and the Politics of Reproduction in Nineteenth-Century American Literature", Amerikastudien/ American Studies 41.3 (1996): 357.

55 So: Christopher Lasch, „Technology and Its Critics", Technological Change and the Transformation of America, Hg. Steven E. Goldberg und Charles R. Strain (Carbondale, IL: Southern Illinois University Press, 1987).

spezielle Bezüge auf Technik festzustellen.[56] Hier soll der Fraenkelsche Ansatz des Neopluralismus kurz auf technische Analogien durchleuchtet werden.

Pluralismus als selbstregulatives System

Es liegt sicherlich nahe, in der Maschine, die kein Ziel außer sich kennt und die in ihrer Arbeitsweise um einen mittleren Gleichgewichtspunkt pendelt, ein Leitbild des Pluralismus zu sehen. Offenheit und Geregeltheit sind dessen zentrale Prinzipien: Offenheit durch den Verzicht auf eine Staatszielbestimmung (z. B. auf eine Gemeinwohlverpflichtung) und Geregeltheit durch den hohen Stellenwert von Spielregeln, das bekannte „Fair Play".[57] Bereits im Begriff des geregelten 'Spiels', gleichfalls ein ambivalenter Ausdruck, lebt die selbstregulative Maschine mit ihren technisch hergestellten Spielräumen weiter. Übrigens arbeiten auch die Komponenten einer Maschine nur dann korrekt, wenn sie – nicht zuviel und nicht zuwenig – „Spiel" haben.

Die Zyklizität der Selbststeuerung, die ja im Rahmen ihres Spiels Ausschläge innerhalb einer Bandbreite kennt, wird politisch in den gleichfalls zyklischen Wahlprozessen und den daraus resultierenden Schwankungen zwischen den politischen Tendenzen von 'rechts' und 'links' abgebildet. Wie im Pluralismus stellt die selbststeuernde Maschine ständig Kompromisse zwischen Extrempunkten her, um weiterfunktionieren zu können. Ernst Fraenkel hat immer wieder betont, daß das politische System der USA bewußt kompliziert angelegt sei und darin gerade seine Stärke bestehe. Nur die Tyrannis sei simpel strukturiert.[58] Nicht ein bestimmtes Politikziel stehe im Vordergrund, vielmehr seien in der Verfassung Spielregeln angelegt, die einzuhalten für alle Beteiligten notwendig, aber auch naheliegend sei. Der pluralistische Willensbildungsprozeß (mit dem Ausgleich zwischen in verschiedene Richtungen weisenden Kräften) ist von Fraenkel häufig anhand des Kräfteparallelogramms versinnbildlicht worden, also einer unmittelbar mechanisch-mathematischen Metapher – oben wurde bereits dargestellt, daß

---

56 Zu Robert Dahls Polyarchie: H. D. Forbes, „Dahl, Democracy and Technology", Democratic Theory and Technological Society, Hg. Day, Beiner und Masciulli, 227-250.

57 Ernst Fraenkel, „Deutschland und die westlichen Demokratien", Deutschland und die westlichen Demokratien, Hg. Ernst Fraenkel (Frankfurt: Kohlhammer, 1991) 58ff.

58 Ernst Fraenkel, Das amerikanische Regierungssystem (Opladen: Westdeutscher Verlag, 1976) 346.

in der Konstruktion der Dampfmaschine Parallelogramm-Gestänge für die optimale Kraftübertragung sorgen.

Im Zusammenspiel der vielen Faktoren entsteht nach Fraenkel ein „strukturelles Gleichgewicht“[59], das allerdings durch Hypertrophie des einen oder anderen am politischen Spiel beteiligten Akteurs gestört werden kann. Versagt die Selbststeuerung, übernehmen die Extreme selbst die Regie, kommt es folglich zum Systemzusammenbruch. In der Analogie der selbstregulativen Maschine bedeutet dies, daß sie mangels Energie zum Stillstand kommt, die Politik verliert also jede Dynamik und stagniert. Zum anderen kann eine Überhitzung drohen, die Maschine gerät außer Kontrolle und zerstört sich selbst. Bei der Dampfmaschine kann insbesondere der Kessel explodieren, eine im 19. Jahrhundert übliche Ursache gefährlicher Unfälle. (Die Technischen Überwachungsvereine TÜV, eine frühe Form industrieller Selbstregulierung in Deutschland, begannen mit der freiwilligen Kontrolle von Dampfkesseln.) Politische Überhitzung führt, so der metaphorische Schluß, zu politischen Explosionen, also zu Krisen und Revolutionen. Der oben postulierte Zusammenhang technischer und gesellschaftlicher Leitbilder reicht sicherlich über den hier bearbeiteten Themenkreis Verfassung hinaus.

Die gleichermaßen aus der US-Tradition wie aus der pluralistischen Schule bekannte Kritik bürokratischer Herrschaft läßt sich (wie bereits bei Mayr historisch begründet) aus dem maschinellen Gegenmodell des Uhrwerks herleiten. Bürokratie wirkt in ihrer technischen Analogie wie eine hohle Apparatur, die nur auf einen von außen herangetragenen und zentral eingespeisten Willen zu reagieren vermag, also immer einer externen Zielbestimmung ihres Handelns bedarf. Zu diesem Zweck muß sie hierarchisch strukturiert sein, ein Oben (wo die Entscheidung hineingegeben wird) und ein Unten (wo sie exekutiert wird) aufweisen. Das „Räderwerk der Bürokratie“ ist die sich hier anbietende Metapher.

Zusammenfassung

1. Diese Betrachtung schloß an moderne Ansätze der Technikanalyse an, die technische Konzepte in einem engen Wechselverhältnis zur Gesellschaft sehen. Danach befördern gesellschaftliche Erfahrungen technologische Einsichten und vice versa. Diese Wechselverhältnisse werden bereits

---

59 Ibid., 343.

in zahlreichen sprachlichen Ambivalenzen und darauf bezogenen Metaphern deutlich.

2. Die These eines Einsickerns technischer Leitbilder in die Politik bezieht sich auf das 'Zeitalter der Vernunft' etwa zwischen 1650 und 1790, in dem mechanistische Weltbilder vorherrschend waren. Wie dargestellt wurde, stellten führende europäische Universalgelehrte von Thomas Hobbes bis Adam Smith immer wieder den Zusammenhang zwischen Technologie und Gesellschaft her.
3. In der Phase der amerikanischen Revolution und der Verfassungsgebung für die Vereinigten Staaten zeigen viele Beteiligte ein hohes Niveau technologischer Kenntnisse und demonstrieren so vielfältig die Verknüpfung technologischer und politischer Leitbilder der Epoche.
4. Die These von der in der Verfassung angelegten 'technologischen Republik' (Boorstin) ist unter US-Autoren keineswegs neu. In diesem Beitrag wurde speziell hervorgehoben, daß nicht technische Strukturen allgemein (insbesondere nicht das Räderwerk der Uhr) die Analogie zur Verfassung bildeten, sondern die in jener Epoche entdeckte selbstgesteuerte Maschine.
5. Auf der sprachlichen wie der konzeptionellen Ebene finden sich unmittelbare Parallelen zwischen technischen Komponenten der Selbststeuerung und der Verfassung, insbesondere an Begriffen wie 'governor' und 'regulation/regulator' nachzuweisen, die beide Kernbereiche der Verfassungsordnung wie auch maschinelle Steuerungsaggregate bezeichnen. Auch der Schlüsselbegriff 'balance' mit seiner älteren Parallelbedeutung Waage läßt auf Assoziationen aus der Regeltechnik schließen.
6. Die von den Verfassungsvätern angelegte Ordnung erscheint in ihrer zeitlichen und räumlichen Offenheit, in ihrer bewußten Abkehr von jeder Staatszielbestimmung und ihrer Präzision der Institutionenzuordnung im System von 'checks and balances' wie eine ins Gesellschaftliche übertragene selbstregulative Maschine. Damit wurde der für die Epoche fortschrittlichste Stand der Technikentwicklung politisch abgebildet. Man würde heute sagen, das Festschreiben des damaligen technologischen 'state of the art' sicherte die Zukunftsfestigkeit der amerikanischen Verfassung.
7. Hier ist nicht eine Abkehr von früheren Interpretationen der Verfassungsgebung intendiert, einem Prozeß, der natürlich multidimensional interpretiert werden muß. Vielmehr soll auf eine bisher vernachlässigte Komponente in der Logik der US-Verfassung verwiesen werden.
8. Die technologische Republik mit Elementen der Selbststeuerung weist unverkennbare Nähen zum Konzept des Neopluralismus von Ernst Fraenkel auf. Es wäre sicherlich reizvoll, diesen politischen Theorie-

ansatz – wie auch andere Theorien – sorgfältig auf ihre technologische Rationalität und Metaphorik hin zu durchleuchten.

Volker Depkat*

The Birth of Technology from the Spirit of the Lack of Culture. The United States as 'Land of Technological Progress' in Germany, 1800-1850

Introduction

"What came from America in those days was *Americanism*, an often quoted and much discussed term for an advanced technical process of civilization, which was going around the world under the leadership of the United States." When the German-born illustrator and graphic artist George Grosz looked back in his autobiography on what he thought *Americanism* in the 1920s was all about, he described it as an all-encompassing process of transforming the everyday *Lebenswelt* through technology. "New forms of rationalization, so-called 'efficiency', courting customers according to American patterns ('advertising and selling'), customer service, the famous 'keep smiling', the whole modern work process, where work is broken into separate, precisely calculated parts, the systems of Taylor, Ford and others - all this came from America."[1] Grosz's "advanced technical process of civilization" thus not only referred to new mechanical devices which improved human existence and increased productivity. Rather, *Americanism* described a whole design of the world centering on a technological rationalism that was constantly changing the social and economic structures toward a consumer society. In Grosz's autobiographical reflexion we are confronted with an image of the US which circulated widely in Germany in the first half of the twentieth century. *America* was the cipher for radical mechanization and the model of a modern industrial mass society deprived of all tradition and metaphysical assurance. The particular relevance America had for George Grosz and his peers in the 1920s was the fact that it was no longer restricted to the New World. *Americanism* was not an abstract ideological concept; rather, it was increasingly penetrating German *Lebenswelten*;

---

* I am deeply indebted to Thomas Stamm-Kuhlmann (Greifswald) and W. Daniel Wilson (Berkeley, California) for their great help with this article.

1 George Grosz, Ein kleines Ja und ein großes Nein: Sein Leben von ihm selbst erzählt, (Reinbek: Rowohlt Taschenbuch Verlag, 1974) 219. All quotations from German texts are my translation.

on its march around the globe, the American way of life had reached Germany after the First World War.[2]

A self-centered scientific and technological progress which was put into the service of capitalism thus was one of the key elements in German notions of America in the twentieth century. This image of America as a land of progress reflected the fears, anxieties and hopes connected with a fully developed industrial society; it became a "mark of quality – or, depending on the attitude, a stigma – of technological superlatives."[3] Although George Grosz had a very positive image of the US, the country to which he emigrated in 1933, it is symptomatic that even for him *Americanism* signified something foreign to the world of Wilhelminian Germany he grew up in, which was coming from the outside, which was incompatible with a notion of *Germanness*. One of the historical roots for this way of conceptualizing the relationship between the Old World and the New can be traced back to the very beginning of German debates about the United States in the first half of the nineteenth century, when Germans were still living in a pre-industrial world in which the idea of *progress* was not yet closely linked to the invention of machines and other technical devices. Ironically, it was the frustrated hope of an all-encompassing progress, fulfilling itself in a 'new man', virtuous, enlightened and selfless, which produced the image of America as a land of mere pragmatic mechanical innovations in the first half of the nineteenth century.

In the course of these debates, however, German standpoints toward technology in general underwent a major transformation: The debate about America as a 'land of technology' was both a factor in and an indicator of a process by which mental patterns were gradually adapted to life in an industrialized world. And interestingly enough, this development took place even before the breakthrough of industrial capitalism. Many an argument has addressed the question of when to date the beginning of Germany's industrial take-off.[4] In this context, Wehler in his influential synthesis has opted

---

2 Detlev J. K. Peukert, Die Weimarer Republik: Krisenjahre der Klassischen Moderne, Frankfurt/M.: Suhrkamp Verlag, 1987) 178-85; Philipp Gassert, Amerika im Dritten Reich: Ideologie, Propaganda und Volksmeinung 1933-1945 (Stuttgart: Steiner, 1997); Alf Lüdtke, Inge Marßolek and Adelheid von Saldern, eds, Amerikanisierung: Traum und Alptraum im Deutschland des 20. Jahrhunderts (Stuttgart: Steiner, 1996).

3 Joachim Radkau, Technik in Deutschland: Vom 18. Jahrhundert bis zur Gegenwart (Frankfurt/M.: Suhrkamp Verlag, 1989) 177.

4 A good overview of the development course of the controversy is Hans Werner Hahn, Zwischen Fortschritt und Krisen: Die vierziger Jahre des 19. Jahrhunderts als Durchbruchsphase der deutschen Industrialisierung (Munich: Stiftung Historisches

for the year 1845 as the caesura which divides early industrialization in Germany from the epoch of the Industrial Revolution proper.[5] The debates about America as they will be analyzed in this paper, however, do not suggest "a powerful beginning of the Industrial Revolution". Rather, it was a continuous debate which began around 1815 and gradually intensified, thereby beginning to revolutionize the minds of an increasing number of contemporaries even before the "first industrial cycle" hit Germany between 1845 and 1848.[6]

The following essay, based on travel accounts and articles from German popular magazines, will describe this development in two steps. First, I will show how the image of America as a 'land of technological progress' emerged out of a shattered Enlightenment enthusiasm for America in the first two decades of the nineteenth century. Then, I will take a cursory look at the debates of the 1830s and 1840s, when the rapid construction of railroads and the process of industrialization brought Germany to the threshold of industrial capitalism.

The 'Land of Technological Progress' Emerges from the Ashes of the Enlightened Utopia: The German Debates on American Technology, 1800-1830

To understand fully the dynamics of the German debates about America in the first half of the nineteenth century, one should state at the outset that Germany was a relatively backward country in terms of industrialization and the use of steam engines. Although there were regional centers of industrial growth in Saxony, Berlin, Silesia, the Rhine-Ruhr area and along the Saar river, German industrialization was still at a comparatively low level. In 1830, there were only 210 steam engines in service in the whole of Prussia. In the same year, Saxony, the German state with the highest density of trade and industry, had only 25, exactly the number as in the Berlin area. Although industrialization stepped up in the 1830s and increased rapidly in the 1840s, it was a rather sluggish process all in all. Around 1840, the number of steam engines that were being used in Germany made up only six percent of the British total. The 1840s then saw the breakthrough of industrial capital-

---

Kolleg, 1995) 5-11.

5 Hans-Ulrich Wehler, Deutsche Gesellschaftsgeschichte. Zweiter Band: Von der Reformära bis zur industriellen und politischen 'Deutschen Doppelrevolution' 1815-1845/49 (Munich: C. H. Beck, 1987) passim, esp. 587-96.

6 All quotes: ibid., 613.

ism based on a succession of rapid technological innovations. Railroads were being built all over the country, thus touching off a transportation revolution which had repercussions for rapid growth in the iron and steel industry, coal mining, and the machine industry.[7]

However, this rapid early industrialization should not obscure the fact that German life between 1800 and 1850 was still predominantly agrarian, and the world views essentially pre-industrial. The relative absence of those technologies which we have come to associate with the traditional concept of the Industrial Revolution, i. e., steam engines and spinning jennies, should not lead us to assume that Germans were lacking technological expertise and that there was no mechanical innovation in Germany at all. Taking the steam engine as indicator of progress means covering up the broad variety of inventions which were taking place even in pre-industrial Germany. Yet, it was a kind of innovation that actually grew out of a rationale which was characteristic of an economy whose prime resources were water power and wood, and whose structures were decentralized and deeply rooted in the traditions of the small- and middle-scale artisan trades. The growing scarcity of resources directed inventive energies toward saving water and wood, replacing imported raw materials by domestic ones, and improving the quality of the products. Increasing productivity through mechanization and replacing workers by machines was not yet part of this thinking about technology.[8] The German debate on America will clearly demonstrate this.

The most important point of reference for the German discussions of America in the first half of the nineteenth century was the ideal of the United States as an enlightened utopia, a notion that was the legacy of the German reception of the American Revolution.[9] At the heart of this image

---

7 For a good overview of German early industrialization see Wehler, Gesellschaftsgeschichte, vol. 2: 64-94; 589-640. (All the figures cited above were taken from this book.) See also Thomas Nipperdey, Deutsche Geschichte 1800-1866: Bürgerwelt und starker Staat (Munich: C. H. Beck, 1983) 178-210; Hahn, Zwischen Fortschritt und Krisen. For the German debates on industrialization: Rudolf Boch, Grenzenloses Wachstum? Das rheinische Wirtschaftsbürgertum und seine Industrialisierungsdebatte 1814-1857 (Göttingen: Vandenhoeck & Ruprecht, 1991).

8 Radkau, Technik in Deutschland, 74-87.

9 Horst Dippel, Germany and the American Revolution: A Sociohistorical Investigation of Late Eighteenth-Century Political Thinking (Wiesbaden: Verlag Philipp Zabern, 1978). Gonthier-Louis Fink, "Die amerikanische Revolution und die französische Revolution: Analogien und Unterschiede im Spiegel der deutschen Publizistik (1789-1798)", MLN 103 (1988): 540-68. Hildegard Meyer, Nord-Amerika im Urteil des Deutschen Schrifttums bis zur Mitte des 19. Jahrhunderts: Eine Untersuchung

was the idea that enlightened principles were the basis of the political, social, and economic order in America. By taking reason as the guiding principle for the creation of their polity, the Americans had seemingly managed to realize a society made up of free and independent individuals who, because of the liberal order, were able to develop their true humanity. America thus appeared as a land of progress that was far ahead of all European societies because the American circumstances had allowed for enlightened principles to exercise a broad effect. 'Invented' in Europe, Enlightenment had become practical reality on the other side of the Atlantic, and that was the reason for America being ahead of Europe, so the argument ran.

The Enlightenment ideal of progress was fulfilled in the creation of a 'new man', i. e., individuals who had so completely internalized enlightened values that they were virtuous, responsible, cultivated, educated, and modest, putting themselves voluntarily at the service of the common good, since reason demanded that they do so. What in Europe was only possible among the few, the educated elites, had become commonplace in America, made up of a "nation of philosophers", where even the farmers were engaged in "reasonable discourse" while working in the fields.[10] *Progress* in terms of the late eighteenth and early nineteenth century was defined as the realization of this humanistic ideal, which in turn was the key element in late eighteenth-century images of America as a land of comprehensive progress.[11] Achievements in the fine arts and literature as well as in the field of higher education were taken both as indicators and expressions of a fully developed humanity, and American reality was measured just along these lines.

This enthusiasm for America was shattered in the 1790s, when the French Revolution demonstrated the inherent dangers of universally applying Enlightenment's abstract principles to Europe's traditional order that had organically grown over the centuries. Simultaneously, reports of European travelers who visited the supposed enlightened utopia in the 1790s

---

über Kürnbergers 'Amerika-Müden' (Hamburg: Friederichsen, de Gruyter & Co, 1929) 6-10.

10 The notion of a "nation of philosophers" is explicitly stated in "Durchflüge", Der Neue Teutsche Merkur 1798, vol. 1, 237. The farmers in the fields are described in J. G. L. Blumhof, "Auszug eines Briefes aus Philadelphia, vom 11ten August 1794", Neues Hannoverisches Magazin 1797, 800.

11 John Bagnell Bury, The Idea of Progress: An Inquiry into its Origin and Growth (London: Macmillan, 1920). Reinhart Koselleck et al., "Fortschritt", Geschichtliche Grundbegriffe: Historisches Lexikon zur politisch-sozialen Sprache in Deutschland, vol. 2, eds Otto Brunner, Werner Conze and Reinhart Koselleck (Stuttgart: Klett-Cotta 1975) 351-423.

suggested that things in the young republic were not so shining after all. The upshot of these descriptions all too often was the 'insight' among German contemporaries that the state of progress in the United States had been grossly overestimated in the past decades, and that increasing wealth, egoism, materialism, and personal ambition had actually perverted the enlightened ideal.

In Germany, it was Baron Dietrich Heinrich von Bülow who gave a first serious blow to the notion of an enlightened utopia across the Atlantic in the late 1790s.[12] In the first decade of the nineteenth century numerous newspaper articles as well as the travel accounts of Charles William Janson,[13] Gilbert Guillermin de Montpinay,[14] and Louis Auguste Felix Baron de Beaujour[15] supported Bülow's views on America. American history since 1776 in these accounts appeared as a history of decline instead of progress. The French nobleman and officer Gilbert Guillermin de Montpinay, who was stationed in St. Domingo during the slave rebellion of Toussaint

---

12 Dietrich Heinrich von Bülow, Der Freistaat von Nordamerika in seinem neuesten Zustand, 2 vols (Berlin: Unger, 1797). He published a series of letters in the *Minerva* while he was still in America: idem, "Briefe eines Deutschen in America", Minerva 1796, vol. 2, 73-103; 486-517; vol. 4, 385-424; 1797, vol. 1, 105-113. For a more detailed discussion of Bülow's impact on the German debates on the U.S. see Volker Depkat, "The Enemy Image as Negation of the Ideal: Baron Dietrich Heinrich von Bülow (1763-1807)", Enemy Images in American History, eds Ragnhild Fiebig-von Hase and Ursula Lehmkuhl (Providence, RI: Berghahn Books, 1997) 109-133.

13 Charles William Janson, The Stranger in America: Containing Observations on the Genius, Manners and Customs of the People of the United States, with Biographical Particulars of Public Characters (London: J. Cundee, 1807). He was quoted at length in idem, "Fragmente über Nordamerika", Morgenblatt für gebildete Stände 1807, no. 186, 743-744; no. 190, 759-760; no. 201, 802-803; no. 209, 836.

14 Gilbert Guillermin de Montpinay, Précis historique de derniers événements de la partie de l'est de Saint-Domingue, depuis le 10 août 1808, jusqu'à la capitulation de Santo-Domingo. Avec des notes historiques politiques et statistiques sur cette partie, des réflexions sur l'Amérique septentrionale, et des considérations sur l'Amérique méridionale, et sur la restauration de Saint-Domingue (Paris: Arthus Bertraud, 1811). Extracts of it were published in various magazines. See idem, "Über die nordamerikanischen Republikaner überhaupt und über Philadelphia insbesondere", Miszellen für die Neueste Weltkunde 1811, no. 74, 295; idem, "Gegenwärtige Lage der Vereinigten Staaten von Nordamerika", Minerva 1811, vol. 3, 537-55.

15 Louis Auguste Felix Baron de Beaujour, Aperçu des États-Unis, au commencement du XIXe siècle, depuis 1800 jusqu'en 1810 avec des tables statisques (Paris: L. G. Michaud, 1814). Extracts from it were published in the *Minerva*; idem, "Bemerkungen über die Bewohner der Vereinigten Staaten von Nord-Amerika", Minerva 1815, vol. 1, 23-60.

L'Ouverture, was quoted in one magazine with the following passages from his travel account: "The original virtues of the [U.S.-American] nation, that strength and greatness which, as if by magic, put America among the great powers on July 4, 1776, have so thoroughly been poisoned by foreign manners that this state, although still in the making, is already suffering from the infirmity of old age."[16] Far from being educated and devoted to the arts and literature, Americans in general were only interested in material wealth, Montpinay wrote, and he saw a direct causal link between the lack of culture and the striving for wealth: "The arts seem to have been banned from a country in which financial profits monopolize all other human talents."[17]

This disappointed enthusiasm for America reversed the relationship between the Old World and the New on the mental map of the great majority of the educated elites in Germany. Starting in the late 1790s, America was increasingly seen as a 'young country' culturally, which had yet to achieve in the field of high culture what Europe had already produced. The hopes that had been connected to the young republic across the Atlantic were now projected into the future - and the degree to which America would have climbed to European heights was taken as the barometer of progress. Johann Wilhelm von Archenholtz, to give an example, did admit that there was a great chance that America would develop a high culture but the realization of it could not be expected for the present "philosophical century". Although he had never been to the United States himself, he concluded from the recent news and travel accounts that perhaps in the twentieth or twenty-first century even the most cultivated European could bear living in the United States; at the moment, however, one needed a lot of imagination even to imagine this ever being possible.[18]

As the vast majority of Germany's educated classes took the fine arts, literature and universal erudition as the prime manifestations of progress, mere practical knowledge which aimed at improving human existence through technical devices was not understood to be part of the progress toward an ideal human condition in the first two decades of the nineteenth century. F. W. J. von Schelling, for example, who together with J. G. Fichte and G. W. F. Hegel is counted among the most important representatives of German philosophical idealism, wrote in 1803: "The fear of (philosophical) speculation, the flight from the theoretical to the mere practical necessarily

---

16 Guillermin de Montpinay, "Über die nordamerikanischen Republikaner überhaupt", 295.
17 Ibid., 296.
18 K. J. A. Graf v. Burkhausen und Johann Wilhelm von Archenholtz, "Washington", Minerva 1796, vol. 1, 395.

produces a shallowness of actions which corresponds to the shallowness of knowledge."[19] It was this value-system which motivated the educational reforms of the Neo-Humanists around Wilhelm von Humboldt in the first half of the nineteenth century, who banned mere practical knowledge from the *Gymnasium* and actually excluded all technical disciplines from the universities. The universities were meant to be institutions of 'pure' scholarship and erudition; the 'necessary arts' were left to the polytechnical schools. These academies were founded in Dresden (1822), Karlsruhe (1825), Stuttgart (1825), Munich (1827), Kassel (1830), and other places, yet before the 1860s they were not considered to be 'real' universities.[20] This is why we can speak of a division into two "cultures of education" in Germany, one neo-humanistic, which had the defining power in the nineteenth century, one polytechnical, which was gaining strength with progressing industrialization.[21] Yet even those in the realm of technology strove for theoretical foundations; the ideal of technological innovations based on scientific methods and systematic research was essential for the engineers' ethos in Germany. The claim of theory's superiority even in the field of practical inventions was deeply indebted to the German ideal of humanistic education.[22]

Indeed, neo-humanistic philosophy went far beyond the institutions of education. It provided a comprehensive value-system which determined how educated Germans looked upon the world and how they behaved in their everyday lives. *Bildung*, i. e., aesthetic and intellectual education and their expressions in the fields of arts, literature, and universal knowledge, was regarded as a means to develop a 'true' humanity and eventually to overcome the feudal stratification of society. The notion *Bildung* was at the heart of *Kultur*, i. e., education and universal knowledge that went beyond the mere practical, the mere material, the mere improvement of civilization, was thus inscribed with an emancipatory force.[23] In the realm of *Kultur* the

---

19 Friedrich Wilhelm Josef von Schelling, "Vorlesungen über die Methode des akademischen Studiums: Siebente Vorlesung: Über einige äußere Gegensätze der Philosophie, vornämlich den der positiven Wissenschaften (1803)", Schellings Werke, vol. 3, ed. Manfred Schröter (Munich: C. H. Beck, 1959) 299.

20 See generally Karl-Ernst Jeismann and Peter Lundgreen, eds, Handbuch der deutschen Bildungsgeschichte: 3. Band: 1800-1870: Von der Neuordnung Deutschlands bis zur Gründung des Deutschen Reiches (Munich: C. H. Beck, 1987).

21 The notion of a "division into two cultures" of education is taken from Nipperdey, Deutsche Geschichte 1800-1866, 482-484.

22 Radkau, Technik in Deutschland, 155-160, 170.

23 Rudolf Vierhaus, "Bildung", Geschichtliche Grundbegriffe: Historisches Lexikon zur politisch-sozialen Sprache in Deutschland, vol. 1, eds. Otto Brunner, Werner Conze, and Reinhart Koselleck (Stuttgart: Klett-Cotta, 1972) 508-51. Nipperdey, Deutsche

traditional social hierarchy of the Ancien Régime was replaced by a community of free and equal individuals. This emphatic, philosophically and aesthetically enriched notion of education was at the heart of what Nipperdey has called the bourgeois "*Bildungsreligion*".[24] The ideas of Schelling quoted above were thus not only the lonely thoughts of some isolated professor in Jena, they circulated widely in Germany's bourgeois classes, and those were the people for whom the magazines and travel accounts discussed in this paper were primarily made.

Although Schelling himself was not looking across the Atlantic when he articulated his opinion about the shallowness of mere practical knowledge, this idea generally determined the way most educated Germans, even the liberals among the bourgeoisie, looked at developments in America. Geared toward the situation in Germany, the bourgeois *Bildungsreligion* may well have had an emancipatory thrust. However, the same value system prevented Germans from understanding America as a model for which the bourgeoisie should strive in their emancipatory efforts. The German debates about technological progress in the United States can thus be interpreted as an attempt to defend a neo-humanistic notion of *Bildung* – and its mechanisms of social exclusion – against growing tendencies to reduce the idea of progress to the mere improvement of human existence through technical devices and the accumulation of wealth, in short to narrow the idea of progress down to mere civilizatory achievements. One strand of the German debates about American progress thus can be interpreted as a discourse of defense, which sought to maintain a bourgeois identity centering in a thoroughly aesthetic culture.[25]

After roughly 1800, the German debates on American progress were narrowed down to the improvement of civilization in North America. At the center of German attention were the growth of the population, booming trade and commerce, and the rapid expansion of the Union which accompanied the settlement of an uncultivated wilderness. The hard facts and figures of this rapid growth were presented to German magazine audiences in great detail. Even to the conservative commentators of the *Politisches Journal*, these achievements of the United States appeared like a "miracle" which overshadowed everything in the history of the Old World.[26] Technol-

Geschichte 1800-1866, 451-84; 533-87.

24 Nipperdey, Deutsche Geschichte 1800-1866, 441-42.

25 See also Lothar Gall, Bürgertum in Deutschland (Berlin: Siedler Verlag, 1989) 197.

26 "Fortdauernd schneller (!) Wachsthum und glücklicher Finanzzustand des Nord-Amerikanischen Freistaats: Zwistigkeiten mit England: Partheien", Politisches Journal 1806, vol. 2, 713-14.

ogy was understood to be an integral part of this development. Particularly the steamboat was taken as symbol and indicator of American ingenuity regarding all things mechanical up to the late 1820s, and its inventor Robert Fulton was well known by the German magazine audiences.[27] Beginning in the 1830s, the railroads became an even more powerful expression of America's feats in this field.[28]

These spectacular achievements let some commentators even allow for an American lead over developments in Europe. Describing the American steamboats for the German audience, Dupont de Nemours commented: "Our market ships and galleys appear as barbaric inventions lagging roughly three hundred years behind these comfortable, delicate and fast boats."[29] The image of America as a 'land of technological progress' that was ahead of Europe was presented time and again, and developments in America constantly provided new evidence. After 1815 it even seemed to surpass England, the country that appeared to be the epitome of industrialization. Whereas the British were still arguing about the technical dangers of using steamboats, one commentator in the Westphalian *Hermann* pointed out in 1818, the Americans were already using them on a very large scale. The magazine, which appeared in a German region where industrialization was picking up pace slowly, then stated: "This youthful world [America] may well smile at old Europe's hesitant reservations."[30] And in the same year the *Allgemeine Justiz-, Cameral- und Polizeyfama*, which was particularly geared to Prussian bureaucratic reformers, commented: "It is well known that no country, not even England, has advanced as far in the application of all kinds of machines and mechanical devices to spare manpower as America

27 Some early articles dealing with Robert Fulton and the steamboats are: "Zeitgeschichte: Amerika", Allgemeine PolizeyBlätter 1808, no. 137, 1491-1492. "Zeitung der Ereignisse und Ansichten", Der Gesellschafter oder Blätter für Geist und Herz 1817, no. 156, 624. See also below p. 49. For the role of steamboats in German literary imagination see Wendelin Schmidt-Dengler, "Die Ehre des Dampfschiffs: Zur Funktion der Technik im deutschen Amerikaroman des 19. Jahrhunderts", Jahrbuch der Grillparzer-Gesellschaft, 3. Folge, 12 (1976): 277-90.

28 See below page 40.

29 Pierre Samuel Dupont de Nemours, "Ueber die Dampfboote und Dampf-Fregatten", Morgenblatt für gebildete Stände 1816, no. 204, 814-15.

30 "Ueber die Vermeidung der Gefahr bei Dampfbooten und Dampfmaschinen", Hermann: Zeitschrift von und für Westfalen 1818, no. 22, 184.

has; that is why clever mechanics are in demand everywhere, and they can make great fortunes there very quickly."[31]

German contemporaries were not only fascinated by the spectacular steam engines when they thought about America. Rather, it was the widespread use of "all kinds of machines" in everyday life which produced the image of a technological America. The use of machines thus did not automatically indicate industrialization and the increase of productivity; rather, it stood for the general urge of the Americans to improve their existence through technical devices and indicated a hitherto unknown radicality of mechanization.

Simultaneously, German observers were well aware that the widespread use of machines in America did not come by accident; rather, it was explained by genuinely American conditions. In 1833, August Witte wrote about his experiences in America: "Here, one has come very far indeed in the perfection of machines of all kinds and the resulting reduction of manpower, particularly through the use of steam, and this may well be of great use for a country where the wages are as high as they are here."[32] The basic line of reasoning behind this argument runs as follows: Since labor was very scarce in the young, not very densely populated republic, there was a much higher pressure to use machines in America than there was in overpopulated Europe. Statements like this also seemed to indicate that one did not really need to replace manpower by machines when there was enough manpower available. Since this was the case in Germany, America did not really provide a model.[33]

This analysis has not only revealed that there was a discussion about American technology going on long before Friedrich List hit the stage and the construction of railroads began;[34] it has also demonstrated that when

---

31 "MühlenPolizei(!): Außerordentliche Vervollkommung der Mühlen in den Nordamerikanischen Freistaaten: Aus dem Berichte eines reisenden Deutschen in Amerika", Allgemeine Justiz-, Cameral- und Polizeyfama 1818, no. 90, 354. See also "Eisenbahnen in nordamerikanischen Freistaaten", Das Pfennig-Magazin 1834, no. 86, 687. This article stated that the Americans were about to outdistance the British in railroad construction.

32 August Witte, Kurze Schilderung der Vereinigten Staaten von Nordamerika (Hannover: Hahnsche Hofbuchhandlung, 1833) 31. Cf. also: Harriet Martineau, Society in America, 2 vols (Paris: A. W. Galigani, 1837) 28, 37-44. The German translation was published in 1838, and it turned out to be quite a success.

33 See also Radkau, Technik in Deutschland, 79.

34 Radkau has argued that the writings of Friedrich List, whose American experience made him a firm advocate of railroad construction, marks the beginning of a German debate about American technology. Radkau, Technik in Deutschland, 34-35.

Germans were talking about the United States they also had Great Britain in mind. In Germany, England was considered to be *the* symbol of industrial mechanization. England's advanced development was not only an economic but also an intellectual and political challenge for German contemporaries when it came to pointing out the advantages and the inherent dangers of technological progress and its impact on society. Attitudes toward England even among the early entrepreneurs in Germany were far from unambiguous. Up until the early 1830s, the German debate about industrialization took place within an overall consensus even among the advocates of a limited mechanization of trade and industry, namely that a full-fledged industrialization of Germany's economy along the lines of the British model was neither necessary nor desirable. England was time and again taken as an example of a country that had gone too far with the "factory system" ("Fabrikensystem").[35] Developments in America were seen through this British prism, and the standard set by England was also the measure for assessing American developments.

After 1815, when the Americans had beaten the British a second time after the Revolutionary War – the same British who had almost single-handedly triumphed over Napoleon in Europe – Germans became increasingly aware that there was another 'land of technological progress' in the world.[36] American developments generated the same kind of mixed feelings toward an industrialized economy as England did. However, the political system of the United States was prone to compound economic anxieties with fears about the loss of social hierarchy. England, with its monarch, nobility, and constitutional form of government, seemed to balance individual freedom and social stability, whereas America, with its democratic political system and lack of formal social differences, did not. Even the great writer Heinrich Heine, who was forced to emigrate to France because of his critical opinions about the political and social status quo in Germany, spoke of the United States as an "enormous prison of freedom" where the lack of princes and nobles had produced a society of equals. "All men are equal there, equally uncouth fellows", he wrote, bemoaning the lack of culture and aesthetic refinement in America which as late as 1840 he understood to

35 Boch, Grenzenloses Wachstum?, passim, esp. 12, 47, 54-60, 195-98.

36 "Nord-Amerika. Schilderung des neuen Englands am Schluße des verflossenen Jahres, als Gegenbild des alten, aus dem officiellen Regierungs-Blatte National Intelligencer und andern zuverlässigen Quellen gezogen. Finanzen, Marine, neue Anlagen, innere Lage und auswärtige Verhältnisse", Politisches Journal 1817, vol. 1, 78-83.

be the direct outcome of its political system.[37] That is why some contemporaries still drew a sharp line between the developments in England and America, which was considered by some as the 'foreign', the 'non-European'. To one commentator England thus appeared as the "only European country" that was able to compete with "the activities of a foreign hemisphere [America]" in the field of technological innovation.[38] Thus, if England exercised an enormous influence on the German imagination of industrialization, its status as a model was sustained by the American example, which touched off much greater anxieties because of the much more radical implications its 'success' had for the political status quo in Germany.[39]

However, America's obvious ingenuity regarding all things mechanical led at least some contemporaries to reassess the relationship between *Kultur* and technology. And in the course of this discussion the image of America as a 'land of technological progress' was gradually emancipated from the disappointment of Enlightenment-inspired thinkers in the lack of culture in the young republic. Up until the late 1820s, only those who advocated the intensified use of machines as a means to step up productivity or foreigners to the German intellectual climate argued for a revision of the traditional attitude toward America's achievements.

Yet even the early admirers of America's inventiveness had to defend their admiration against the contempt for the mere practical and mechanical among many of their European countrymen. For example, the French count Charles-Philibert de Lasteyrie, who as the founder of the first lithographic business in Paris was among the early entrepreneurs in his country, had a very positive image of the United States. Although he had never been to the new republic across the Atlantic, he acknowledged its achievements in the field of mechanical devices. However, his approach was essentially defensive. In the Swiss magazine *Miszellen für die Neueste Weltkunde*, which was widely read in German territories too, he had to admit first that Amer-

---

37 Heinrich Heine, "Ludwig Börne, Eine Denkschrift", Sämtliche Schriften, vol. 4, ed. Klaus Briegleb, second edition, (Munich: Carl Hanser Verlag, 1978) 38. In that the same year, Heine reflected on Napoleon's prophecy that in the future the world would either be an American republic or a Russian universal monarchy. Both options seemed to him to be "very discouraging". "What a prospect! To die of monotonous boredom as a republican at the very best! Poor grandchildren!". (idem, "Lutetia", ibid., vol. 5, 286.)

38 "Mittheilungen aus Nordamerika, von Fr. List. Erstes Heft. Über Canäle und Eisenbahnen", Blätter für literarische Unterhaltung 1829, no. 177, 706.

39 For the German discussion of England see Boch, Grenzenloses Wachstum?, 183-85. For America: Depkat, "The Enemy Image as Negation of the Ideal", 124-31.

ica could not stand any comparison with Europe in the fields of education, literature, and the arts. However, the Frenchman, who was on his way to Munich at that time to learn the art of lithography from its inventor Alois Senefelder, then went on to argue that the young republic distinguished itself "superbly" as concerns the "mechanic arts". Hardly a day went by, so Lasteyrie argued, which did not see a new invention.[40] Having stated that, he gave an explanation of why America was ahead of Europe in the field of technology and yet lacking culture. The conclusion he reached is crucial for the argument presented here, since he understood both aspects to be intrinsically related to one another.

Politically, Lasteyrie argued, the Americans were faced with the necessity of establishing a still nascent state. "An only recently organized state has to concentrate its first efforts on those matters which guarantee its existence and its social conditions immediately and which meet the demands of its administration, its agriculture and its trade." As a consequence, the Americans had put their intellectual energies to the invention of technical devices which helped them to compensate for the lack of manpower and establish their rule over the wilderness. However, it was not only the mere necessity of founding a new nation in a hostile natural environment which made the Americans more creative inventors than the Europeans. The whole economic system across the Atlantic was geared to allowing individuals to pursue their own material well-being. Thus, the Americans' intellect was primarily put to the practical service of "farming and trade".

This material interest certainly was detrimental to the advancement of the abstract arts and sciences, but it was an excellent climate for the invention of technical devices. Finally, social structures in America did not allow for great achievements in the fields of art, literature and higher education. The young republic's society was characterized by a relatively equal distribution of wealth on a low level, at least when compared to Europe. In the Old World, there was a large gap between a small number of very rich and the vast majority of very poor people. This concentration of wealth in the hands of the feudal elite was beneficial to the arts, since there were enough patrons who could sponsor cultural projects. In short, Lasteyrie argued that the specific conditions were the reason for both America's lack of culture and its rapid technological progress. The mere existential necessities together with their materialistic value system had led the Americans to neglect the fine arts and literature, education and scholarship. However, Lasteyrie

40 Charles-Philibert de Lasteyrie du Saillanz, "Zustand der mechanischen Künste in Nordamerika", Miszellen für die Neueste Weltkunde 1811, no. 104, 413.

warned his audience not to mistake this lack of a high culture for an absence of intellectual activity among the Americans. "The intellectual activity of the North Americans is far from being dormant, rather it is directed toward satisfying the most urgent and essential demands for the present."[41]

Technology was both the precondition for the rapid growth of the United States and an expression of its historical status as a 'young' country. That is why German contemporaries could deplore the lack of culture in the United States and at the same time recognize its advanced state of mechanization.[42] And another thing is symptomatic for the German debates on America in Lasteyrie's article: Although he altogether admired America's inventiveness, the French lithographer simultaneously drew a sharp line between America and Europe on his mental map. Technology – and all the social, economic, and cultural phenomena that went with it – belonged to the American hemisphere, just as culture belonged to the European. Together with it went the strict separation of abstract theory and practical knowledge, of science and the 'mechanical arts'. Although both hemispheres could be related by the universal capability of mankind for intellectual progress, the expressions of this activity on the two sides of the Atlantic were quite different. In Europe it had produced a high culture, in America it had led to an ingenuity regarding all things mechanical. The Atlantic was not only a geographic divide between Europe and America – it was also a mental and ideological one.

But this conceptualization set a framework of expectations which still considered achievements in education, science, arts, and literature to be the 'true' expressions of intellectual activity. Let me stress here again that Lasteyrie understood the concentration of the Americans' intellectual capabilities on practical matters to be a transitory phenomenon. It was only for the time being that they were concentrating their intellectual energies on the mere pragmatic aspects. As soon as they had dealt with the immediate necessities of survival, as history progressed, they would move on to that level of high culture that was already realized in Europe. "It proceeds with this federation as with single individuals who gradually rise from poverty to well-being and wealth", wrote August Witte, a German traveler to the

---

41 The line of Lasteyrie's argument is condensed on just this one page. See ibid.

42 See also Beaujour, "Bemerkungen über die Bewohner der Vereinigten Staaten", 37-39. "Über die Fortschritte der Wissenschaften und schönen Künste in den Vereinigten Staaten: Aus einer Amerikanischen Zeitschrift", Minerva 1816, vol. 3, 519-32. "Zur Karakteristik der vereinigten Staaten von Nordamerika: Eine Skizze", Überlieferungen zur Geschichte unserer Zeit 1822, vol. 6, 129. Witte, Kurze Schilderung der Vereinigten Staaten, 28-37.

United States, and he explained: "First you take care of the necessities, then the useful, and finally the pleasant and the beautiful."[43] Thus, it was still too early to expect great cultural achievements from the Americans. Ironically, Europe's state of culture continued to mark the definitive end of progress for America.

Other commentators, especially those who had seen the United States with their own eyes, did not want to leave it at that. To them, American progress was no longer to be measured along European lines. They still defended American progress in the light of widely circulating negative images of the United States, but they increasingly did so much more aggressively and self-confidently. "In recent years, we have gotten used to judging American literature before a European court, and the judgement came down against American creativity and American erudition", wrote the British traveler Frances Wright in 1822, and she was quoted at length by the liberal Swabian journal *Morgenblatt für gebildete Stände*. While she agreed that American literature could not match European standards, she argued for judging America's achievements in terms and categories which were appropriate to the American arena. The United States had not been asleep during the past thirty years, she went on to argue, and she sketched out the enormous growth of civilization in America. Americans had been busy with founding their Union and securing their free polity against internal and external enemies, with taming one wilderness after the other, with improving their transportation system through the construction of roads, canals and steamboats, and, finally, with providing elementary education on a large scale, which was a prerequisite for Americans to enjoy their freedom. "Those were America's occupations. They are its works of genius; we must not look for them in book closets."[44]

This reassessment of American achievements also shed new light on its technological progress. Contemporaries were beginning to understand it as an expression of progress in its own right. No longer was it just a transitory phenomenon in a 'young' country which was on its way to European greatness regarding all things cultural; it was not a somehow inferior expression of human intellect. Rather, it was an altogether different product of man's intellectual work, an original effort which, for some Germans, actually superseded the 'traditional' expressions of progress in the fields of art, literature and higher education. "Working in new forms, Europe's intellect

---

43 Witte, Kurze Schilderung der Vereinigten Staaten, 28-29.

44 [Frances Wright,] "Einiges über die Vereinigten Staaten in Nord-Amerika", Morgenblatt für gebildete Stände 1822, no. 95, 377-378.

transferred to America promises to achieve the exceptional in that it primarily moves in physical science's path, a path which alone allows for distinction", wrote the Prussian liberal Friedrich Buchholz in 1827.[45] Ironically, it was still "Europe's intellect" which was at work in America, yet it was the "intellect", i. e., man's capability to apply reason to the improvement of his existence. The strict division between mere pragmatic innovation which somehow naturally grew out of professional expertise in the artisan trades on the one hand, and the theoretically deducible knowledge in the field of science on the other hand, was given up. Science and technology were moving closer together, and America seemed to be a point in case.

The very fact that statements such as those of Frances Wright and Friedrich Buchholz made it into the magazines and thus became part of public discourse in Germany is both indicative of the ongoing transformation of German life through mechanization and a factor in promoting an intensified application of machines to alter fundamentally the conditions of human existence, to overcome the traditional feudal divisions in society, to increase economic growth and to spread material wealth. Friedrich List was among the first in Germany to reflect on this systematic character of America's achievements. In his writings, an advanced state of technology no longer appeared as indicative of a historically 'young' country which had to take care of the immediate necessities of survival and to compensate for many other deficiencies; it was no longer the accidental result of genuinely American circumstances; rather, it could be addressed as an integral part of a liberal social and economic system founded in merit and capitalistic principles. The systematic nature of America's technological progress was reflected in its power to change the foundations on which Germany's political, social, and economic status quo rested. Technology was thus 'discovered' as a means of social change, and America provided empirical proof for his thesis.

In List's case, this reassessment was not the result of book-learning; it was the result of his five-year stay in the United States, where he was forced to emigrate to in 1825. Finding himself in a rather precarious situation in Germany after having spent some months in prison for offensive behavior toward the king and released on parole only under the condition that he would leave the kingdom of Württemberg once and for all, he gratefully accepted Lafayette's invitation to come to live in the United States. There,

---

45 [Friedrich Buchholz,] "Philosophische Untersuchungen über das Mittelalter: Sieben und vierzigstes Kapitel: Fortgang des Krieges zwischen England auf der einen, und Amerika, Frankreich, Spanien und Holland auf der anderen Seite, bis zum Frieden von 1783", Neue Monatsschrift für Deutschland 1827, vol. 24, 386.

he was forced to make his living, and he ventured into various business enterprises, the most successful of which was the founding of the *Little Schuylkill Navigation, Railroad and Coal Company* in 1829. After he had discovered a promising coal region near Tamaqua on the Little Schuylkill River, List put a lot of effort into mining and at the same time sought to construct a railroad which would be essential for transporting coal to the recently opened canal connecting Port Carbon, Reading and Philadelphia.[46]

His business enterprises provided first-hand experience of the connection between railroads and social change. In the United States he got the idea of making the construction of railroads the basis for a great national transportation system that would eventually unify Germany. "In the midst of the Blue Ridge Mountains' wilderness, I dreamt of a German railroad system. It had become clear to me that only through such a system would the economic unification of Germany come about", he wrote to the Bavarian civil servant Joseph von Baader while he was still in the United States. He then admitted that until he had come to the United States, he had only assessed the importance of transport systems according to their effect on the availability and the price of market goods. His American experience had shown him that this point of view was much too narrow. America had taught him to look at the development of railroads in "their influence on the whole of intellectual and political life, social intercourse, productive forces, and the strength of the nation". Only in America did he realize "the interaction between the productivity of manufactures and the national transportation system", and "that the one could never achieve a high perfection without the other."[47] Machines, and no longer the arts, literature and universal knowledge, now appeared as the only way to develop a true humanity. He welcomed the invention of railroads as a "great victory of the human intellect over matter. What a vast field has been opened up by it to clairvoyant, powerful, and benevolent rulers of peoples to call to life nature's dead powers, and to spread well-being and life, intellectual development and

46 William Henderson, Friedrich List: Eine historische Biographie des Gründers des Deutschen Zollvereins und des ersten Visionärs eines vereinten Europa (Düsseldorf, Vienna: Econ Verlag, 1984) 81-85.

47 Friedrich List, Gesammelte Schriften: 1. Teil: Friedrich Lists Leben: Aus seinem Nachlasse, ed. Ludwig Häusser (Stuttgart and Tübingen: Cotta 1850) 165. See also Friedrich List, Schriften, Reden, Briefe, 3. Band: Schriften zum Verkehrswesen, ed. Alfred v. der Leyen, Alfred Gerst and Berta Meyer (Berlin: Reimar Hobbing, 1931) 7, 785.

activity."[48] When List returned to Germany in 1830, he came back as a staunch advocate of railroad construction as a means to unify Germany economically and to realize a liberal society within a constitutional monarchy. Technology was suddenly discovered to be a solution for political and social problems.[49]

Already before his return to Germany, many of his writings were published in German magazines, and German commentators fully grasped the far-reaching implications of List's argument. List's speech, before the Pennsylvania Society for the Promotion of Manufactures and the Mechanic Arts of 3 November 1827, was printed in full length in the Hamburg-based conservative magazine *Politisches Journal* in 1828. In it, List had elaborated on national economic policies and had argued against the laissez-faire approach of Adam Smith. Instead, he called for a strong government which would promote industrial growth through high tariffs, the construction of a national transportation system and the founding of polytechnical schools which were to produce the necessary experts who would guarantee America's continuous progress.[50] Important for our argument here is the thoroughly systematic nature of List's elaboration. Agriculture, manufactures and commerce, internal improvement programs and government intervention, and finally academic education and new technologies all worked together interdependently to produce economic growth.

Interestingly enough, technological innovation and academic learning were no longer seen as isolated in this argument, but rather in a relationship of mutual dependence. List advocated the founding of a polytechnical school in Philadelphia, and he understood this as the form of education appropriate to the United States. He said: "If a national institute of the fine arts ("Litterair-Institut") is the jewel of a nation, which has achieved great progress in the fields of literature, art and science, then with regards to the present state of our social situation, a polytechnical national institute is an urgent necessity."[51] List was thinking of a close interaction between science and technology on the one hand and economic growth on the other, since the new institution of learning was to teach America's youth how to "develop its gigantic productive forces." This was the genuinely 'American System', a system founded in personal freedom, legal equality, diligence, and

48 List, Gesammelte Schriften, 168.

49 Radkau, Technik in Deutschland, 135.

50 Friedrich List, "Merkwürdige Rede des Professors List bei einer Versammlung der Pennsylvanischen Gesellschaft zur Aufmunterung der Manufakturen und mechanischen Künste", Politisches Journal 1828, vol. 2, 775-91; 876-89.

51 Ibid., 884.

practical common sense, which distinguished America from all European countries. Through its very success, America proved all European theories false, List went on to argue. Already the founding fathers had done away with all the philosophical maxims stating that a democratic republic could only be realized in a small polity, he said. Now it was for their sons to create a strong national economy. "The practical common sense of the Americans will, despite all foreign book-learning, create a system of a national economy," he continued, "and for this aim they will not have to rely on the patronage of the pharisees and scribes of the epoch, who all go round in the circle of their erudite errors decorated by deeply respected names."[52] If America refrained from stealing a glance at Europe and concentrated on developing its own resources in its own particular way, then the future would be bright, and List even sketched out an economic world hegemony for America.[53]

The final result of this 'American System' would be an American economic hegemony over Europe and the whole world. In arguing against a false notion of free trade from which only the British profited, he said:

> Yes, gentlemen, it is my firm belief that in the future this country will proclaim cosmopolitan principles – but true ones, not hypocritical ones. When the United States will number 100 million people in a hundred states, when our industry will have achieved the highest perfection and every sea will be covered by our ships, when New York will be the greatest city of commerce, Philadelphia the greatest city of manufactures, when England will hardly be Pennsylvania's equal as regards industriousness and wealth, and no power in this world will be able to resist America's stars, then our grandchildren will proclaim the freedom of trade all over the world.[54]

The ideological trench between America and Europe was thus becoming deeper. German tendencies to draw a sharp line between a sphere of culture and a sphere of shallow pragmatism was countered by voices coming from America itself that advocated a self-confident assertion of the 'American Way' which defined itself by negating European theory and bookish wisdom.

In the American arena, List's speech has to be seen in the context of the political controversies about the kind of economic policy that was adequate for a democratic republic. These debates started in the 1790s with the controversy between Alexander Hamilton and Thomas Jefferson, and after 1815

52 Ibid., 782.
53 Ibid., 786.
54 Ibid.

they centered around the politics of Henry Clay.[55] When published by a German magazine, however, other aspects of this text are noteworthy, since it functioned within a totally different system of discourse. After the *Politisches Journal* had quoted List's speech in full length, an unknown commentator added some thoughts which all stressed the systematic nature of List's national economy. "Agriculture, manufactures, the mechanical arts, and commerce, they stand united, they fall divided", the commentator stated, and he went on to argue:

> The Americans have all the means in their hands to realize this ambitious plan, namely accumulated wealth, a population of 12 million people, an unrestricted access to all natural and human resources, a steadily increasing number of scientific institutions and societies, a widespread appreciation among the common people of the great usefulness of machines and finally a merchant navy which is next to the British the largest in the world.[56]

Whereas the Hamburg-based *Politisches Journal* did not elaborate on the question of whether the American principles could be applied to the situation in Germany, Friedrich Buchholz, an advocate of reforms did just this in his *Neue Monatsschrift für Deutschland*.[57] He took List's "Mittheilungen aus Nordamerika" as a welcome opportunity to reflect on the reasons for the *backwardness* of Europe compared to the United States. And his readers could hardly miss the point: According to Buchholz, the sole reason why Europe lagged behind was its feudal social structure which reduced the vast majority to mere "tools" of the aristocratic elite. This "principle of organization" had on the one hand guaranteed social stability, but on the other hand prevented "progress in the arts and sciences, as well as everything that strengthens and improves all social life." The only means to overcome this lethargy built into the social system of Europe was personal freedom "which finds its limits in respect for common law." These liberal principles themselves had the power to change society fundamentally since this new element would inevitably result in "the destruction of that old principle of

---

55 Gerald Stourzh, Alexander Hamilton and the Idea of Republican Government (Stanford, CA: Stanford University Press, 1970). Drew R. McCoy, The Elusive Republic: Political Economy in Jeffersonian America (Chapel Hill, NC: University of North Carolina Press, 1980). Marie-Luise Frings, Henry Clays American System und die sektionale Kontroverse in den Vereinigten Staaten von Amerika, 1815-1829 (Frankfurt/M.: Lang, 1979) Robert V. Remini, Henry Clay: Statesman for the Union (New York: Norton, 1991).

56 List, "Merkwürdige Rede des Professors List", 888.

57 "Über die raschen Fortschritte der Nordamerikaner in der Zivilisations-Bahn", Neue Monatsschrift für Deutschland 29 (1829):103-12.

organization, according to which the most numerous class in society was to remain in the state of tools to the end of times."[58]

In this context, America served as empirical proof of the thesis that progress was the result of liberal principles, and that technological innovation was the key to all further progress of civilization. According to the *Neue Monatsschrift für Deutschland*, "the attractive power" of List's writings about America rested in his demonstration that "because of the elimination of all administrative constraints and the multiplication of canals and railroads, the country's civilization is making torrential progress."[59] The author of the magazine article then quoted at length those passages of List's work in which he elaborated on how agriculture, trade, and industry all worked together to produce economic growth. Agricultural production was worthless in a state without trade and manufactures, List's views were summarized. The *Neue Monatsschrift für Deutschland* stressed that actually cities were the guarantors of agricultural wealth, and not vice versa. "Cities alone, and only rich and industrious cities, can produce thriving farms", the magazine stated, and saw technology as the driving force behind all progress toward power, wealth, and well-being. Since they promoted the market, since they were connecting the country with the city and thereby inducing urban growth, canals and railroads had to be seen as the "actual breeders of cities".[60]

Up to this point, List's article had only described the American situation. In its last part, it turned into a reflection on the applicability of the example set by America to the German arena. List explicitly addressed the question of whether canals and railroads had their effect only in young countries like the United States, whereas they would be of no value to the old countries in Europe. He argued that the effect of these transportation systems would be even greater in the densely populated regions of Europe, and he concluded his remarks with the statement that the American example provided "many subjects worth thinking about for the lords of the manor in Germany's various states". The editor of the *Neue Monatsschrift für Deutschland* added that he "joined in this demand from the bottom of my heart".[61]

While Buchholz did not stand alone in his enthusiastic response to List's writings about America, there were also many more sceptical voices. The reviewer of his "Mittheilungen aus Nordamerika" in the *Blätter für literarische Unterhaltung* did not agree with List, who had argued that railroads

58 Ibid., 103-104.
59 Ibid., 105.
60 All quotes ibid., 107.
61 All quotes ibid., 112.

could be built with great ease in Germany, too.[62] Without going into details, the reviewer stressed that Germany was lacking an entrepreneurial culture. He said that Germans were generally not as daring in great business ventures as the Americans, who, relying solely on private enterprise, forgot ten business failures for the single one which had succeeded. Americans were prone to "throw away millions of dollars to dig pits where there is no water at all", the unknown reviewer characterized the American entrepreneurial mentality, which, he insinuated, was typical of people living in a young country. Particularly the system of financing these projects through joint stock companies aroused the reviewers' ridicule. The Americans, he explained to his German readers, "let shares which do not produce any profit pass from hand to hand, and they exchange paper payments as if they were coins of realm." In addition, the political situation in Germany could not be compared to that in America. High internal tariffs made all kind of nationwide commerce much too expensive to be of any profit for the producers. Any national transportation system could only be established through the cooperation of the states forming the *Deutscher Bund* – and in 1829 a unified national market achieved through the cooperation of the individual German states was obviously beyond the imagination of the reviewer of List's book, since he stated that, because of these facts, the United States could "not possibly serve as a model for what can be undertaken and successfully executed in Germany."[63]

This article reveals one characteristic feature of the early German debates on railroads. Whereas in America private enterprise was the driving force behind the railroad construction, with joint stock companies providing the funds, German entrepreneurs and many of their compatriots tended to expect the government to shoulder the financial risks. Only after the first German railroad connecting Nuremberg and Fürth in 1835 turned out to be a huge financial success for the stock holders did the initial scepticism begin to wane.[64] And another thing is noteworthy here: The lack of enthusiasm for modern industrial technologies as represented by the railroads did not grow out of some irrational and romantic hostility toward machines or some elusive German *mentality*. Rather, the reluctance was based on an economic and political rationale that grew out of the way contemporaries perceived and experienced the specific conditions they were confronted with

62 "Mittheilungen aus Nordamerika, von Fr. List", 706-707.
63 Ibid., 707.
64 Boch, Grenzenloses Wachstum?, 142-46.

in Germany.[65] As late as 1846, a correspondent of the *Morgenblatt für gebildete Leser* argued that the construction of railroads in an agrarian state like Schleswig-Holstein was "ridiculous". There were no big industrial or commercial cities in that state, and all the materials for building the railroads would have to be imported. Only the city of Hamburg would profit from railroads in Schleswig-Holstein. Thus, railroads were no "necessity" for Schleswig-Holstein, quite the contrary, all its small towns and villages would "against their destiny be hurled close to a city like Hamburg" and would have to "cede all their independence to it."[66]

Steamboats on German Rivers, Railroads in German Countrysides, and the Revolution of the Minds: The German Debates on American Technology, 1830-1850

List had had to travel to the United States to actually experience the revolutionary potential of steam-based transportation systems. When he returned in 1830, things were beginning to change in his native country, too. Steamboats had been introduced on Germany's great rivers in the mid-1820s. Their number was increasing rapidly.[67] The founding of the *Zollverein* in 1834 established a unified German market by abolishing all internal tariff barriers. Although its foundation was by no means an integral part of a concerted administrative effort to increase industrial growth, in guaranteeing the free flow of goods on the internal market, the *Zollverein* did provide the basis for the transportation revolution which was about to begin.[68] One year after the *Zollverein* had been founded, the first railroad in Germany was opened between Nuremberg and Fürth, touching off a bonanza in railroad construction. Although it did not provide the impetus for the industrial take-off in Germany, the expansion of internal markets and the railroads

---

65 Also: Radkau, Technik in Deutschland, 12-13, 66-68. Generally for the hostility toward technology in Germany: Rolf Peter Sieferle, Fortschrittsfeinde: Opposition gegen Technik und Industrie von der Romantik bis zur Gegenwart (Munich: C. H. Beck 1984). Wolfgang Hädecke, Poeten und Maschinen: Deutsche Dichter als Zeugen der Industrialisierung (Munich: Hanser 1993).

66 "Korrespondenz-Nachrichten: Schleswig-Holstein", Morgenblatt für gebildete Stände 1846, no. 62, 248.

67 Wehler, Gesellschaftsgeschichte, 2: 121.

68 Hahn, Zwischen Fortschritt und Krisen, 17, 26-27. Wehler, Gesellschaftsgeschichte, 2: 135. Rolf H. Dumke, "Die wirtschaftlichen Folgen des Zollvereins", Deutsche Wirtschaftsgeschichte im Industriezeitalter, eds. Werner Abelshauser and Dietmar Petzina (Düsseldorf: Droste, 1981) 241-73.

together did lay the basis for the decisive push toward the self-supporting industrial growth of the 1840s.[69]

In particular, the transportation revolution made the impact of great machines visible to everyone. The increasing number of steamboats on German rivers and the first railroads leading through Germany's countrysides fundamentally changed the way the magazine audiences looked upon technological progress. And it should be pointed out that this development cannot be restricted to those social groups that had a direct economic interest in the advancement of mechanization. The intellectual reflection upon technology was not solely the result of the early German entrepreneurs' efforts to influence public opinion according to their interests.[70] It was the dynamism which the process itself unleashed, the visibility of spectacular new technologies and their effects on the everyday *Lebenswelt*, that led to a gradual change in the way Germans thought about mechanization. And this development cannot be attributed to their social standing or their professional occupation.

In 1834, the newly founded *Pfennig-Magazin*, the first German magazine that, like the well-known British penny magazines, addressed itself to a much broader audience than the traditional journals stated: "It is beyond doubt that our German rivers will carry many more steamboats than up to now and increase internal transportation rapidly."[71] And the author took this development as an opportunity for general praise of the effects of technological progress. All in all, steam engines appeared to him as "a magnificent benefit" which would be of great advantage for "the common whole of the audience", the "poor and the rich". He then argued on various levels demonstrating the comprehensive redefinition of progress: internal trade would increase, the various German states would gradually be melted into one, and travel would be so cheap that one would be able to "complete one's education" by visiting "distant countries", studying their nature and their

69 Hahn, Zwischen Fortschritt und Krisen, 17.

70 This is, I think, the conceptual weakness of Boch's study that understands the German debates about industrial growth and technological progress as the linear expression of the Rhenish entrepreneurs' interest and as their conscious attempt to accelerate the industrialization process. Boch, Grenzenloses Wachstum?, passim, esp. 12.

71 "Vorzug der eisernen vor den hölzernen Dampfmaschinen", *Das Pfennig-Magazin* 1834, no. 57, 453.

art. All in all, steamboats were greeted as a means to "raise the level of civilization".[72]

In the mid-1830s, machines were increasingly understood to be an integral part of a 'true' humanity developing itself. It should be pointed out, however, that it took the concrete experience of technology's potential to bring about this change, not an abstract and theoretical knowledge of the United States as a 'land of technological progress'. When Wilhelm Häring, a patriotic journalist, freelance writer and entrepreneur in various business projects, reflected on the dramatic change in German attitudes toward railroads and all kinds of mechanical devices, he spoke of a "complete reversal in feelings, hopes and judgements" and asked rhetorically: "What brought about this miracle?", providing the answer: "It was the power of the real, which softened rigid hearts, which made doubters trusting, and turned infidels into zealots."[73] Although this kind of enthusiasm was not as widespread in Germany as this article would want us to believe, and although many sceptical and decidedly negative voices could still be heard in Germany, the change in mentality is obvious. After all, it was the Morgenblatt für gebildete Leser, a magazine that appealed to lovers of literature, the fine arts and aesthetic culture, that had given Wilhelm Häring the opportunity to make his opinions public. And even in times of economic depression, when many Germans, paupers and well-to-do alike, used the railroads and the early factories as scapegoats for the economic and social maladies of the 1840s, the *Morgenblatt* was willing to defend technology against its critics. One correspondent claimed in 1846: "The attack of artisans against the factory system is a futile battle against the industrial movement of the times."[74] These developments reflect the experience of historical change and at the same time formed the basis for a heightened acceptance of new technologies in Germany which in turn accelerated the transformation of the *Lebenswelt*. These developments also set the mental framework for the discussions about America.

The more steamboats, railroads, and other machines began to perceptibly change German life, the more contemporaries began to see these developments in a historical perspective. Rapid technological progress made an

---

72 Ibid.

73 Wilhelm Häring, "Verständige Leute und Eisenbahnen", Morgenblatt für gebildete Leser 1840, no. 95, 379.

74 "Korrespondenz-Nachrichten: Frankfurt a. M.", Morgenblatt für gebildete Leser 1846, no. 123, 491. An explicit defense of the railroads in the heyday of pauperism could also be found in the Morgenblatt. Cf. "Korrespondenz-Nachrichten: Berlin", Morgenblatt für gebildete Leser 1846, no. 265, 1060.

understanding of its beginnings all the more important, and America was increasingly seen as the origin of those innovations which were now affecting Europe. In 1833 Robert Fulton was explicitly addressed as the "sole inventor" of the steamboat who had not known anything about similar developments in Europe. To prove this, the editors of the *Pfennig-Magazin* published extracts from Fulton's own account of how he had discovered the violent power of steam. "When once I was boiling water for my tea, I noticed that the steam was lifting the lid and forced its way out with visible power", Fulton explained, and he continued: "I repeatedly closed it, and the phenomenon occurred again as before. Finally, I put a weight on it which the steam could not resist, and it made the kettle explode." This account demonstrated to the *Pfennig-Magazin* editors that Fulton did not draw upon experiments already made by the Europeans Claude-François-Dorothée Marquis de Jouffroy d'Abbans and a certain de Blanc.[75] America's inventiveness thus was not founded on a systematic and scientific research, rather it was the result of random events which were all rooted in the practical common sense of the Americans.

And the broad array of the most diverse inventions German magazines reported about provided new evidence time and again. The author of a letter written to the *Morgenblatt für gebildete Leser* in 1847 thus described his visit to the United States Patent Office which he counted among the "most interesting sites" in Washington, D.C. "In a very large building the models of all inventions for which patents have been issued by the United States are displayed, a mass of the most diverse things which bear witness to the Americans' rich talent for inventions", he wrote, and he mentioned "all kinds of steam engines, suspension bridges, patent-loops, spinning machines, looms, farming tools, high-speed printing machines, coalbreakers, etc."[76] This random enumeration of mechanical devices demonstrated to German readers the wide-ranging use of all kinds of machines in America. Were the Americans supposed to be a "nation of philosophers" in the late eighteenth century, they now could easily appear as a "nation of inventors".

Indeed, America was increasingly understood as the origin of all technology. When the *Pfennig-Magazin* reported on the new steamship line connecting England and India, it pointed out that steamboats built by Robert Fulton had traveled on the ocean as early as 1815, and that one of his boats had steamed from New York to Liverpool in 1817.[77] And when two years

75 All quotes: "Das Dampfschiff", Das Pfennig-Magazin 1833, no. 32, 250-52.

76 "Briefe aus Nordamerika", Morgenblatt für gebildete Leser 1847, no. 118, 470-71.

77 "Die Verbindung zwischen Großbritannien und Indien durch Dampfschiffahrt", Das Pfennig-Magazin 1836, no. 191, 381-83.

later the same magazine described a new American steam car, it took this novelty to reflect upon the new era which had been ushered in by the use of steam in general. Germans were increasingly becoming used to the existence of modern technologies, and this also changed the way in which they looked upon the past, i.e., the time before the introduction of these new machines. The history of inventions since roughly 1750 left the *Pfennig-Magazin's* commentator in "deep astonishment at the creativity of the human intellect". The utilization of natural forces known for centuries had changed "society's physiognomy" at an incredible pace. Humanity as a whole can but profit from these innovations because "the material goods and pleasures which emerge from it will only serve as a means toward perfecting the intellectual and higher education."[78]

In stating this, the editors of the journal were actually aiming at the critics of technology in Germany, who were still in the majority. "Shortsightedness, lethargy and egoism together have accused this direction of the intellect, this essential feature of our age ... and have demanded that this powerful and, as they say, random and ruinous movement should be halted."[79] Voices that presented America in a positive light were still on the defensive, still arguing against the notion of a 'true' humanity that fulfilled itself in a self-centered aesthetic culture. However, by integrating the image of America as a 'land of technological progress' into a concept of history that saw all past and present developments leading toward a better future, they put history on their side.

Ironically, it was the same pattern of conceptualizing progress that is visible in the eighteenth century: history was understood as a continuous movement toward a better future because enlightened principles would be realized on a broad scale, thus producing a 'new mankind'. And it was this model which had been the main reason why the Enlightenment's enthusiasm for America had shattered in the 1790s, because American social reality could not live up to this ideal. In the German debates about technology, the single elements of this pattern were rearranged, leaving the pattern itself, and America's place in it, untouched. The aims and the manifestations of progress had changed; technology itself was increasingly becoming the symbol of progress. The fears and hopes connected with it were concrete and real, since steam engines and other machines were beginning to change German *Lebenswelten* rapidly. This gave a new quality to the debates about America. The fear of becoming 'Americanized' certainly found many points

78 "Der amerikanische Dampfwagen", Das Pfennig-Magazin 1838, no. 250, 9.
79 Ibid., 10.

of reference in the world Germans lived in around the middle of the nineteenth century. Those texts that still accused Americans of lack of culture, shallow materialism, rugged business practices, all as a result of their democratic system – and these texts were still the majority – can be interpreted as a discourse of defense in the wake of an ever-increasing pressure to maintain a self-conception grounded upon aesthetic values, education and the related belief in the necessity of the social and political 'reign of the better', i.e., the educated and wealthy classes. And it was a strong defense, which actually managed to hold up scholarship and theoretical knowledge as the final acid test for the German engineers' claim to developing a 'true humanity' through their machines. In America, it was a fortuitously exploding kettle which stood at the beginning of an invention; in Germany progress was to be based on theory, science, and systematic research.[80]

Conclusion

Historians have only just begun to investigate the question of how German contemporaries understood and reflected on the fundamental transformation of their *Lebenswelt* brought about by modern technology and the attendant industrialization of the economy. This is especially true for the early years of this process in the first half of the nineteenth century, despite the fact that there was a highly controversial public debate about the future course of Germany's economy and its social consequences that began to pick up intensity after the end of the Napoleonic Wars.[81] The images that portrayed the United States of America as a 'land of technological progress' have to be seen in the context of this long and continuous debate, which began with a widespread scepticism and opposition toward modern industrial technologies, and which slowly moved toward an increasing acceptance of the steam engine as a the symbol of a new era. The reassessment of America as a 'land of technology', an attitude which began to understand technological innovation as an intellectual achievement in its own right, is indicative of this development. This strand of the German debate about America emancipated the notion of progress from its moral frame of reference and its aesthetic manifestations in the fields of art, literature, science, and higher education. Technology itself was increasingly understood to be a means of developing a true humanity. The German discussions about American technology do

80 Radkau, Technik in Deutschland, 155-76.
81 Boch, Grenzenloses Wachstum?, 11.

neither suggest a clear-cut beginning of the Industrial Revolution nor do they suggest that we should take economic facts and figures as the sole barometers of this development. The transformation of the economy was accompanied by a transformation of mental patterns, i.e., the attitudes toward modern technology. The revolution of the minds had begun long before the first industrial cycle hit Germany, and German debate about the United States as a 'land of technological progress' is a case in point.

Certainly, sceptical opinions, even decidedly hostile opinions about machines, mechanical devices and America could still be heard in Germany. Particularly the railroads, the most visible symbol of technological progress, were criticized for social, moral and economic reasons especially by those who indulged in aesthetic pursuits. And those texts, large in number, which idealized America as a land of independent farmers who cultivated the soil they owned, where the availability of masses of land in the West prevented industrialization, can most certainly be interpreted by the longing for a "preindustrial refuge".[82] Yet the debates about America also revealed that more and more German contemporaries began to realize that the technological revolution would have far-reaching consequences for the world they lived in, and they were increasingly willing to accept it. It was by no means *only* through the discussions of America that mental patterns were changed. It was the transportation revolution itself which showed the effects of technology and which also provided the kind of experience to German contemporaries which then made the developments in America appear in a different, more favorable light.

And yet, the German discussions about America's mechanical ingenuity had a distinctive feature which other strands of the discourse on technology in general lacked: the positive conception of America as a 'land of technology' was directly linked to a shattered enthusiasm that had understood America to be the dream of an enlightened utopia come true. From its ashes emerged a new idea of America as a 'land of progress', i.e., of technological progress. This was not the idea of progress that most Germans had in mind, since aesthetic refinement, intellectual depth, and universal knowledge were understood to be the true expressions of progress toward humanity. Yet the early defenders of America had made their points and prepared the soil on which a future acceptance of technology could thrive. It is also true, however, that technological progress alone never managed to completely defeat

82 Peter J. Brenner, Reisen in die Neue Welt: Die Erfahrung Nordamerikas in deutschen Reise- und Auswandererberichten des 19. Jahrhunderts (Tübingen: Niemeyer, 1991) 379.

aesthetic values in Germany. The development of a 'true' humanity in the realm of cultural refinement remained the finale of all progress, only that now technology was discovered as a means to reach this end. Since America seemed to be lacking cultural and aesthetic refinement even in 1850, the divide between the Old World and the New remained – and the fears that Germany could end up 'Americanized' became all the more virulent as industrialization progressed.

Gregory Zieren

Engineer Hermann Grothe (1839-1885): American Technology and the German Patent Law of 1877

When Hermann Grothe died in March, 1885, just days before his forty-sixth birthday, several newspapers in Berlin published notices of his passing. The obituaries typically noted his one term in the Reichstag representing Görlitz-Lauban in 1877-78, his editorship of *Die Polytechnische Zeitung*, his work promoting protective tariffs, and his services for the textile industry. None mentioned perhaps his most important accomplishments, such as his term as Geschäftsführer of the Centralverband deutscher Industrieller, his list of patents nor his promotion of Germany's first patent law in 1877, nor even his support of German industry in a score of world's fairs and trade association meetings. Finally, none of the obituaries mentioned his unique ties to American business and technology. Grothe reported on technological innovations from the United States in nearly a dozen journals which he edited, published, or contributed to. He learned about the practices of American trade associations, their political campaigns and pro-tariff agitation and brought this knowledge to Germany. He helped make Henry C. Carey the first American economist with influence in Germany. He published the first book in German devoted to the accomplishments of American industry and acquired influential American friends in the process. His real legacy, known perhaps only to a few friends and associates, was inside the pages of *Die Illustrirte Zeitung* issue which recorded his passing: advertisements for the Edison phonograph, the Remington typewriter, the Lamb home knitting machine and Otis elevators ("nach bestem amerikanischen System mit Transmissionenbetrieb für Lasten von 250 kg.")[1]

Background and Education

Hermann Grothe traced his own fascination with machinery and technological innovation to early childhood. Much like young Henry Ford a generation later, as a boy Hermann Grothe would sit and watch for hours the

1 See obituaries in Das Berliner Tageblatt, 17 March 1885, 4; Die Vossische Zeitung, 17 March 1885, 5, and Die Illustrirte Zeitung, 28 March 1885, 312.

machinery in his father's mill in Salzwedel, especially the spinning jenny. This technology was of British origin, and the elder Johann Jacob Grothe was one of thousands of early nineteenth century mill owners in Germany who imported and installed jennies alongside the traditional mill machinery like millstones for grain, grind stones, and woodsaws. The elder Grothe also affirmed his faith in technology by installing a second British invention, a six horse-power steam engine in 1837, only the second one in town. The second son in the family, Hermann was born two years later.[2]

Technology showed its destructive face to the Grothe mill and other German wool spinners in the 1850s when the spinning mule rendered the jenny obsolete. Fewer than a third of the 3,500 mills which had installed the jenny by 1840 were still spinning yarn 20 years later, but those that were had invested more capital and had more than doubled the number of spindles they were operating. The Grothe mill was among the survivors in this round but faced a new challenge in 1854 with the death of its proprietor, Johann Jacob, at age 51. Hermann's older brother, Friedrich, and their mother took over management of the mill jointly until 1863, when Friedrich became sole proprietor.[3]

Only fourteen when his father died, Hermann Grothe at first set his sights on acquiring technical and scientific skills to help the family firm survive. He completed a course in natural sciences at the Gymnasium in Salzwedel and attended the Polytechnische Schule in Halberstadt where he performed chemical experiments on woolen fibers. One source suggests he also completed practical training in the woolen trade in Berlin, but his academic gifts led him to study at the University of Leipzig and a future far removed from Salzwedel.[4]

The University of Leipzig was a center for applied sciences and technology in the 19th century, and while a student there between 1859 and 1863 Hermann Grothe studied physics with Wilhelm Gottlieb Hankel and chem-

---

2 Hermann Grothe, Technologie der Gespinnstfasern: Vollständiges Handbuch der Spinnerei, Weberei und Appretur (Berlin: Julius Springer Verlag, 1876) vii; I am indebted to Herrn Langusch, Stadtarchivar in Salzwedel, for information on the Grothe family.

3 David S. Landes, The Unbound Prometheus: Technological Change and Industrial Development in Western Europe from 1750 to the Present (New York: Cambridge University Press, 1969) 115, 169; correspondence from Stadtarchivar Langusch, 25 July 1996.

4 Hermann Grothe to the Philosophical Faculty, University of Leipzig, 12 May 1863, Universitätsarchiv Leipzig, PA 490, Bd. 5; Akten des Polizeipräsidiums Berlins Nr. 10132, in Brandenburgisches Landeshauptarchiv, Potsdam.

istry with Otto Linné Erdmann and Heinrich Hirzel. Judging from Grothe's career, all three were influential in shaping the younger man's future. All three professors had practical experience in applied science or technology, all three published extensively for both scientific and lay audiences and edited important journals in their fields. All three kept up with the latest research from abroad and corresponded with foreign colleagues and knew foreign languages; finally, all three, especially Hirzel, were entrepreneurial in their approaches to technology. Hirzel, just eleven years older than Hermann, established a chemical works in Leipzig and invented laboratory equipment; in addition, Hirzel wrote school textbooks and a popular layman's guide to chemistry. He also apparently befriended and guided the young Salzwedeler.[5]

Der Jahresbericht and Civil Engineer

Hirzel was likely instrumental in launching Grothe's career as a technological reporter by introducing him to Johann Jacob Weber, the well known Leipzig publisher of a series of popular scientific books known as *Die Illustrierten Katechismen.* Even before completing his dissertation in 1863, Grothe, in his early twenties, had already published two books in this series reflecting his considerable knowledge of the textile industry, one on spinning and weaving, and the other on bleaching and coloring. Like Hirzel, Grothe was ambitious, and eager to make his mark as the compiler of a serious digest of international science and technology with *Der Jahresbericht über die Fortschritte der mechanischen Technik und Technologie.*[6]

The *Jahresbericht* was a compendium of the year's best inventions and improvements drawn from two dozen German, English, French, and American journals initially and nearly one hundred sources later. Grothe claimed years later that this was Germany's first annual view of technological progress broadly defined. The review covered a wide array of machinery and technical processes from all aspects of textile production – always Grothe's

---

5 The director of the Universitätsarchiv, Universität Leipzig, Dr. Gerald Wiemers generously provided information on these professors. See also Neue Deutsche Biographie (Berlin: Duncker und Humblot, 1969) on Otto Erdmann, Wilhelm Gottlieb Hankel, and Heinrich Hirzel.

6 Hermann Grothe, Katechismus der Spinnerei, Weberei und Appretur (Leipzig: J.J. Weber, 1861), and idem, Katechismus der Bleicherei, Färberei und des Zeugdrucks (Leipzig: J.J. Weber, 1862). See "Johann Jacob Weber," Der Grosse Brockhaus (Leipzig: Brockhaus,1934) 20: 78-79.

special expertise – to locomotive and railroad technology, wood pulp paper-making techniques, and steam and caloric engines of all varieties. These fields always received special attention, but new tools, innovative chemical processes, inventions of all descriptions, and even controversies over scientific theories and engineering techniques all found their way into the *Jahresbericht*.

Technology from abroad formed the centerpiece of the *Jahresbericht* throughout its five years of publication. German sources in the specialized literature of key sectors of the economy, such as *Die Mühle* or *Der Maschinenbauer*, reached a wider audience through Grothe's annual than did the more scientific-oriented *Zeitschrift des Vereins deutsche Ingenieure* or *Dingler's Polytechnisches Journal*. But it was the advances in British, French, and American technology that made the *Jahresbericht* distinctive.[7]

For all the novelty of an international annual technological review Grothe's *Jahresbericht* tapped into a decades-old tradition of the *Gewerbeblatt* or *Gewerbezeitung* and the lifework of two men with whom he was personally acquainted, the Leipzig editor and publisher of the *Deutsche Illustrierte Gewerbezeitung*, Friedrich Georg Wieck, and textile expert Johann Wilhelm Wedding, a pillar of the Verein zur Beförderung des Gewerbefleisses in Preussen. Both men devoted their lives to the transformation of German industry and technology from backwardness to international competitiveness in the mid-nineteenth century. Both undertook *Studienreisen* to "the workshop of the world," Great Britain, to visit factories, study new techniques and machinery, and publicize them at home. Grothe embarked on the same enterprise in publishing the *Jahresbericht*, but soon the technology would be American.[8]

Grothe's two major sources for American technology were *Scientific American* and *Journal of the Franklin Institute. Scientific American*, founded in 1846, was itself a weekly compendium of technological advances, inventions, and new machinery. The editors wrote mostly short descriptions of what they believed were the ten or fifteen most important innovations. Lists

7 Jahresbericht über die Fortschritte der mechanischen Technik und Technologie (Berlin: Julius Springer, 1863) 1: i-ii (list of sources). For volumes 4 and 5, in 1867, sources listed vii-ix.

8 On Wieck's career see Ernst von Hoyer, "Friedrich Georg Wieck," Allgemeine Deutsche Biographie (Berlin: reprint, 1971) 43: 372-73; on Johann Wilhelm Wedding and the Verein see Conrad Matschoss, Preussens Gewerbeförderung und ihre Großen Männer: Dargestellt im Rahmen des Vereins zur Beförderung des Gewerbefleisses, 1821-1921 (Berlin: Verlag des Vereins deutsche Ingenieure) 92-94; Grothe, Technologie der Gespinnstfasern, viii.

of patents granted by the U.S. Patent Office were another weekly feature. Rounding out the journal were longer descriptions of major topics such as steam engine design and editorials on a variety of technological, scientific, economic, and even political themes. English and French technological and scientific journals made up the major sources for the *Jahresbericht*, but even they often featured American innovations which Grothe could then use once removed from the original publication. Typical of his reliance on material from *Scientific American* was his extended analysis of the American oil industry in 1863 and his attention to a sector garnering acclaim in Germany in the 1860s, American hand-held- and machine-tools. For Grothe, the superior precision and labor-saving potential of American machine tools were clear in 1867: "S.A. Morses amerikanische Metallbohrer sind so vielfältig unter den Namen 'Twist Drills' im Gebrauch, daß fast keine Maschinen-Werkstätte und kein Mechaniker und Uhrmacher mehr ohne dieselben arbeitet."[9]

In 1867 Grothe abandoned publication of the *Jahresbericht* after five years. He missed publishing it in 1866, apparently because he saw military service in the German-Austrian War of that year. He published a double issue the following year with assurances that the digest would appear thereafter yearly on schedule. Instead his career took on a different focus and his familiarity with American technology became first hand. The *Jahresbericht* was never his chief source of income, indeed likely it was a drain on his finances. He made his living as the manager of woolen mills in and around Berlin and began calling himself a civil engineer, a title he bore proudly. His most influential employer in the 1860s was Arnold Lohren, general director of the Potsdam-Neuendorf Kammgarnspinnerei and later a delegate to the Reichstag in the 1880s. Grothe evidently tried to establish his own woolen mill in Berlin but when a key investor withdrew from the plan, Grothe departed for Paris in 1867.[10]

---

9 See, for example Scientific American's critical editorial on the Prussian patent system, December 21, 1866; Jahresbericht, 2: 162-64; ibid., 5: 437.

10 Jahresbericht, 5: i; on Arnold Lohren see Max Schwarz, MdR:Biographisches Handbuch des deutschen Reichstages (Hannover: Verlag für Literatur und Zeitgeschehen, 1965); Grothe's unsuccessful business venture, Die Vossische Zeitung, 28 April 1878, Vierte Beilage. Dr. Neininger of the Brandenburgisches Landeshauptarchiv brought this reference to my attention.

American Technology at the Paris Exposition Universelle, 1867

The Paris Exposition of 1867 was the fourth of the ten great world's fairs of the nineteenth century and, though not one of the best remembered, certainly one of the most influential for shaping the character of these enterprises. This was the first with a theme (the history of labor), the first with national pavilions, and the first to categorize displays into a coherent plan. It was also for American technology the "first truly impressive showing as a force to be contended with in future industrial development," in the words of John H. Findling, a leading scholar of world's fairs. Of more than 50,000 exhibitors – of whom nearly a third were French – the Americans made up only 700 or 13th in rank behind Switzerland and Rumania. But over half of them won awards of some description.[11]

The giant steam engine of George Corliss of Providence, RI, first attracted international attention for its precision parts and impressive performance. Cyrus McCormick displayed mowers and reapers made in Chicago, though international fair-goers were already used to American triumphs in agricultural implements by then. The German-American firm of Steinway and Sons showed off its new, patented, strike-action hammer pianos and won a gold medal, as did the Grant Locomotive Works for its giant steam locomotive, "America." An American rocking chair went on display, receiving "popular comment and acclaim." Gold medals went to Cyrus Field for the first transatlantic telegraph cable, and to the U.S. Surgeon General and the Sanitary Commission for displays of ambulances, surgical tools, and artificial limbs in use during the late Civil War. Both French and Prussian military personnel took special note of these.[12]

The Paris World's Fair of 1867 changed Grothe's life for good. He became an inveterate traveler attending nearly three dozen world's fairs, polytechnical conventions and trade shows of all description over the next

---

11 John Allwood, The Great Exhibitions (London: Studio Vista, 1977) 41-47; John H. Findling, Historical Dictionary of World's Fairs and International Expositions (Greenwich, CT.: Greenwood Press, 1990) 39; William P. Blake, Reports of the United States Commissioners to the Paris Universal Exposition, 1867 (Washington: GPO, 1870) 16; Henry Morford, Paris in '67; or The Great Exposition, its Sideshows and Excursions (New York: George W. Carleton, 1867) 68.

12 Morford, Paris , 226-32; Allwood, Great Exhibitions, 45; Erwin H. Ackerknecht, Rudolf Virchow: Arzt, Politiker, Anthropologe (Stuttgart: Ferdinand Enke Verlag, 1957) 122.

decade. He left behind his steady and regular employment as a factory manager and began writing full-time first as a technological reporter and eventually as an editor with first hand knowledge of the best machines and technical processes the industrialized world had to offer.[13]

One American manufactured article which had already attracted European consumers by 1867 and Grothe's admiration was the sewing machine. Elias Howe Jr.'s sewing machine won a gold medal in Paris, and he was personally decorated for his invention. Other American sewing machine makers also won prizes. But for Grothe and European machine tool industry experts the real accomplishment was less the *invention* of the sewing machine than the precision *production* of a complicated, machine-tooled device *en masse*. Grothe noted with astonishment that American sewing machine factories had produced and sold 150,000 units in the single year, 1866-67. This bespoke a level of achievement in interchangeable parts and exact tolerances that no branch of the German machine tool industry could match.[14]

British visitors to the Crystal Palace Exhibition in 1851 were similarly astonished by the same evidence in the making of small arms and had dubbed it "the American system of manufacturing." American toolmakers, gunsmiths, and sewing machine manufacturers called it "armory practice," after the Federal Armories in Springfield, MA, and Harper's Ferry, VA, where the procedures and gauges for such exacting tolerances had been perfected in the first half of the nineteenth century. So impressed was the British government that it invited Samuel Colt, the famous Yankee arms maker, to set up a small-arms factory in 1854. After the Franco-Prussian War of 1870-71, the German government, too, invited the American precision toolmaker, Pratt and Whitney, to set up small-arms manufacturing at arsenals in Danzig, Erfurt, and Potsdam in 1871. Following this commission, American arms makers received contracts from the French, Russian, and Austrian governments as the reputation of "the American system" spread across Europe. Based on this evidence historian of technology Wolfhard Weber has concluded that governments played the decisive role in bringing this critical transatlantic advance to Germany.[15]

---

13 Hermann Grothe, Spinnerei, Weberei, Appretur auf den Ausstellungen seit 1867 (Berlin: Burmester und Stempell, 1879) 291, on the fairs he visited after 1867.

14 Blake, Reports, 1: 294-96; Hermann Grothe, Bilder und Studien zur Geschichte vom Spinnen, Weben, Nähen (Berlin: Julius Springer Verlag, 1875) 349-73.

15 David A. Hounshell, From the American System to Mass Production, 1800-1932: The Development of Manufacturing Technology in the United States (Baltimore: Johns Hopkins University Press, 1984) 15-61; Wolfgang König, Hg., Propyläen Technik-

Grothe, however, attributed the importation of "the American system" to Germany not to small arms manufacture but to the sewing machine. He cited two examples of entrepreneurs borrowing from Americans after 1867 to create a German sewing machine industry. The better-known example was Ludwig Loewe, a young salesman for a Berlin machine-toolmaker, who had visited American sewing machine factories shortly after the end of the Civil War in 1865. *Studienreisende* in the generation of Wieck or Johannes Wedding traveled to Great Britain as a matter of course to view the latest in technology, but for those coming of age in the 1860s and 1870s, America was the new destination of choice. Loewe left his employer and decided to start his own sewing machine factory "unter Ausnutzung von selbsttätigen Werkzeugmaschinen im Wege der Massenfertigung." He returned to the United States in 1869 with an engineer, inspected more factories, and purchased machine tools to bring home to Berlin. In January, 1870 Ludwig Loewe und Cie. opened a new works with machine tool "nach amerikanischenVorbildern in eigenen Werkstätten hergestellt." By the end of the year Loewe's precision tool-making machinery was producing weapons for the German army in France. With American companies like Singer dominating the market, Loewe abandoned sewing machine manufacturing in 1879 and took up weapons making with a new partner, the Gebrüder Mauser.[16]

An even clearer case for the diffusion of the "American system" to Germany comes from an example Grothe publicized, the Berlin sewing machine firm of Frister und Rossmann. Emil Blum, director and engineer at the Berlin-Anhalt Maschinenfabrik, reported to the Polytechnische Gesellschaft in 1873 that when Frister und Rossmann opened a new sewing machinery works in 1871 they designed it "nach amerikanischem Muster mit amerikanischen Arbeitsmaschinen." The firms's engineers traveled to the United States to visit sewing machine factories and purchase American machine tools. By the late 1860s and early 1870s obtaining American tools and machinery became easier because import-export firms in Berlin, Hamburg, Mainz, Nuremberg, Cologne, and other large cities started to carry samples of specific American tools, displayed catalogs from American firms, and were able to assist customers in placing orders. In Berlin, knowledge of the advances in the American machine tool industry dates to the late 1860s and

geschichte, Bd.4, Wolfhard Weber, Netzwerke, Stahl und Strom,1840-1914 (Berlin: Propyläen Verlag, 1992) 93-97.

16 Volker Benad-Wagenhoff, "Die Entstehung der Werkzeugmaschinen in der Industrial Revolution von der deutsche Werkzeugmaschinenbau bis 1914/18", Technikgeschichte 58 (1991).

the aftermath of the Paris Exposition of 1867, according to engineer Blum. He reported that Frister and Rossmann "gelangt[en] schnell zu einer Vollkommenheit ihrer Nähmaschinenfabrik, daß es dem amerikanischen nichts nachgibt." Among the best sewing machine factories in Germany in Grothe's survey in 1875, five of the eight were in Berlin, including Frister und Rossmann.

Wolfhard Weber attributes the speedy diffusion of American machine tool practice in Berlin to the precision needs of the new electrical manufacturers in the capital, to firms like Siemens und Halske for example. Jürgen Kocka traced the use of American machine tools to Werner Siemens' friendship with Ludwig Loewe and the need to boost both production and productivity at the Berlin works. An additional benefit of the American machine tools at Siemens installed in the "amerikanischen Saal" in 1872 was the implied lesson to skilled workers that labor-saving machinery could reduce their leverage.[17] But for engineer Blum the alarm over the backwardness of the German machine tool industry dated to 1868 or 1869 and thus to the American sewing machine triumph at the Paris Exposition Universelle.

American Technology, the Vienna World's Fair and the Patent Congress

The Vienna World's Fair, the only one held in a German-speaking country in the nineteenth century, has been labeled "one of the great international failures" of that century for the financial losses its promoters suffered. A stock market crash that year in Vienna, a cholera scare, poor transportation planning, and price gouging by Viennese hoteliers and restaurateurs were all blamed. Furthermore, unlike Paris in 1867, the Vienna World's Fair was not a showcase for American technology. American steam engines, sewing machines, and textile machinery did win prizes, but significantly fewer American firms bothered to display their wares. So many American manufacturers had been the victims of patent infringement and outright theft in the aftermath of the Parisian success that they complained loudly to their

17 Deutsche allgemeine polytechnische Zeitung (hereafter PZ) 1 February 1873, 70; firms importing American machine tools in Hermann Grothe, Die Industrie Amerikas (Berlin: Burmester and Stempell, 1877) 384; Grothe, Bilder und Studien, 373; Wolfhard Weber, Propyläen Technikgeschichte, 4: 96; Jürgen Kocka, "Von der Manufaktur zur Fabrik: Technik und Werkstattverhältnisse bei Siemens, 1847-1873," Moderne Technikgeschichte, Karin Hausen und Reinhard Rürup, Hg. (Köln: Kiepenheuer und Witsch, 1975) 281.

congressmen. The U.S. State Department, in turn, threatened to boycott the fair unless the Austro-Hungarian government did more to protect American inventions from patent infringement and to sponsor the first international patent congress while the fair was underway. The Austrians reluctantly agreed, but many manufacturers still worried that they would suffer losses like those of the Singer Sewing Machine Co. which found fake "Singers" for sale throughout Germany and Austria and, in the absence of effective patent laws, could not prosecute the violators.[18]

In the years between the Paris and Vienna World's Fairs, Grothe had performed incredible feats of hard work and experienced some measure of entrepreneurial success. As a civil engineer he contracted to build textile mills from the ground up in Italy, Russia, and Germany; as a chemist and inventor he held a number of patents and had perfected several techniques for treating waste wool and waste silk and incorporating the material into finished cloth. In wool the resulting product was known by the names the English had conferred, mungo and shoddy, or Kunstwolle in German.

As a technological reporter he continued to visit trade fairs and shows and wrote numerous articles for various Gewerbezeitschriften and for the well-known English journal, *Engineering*; for fairs at St. Petersburg in 1870 and Moscow in 1872 he served as official representative of the Prussian government. As an editor he put together the quarterly *Zeitschrift des Vereins der Wollinteressenten Deutschlands* between 1869 and 1872, and co-edited the textile trade weekly *Die Musterzeitung* in Leipzig in 1873. Between 1869 and 1873, he also taught part-time as a docent of mechanical technology at the Berlin Gewerbeakademie (the forerunner of the Technische Universität Berlin), and was active in a variety of scientific and technical societies in the capital. In these years as well, with an enviable reputation in textile technology, the first Americans crossed the Atlantic to seek his technical advice.[19]

---

18 Allwood, Great Exhibitions, 49-51; Karl-Heinz Manegold, "Der Wiener Patentschutzkongress von 1873: Seine Stellung und Bedeutung in der Geschichte des deutschen Patentwesens in 19. Jahrhundert," Technikgeschichte 38 (1971) 159; PZ, 8 February 1873, 83; Alfred Heggen, Erfindungsschutz und Industrialisierung in Preussen, 1793-1877 (Göttingen: Vandenhoeck und Ruprecht, 1975) 111-16.

19 Italian mill construction in Hermann Grothe, Der Einfluss des Manchesterthums auf Handwerk und Hausindustrie (Berlin: F. Luckhardt, 1884) 53; Hermann Grothe, "Mungo und Shoddy," Zeitschrift des Vereins der Wollinteressenten Deutschlands 2 (1870): 221; onhonors and official posts, Evelyn Kroker, Die Weltausstellungen im 19. Jahrhundert. Industrieller Leistungsnachweis, Konkurrenzverhalten und Kommunikationsfunktion unter Berücksichtigung der Montanindustrie des Ruhrgebietes zwischen 1851 und 1880 (Göttingen: Vandenhoeck und Ruprecht, 1975) 100-101; Eduard Dobbert, Chronik der Königlichem Technischen Hochschule zu Berlin, 1799-1899

Grothe's expertise as an exhibition veteran enabled him to set up "Dr. HermannGrothe's Deutsches Bureau" for exhibitors who wanted an agent in Vienna and "für Bau und Ingenieur Arbeiten aller Art und für Industrie-Ausstellungen." He began offering his services in November 1872, and set up shop in March 1873, a month before the fair opened. He employed engineers, salesmen, and mechanics to sell his clients' wares and showcase their displays to the public. In addition to serving as an agent for textile machinery firms, he also represented machine toolmakers, sewing machine and steam engine manufacturers – all industries where American firms were world leaders.[20]

Two American inventors brought their products to Grothe's attention and won him both lucrative sales commissions and wider American contacts. The first was George A. Fairfield of the Weed Sewing Machine Co. of Hartford, CT. Just five years older than Grothe, Fairfield had worked for Samuel Colt and the Springfield Armory in his youth, mastered "armory practice" as an inside contractor, and then went into business for himself. Later in the 1870s, he collaborated with Albert Pope (America's premiere bicycle manufacturer), helped develop the automatic screwmaking machine, and finally produced the "Hartford" typewriter. Grothe touted the superiority of Fairfield's device over the Singer sewing machine and was licensed to sell the former in Germany. More importantly, through Fairfield, Grothe tapped into the tradition of the "American system" from its small-arms origins.[21]

His most valuable American connection in Vienna was John George Avery, the inventor of ring spinning for wool. Ring spinning was perhaps the most valuable American contribution to the textile industry in the nineteenth century, eventually rendering mules and self-actors obsolete owing to its superior efficiency and labor productivity. The concept had been patented as early as 1828, but not until the 1860s was the technology perfected to the point that its superiority over the earlier British inventions was becoming clear, at least for cotton thread. As the first inventor to perfect ring spinning for wool, Avery used the opportunity at Vienna to sell patent rights to the British, the French, the Russians, the Germans, and the Belgians. The sale earned him nearly one half million dollars and apparently

(Berlin: Wilhelm Ernst & Sohn, 1899) 97.

20 Kroker, Weltausstellungen, 98,100-101; PZ, 11 January 1873, 23; 1 March 1873, 115.

21 Joseph Wickham Roe, English and American Toolbuilders (New Haven: Yale University Press, 1916) 170-76; Charles W. Burpee, History of Hartford County Connecticut, 1633-1928 (Chicago: S.J. Clarke Publishing Co., 1929) 2: 688-89. Janice Mathews of the Hartford Public Library brought this to my attention.

enriched Grothe as well who served as Avery's agent familiar with patent law in each major nation. It was probably through Avery that Grothe became acquainted with well-known Washington, D.C., patent attorney, Llewellyn Deane, who served as intermediary for Grothe's later American patent licenses.[22]

A third American contact in Vienna was an agent sent by the National Association of Wool Manufacturers, an active trade association organized in 1865, which had successfully lobbied for tariff protection two years later. The Association was concerned about Grothe's technical consulting for the Einstein family, immigrants of German-Jewish origin who had asked him a year earlier to assist in setting up chemical mungo and shoddy processing in their Raritan Mills in New Jersey. The Association agent was concerned about the advantage they might enjoy over competitors, but the contact to Association secretary John Lord Hayes later proved crucial for Grothe, who met Hayes in 1876.[23] One common ground Grothe shared with Fairfield, Avery, Deane, and Hayes was a vested interest in the strongest protection possible for transnational patents.

Patent Congress, 1873

The most important of the twelve international congresses held in Vienna in 1873 was the first ever patent congress. In addition to the official American impetus for holding the event that summer, a determined group of German engineers and entrepreneurs affiliated with the Verein deutsche Ingenieure (VdI) also welcomed the opportunity to publicize their proposal to reform the antiquated Prussian patent law. Werner Siemens was the most influential voice calling for change, but as Grothe noted in 1874: "Jeder Ingenieur ist an der Patentfrage betheiligt." Before the Vienna World's Fair opened, Grothe correctly predicted that American exhibitors would display few striking

---

22 Charles G. Washburn, Industrial Worcester (Worcester: The Davis Press, 1917) 96-99; Jeffrey H. Fiske, History of Spencer, Massachusetts, 1875-1975 (Boston: Spencer Historical Commission, 1990) 668. Acknowledgements in Grothe's Die Industrie Amerikas mention Avery, Deane, and Fairfield. I am indebted to Nancy Gaudette of the Worcester Public Library for scarce information on Avery. On ring spinning see Alex Föhl und Manfred Hamm, Die Industriegeschichte des Textils: Technik, Architektur, Wirtschaft (Düsseldorf: VDI-Verlag, 1988) 51.

23 On the Einstein family, Jacob R. Marcus, ed. The Concise Dictionary of American Jewish Biography (New York: Carlson, 1994) 131-32: PZ, 22 June 1878, 350. On Hayes see Dictionary of American Biography (New York: Scribner's, 1943) 4: 446.

innovations on account of the "ungeheuren Schaden [den die Amerikaner] erlitten haben durch die Ausstellung Paris 1867." In fact, German prize-winning exhibitors in Paris had voiced similar complaints about the lack of protection from their own patent laws. Grothe also noted that no other nation would see so many of its inventions and ideas copied by other nations as America.[24]

Grothe became a critic of Prussian patent procedures at age 21, when authorities rejected his attempt to patent a mechanical improvement on the hand loom. Both Prussian and American patent law originated in the 1790s but the similarity ended there. Over the course of the first half of the nineteenth century the procedures for obtaining patents had become so restrictive, cumbersome, and expensive, and the percentage of patents granted to those submitted had become so small that engineers like Grothe and Siemens had begun actively to campaign for reform as early as 1861. At a time when the U.S. Patent Office issued 12,000 to as many as 15,000 patents per year, the Prussian office conferred 50 to 75. The discrepancy was less a testimonial to American inventive genius than to Prussian bureaucratic red tape and the contention of free traders in Germany that patents were the leading cause of monopolies. Chemical processes were rarely patented in Germany, a cause of special concern for Grothe.[25]

The Patent Congress opened on 7 August 1873 and almost closed on its first day. The Austrian hosts hoped to short-circuit the proceedings by refusing to appropriate any funds for Congress expenses. Only the last-minute intervention of American and German delegates who raised the necessary funds by donation saved the event. The impressive German delegation included such notable figures as Franz Reuleaux, Germany's most famous engineer and head of the Berlin Gewerbeakademie, Werner Siemens, gas engine manufacturer Eugen Langen, Grothe, Ferdinand von Steinbeis of Württemberg's renowned Centralstelle für Handel und Gewerbe, and Carl Pieper, a prominent Dresden engineer, VdI representative, and agent in Germany for patented American machine tools. Grothe noted with satisfac-

24 Heggen, Erfindungsschutz, 120-56; PZ, 8 and 15 February 1873, 84, 92., 14 March 1874, 157; Hermann Grothe, Das Patentgesetz für das deutsche Reich (Berlin: Guttentag, 1877).

25 Hermann Grothe, "Die Grothe'sche Schaftmaschine," Deutsche Illustrierte Gewerbezeitung, Heft 6 (1861): 228-30; Heggen, Erfindungsschutz, 24, 50; PZ, 16 August 1873, 407-418; HermannGrothe, Der Internationale Patent-Congress in Wien (Berlin: Springer's Verlag, 1873) 24.

tion that, "die Amerikaner combinierten sich mit Herrn Pieper[,] und die Sache kam mächtig im Fluss."[26]

Among the American delegates present were the minister to Austria-Hungary, officers from the U.S. Patent Office, inventors, and licensees. They were as keen to see the American system held up as the standard against which other national patent laws would be judged as most of the German delegates were to see the antiquated Prussian law exposed for its shortcomings. Free traders and defenders of the status quo used the monopoly argument against reformers and attacked the ostensibly lax standards in the United States that would permit any trivial improvement to be patented. A Swiss critic even called American patents "worthless" for Europeans because no profit-oriented businessman would invest money in such minor changes. German patent law reformers at the Congress vigorously disputed the charge and agreed, on the contrary, with Grothe's assertion:

> Die Wirkungen eines absoluten Patentschutzes sehe man in Amerika wo Maschinen, Leibwaffen, Uhren u.s.w. in erstaunlicher Billigkeit und Güte fabriciert und exportiert werden. Auf den jüngsten Weltausstellungen habe fast nur Amerika neue Epoche-machende Erfindungen gebracht, ein Beleg dafür, daß das Erfinder-Monopol den Fortschritt nicht hemme.[27]

A free trader from Hamburg offered the explanation that the political, social, and economic freedoms that Americans enjoyed were more responsible for the nation's record of invention and productivity than patents were. But an American delegate disputed that notion and taunted the German defenders of the existing system by claiming that a disproportionate share of American patents were held by German immigrants like John Roebling of Brooklyn Bridge fame whose inventive talents had been frustrated by the restrictive Prussian patent law.[28]

Though the Congress ended with only a mild resolution in support of international patent rights, it singled out the American and British patent offices for special recognition and, more importantly, praised the VdI proposal to reform German patent law. The Congress gave reform proposals new legitimacy and led to the creation of the Patentschutzverein in 1874, to lobby the Reichstag; Siemens, Grothe, Pieper and Langen were among the leading members of the organization. The German Patent Law of 1877 was the direct result of their efforts.[29]

---

26 Grothe, Patent-Congress, 10-14; Weber, Propyläen Technikgeschichte 4: 124-26.

27 Grothe, Patent-Congress, 11, 14-15, 24-26, 35-36.

28 Ibid., 29, 33.

29 PZ, 13 June 1874, 272, and 11 July 1874, 307; Manegold, "Patentschutzkongress" 163-65.

Polytechnische Zeitung

A new voice for patent law reform and the latest in American technology was Grothe's weekly *Allgemeine deutsche Polytechnische Zeitung*. The *Polytechnische Zeitung* was Grothe's attempt to employ his encyclopedic knowledge of textile machinery and considerable command of steam engines, machine tools, and many other technologies in the by-now crowded publishing field of Gewerbe-und Industrie-Zeitschriften. Wieck's and Weber's influence was evident in *Die Polytechnische Zeitung* because woodcuts and lithographs graced every page. The new publication also mimicked *Dinglers Journal* in its devotion to the latest in science and technology, though the focus of Grothe's work was less scientific- and more entrepreneur-oriented. Patents from America and Great Britain were always a feature of the publication as they were in *Scientific American*, and the new journal accepted advertising for tools and machinery like the English journal, *Engineering*. Coverage of world's fairs in Vienna, Philadelphia (1876), and Paris (1878) was lavish in detail and lasted for months, while lesser trade association conventions and fairs, such as the continuing series in London, also received generous attention. Textile machinery and processes got Grothe's keen appraisal while the contents of major journals in the field internationally were condensed to paragraph-length abstracts, in the fashion of his *Jahresbericht*. Edited in Berlin, except when Grothe was on the road at a job site or fair, the journal also featured a special section entitled "Vereinswesen," detailing meetings held in the capital of the Polytechnische Gesellschaft, the Genossenschaft Civilingenieure, the VdI, and, of course, the Patentschutzverein.[30]

Cutting edge American technology was a key feature of the *Polytechnische Zeitung* and made up perhaps a third of its content, much more than the *Jahresbericht* a decade earlier. Seldom did a week pass without news from America. Two German civil engineers residing in the United States sent reports on tunnels and bridges, naval engineering, steam engines and experiments with turbines, among other topics. The German-American editor Isador Walz of the *Manufacturers' Review and Industrial Record* filed reports on textile machinery and the state of the industry. American journals like *American Artisan*, *Manufacturer and Builder*, *U.S. Patent Office Gazette*, and the ever-influential *Scientific American* made up a rich source of information

---

30 Weber, Propyläen Technikgeschichte, 4: 240-44. The journal was also known as Deutsche Allgemeine Polytechnische Zeitung after its first year.

that Grothe mined for his readers. New American patents were also a regular feature.[31]

A rough count of articles in the *Polytechnische Zeitung* in its first five years shows at least 250 items and scores of illustrations devoted to American technology. Some issues covered little else but a major American invention or inventor. A series on American shipbuilding ran to seventy pages over several months. A special issue in January 1883, featured a half-page portrait of Thomas A. Edison and stories about his new electrical power generation system in New York City. Everything from Roebling's Brooklyn Bridge to Corliss' high pressure steam engines, Babcock and Wilcox's boilers, Goodyear's vulcanized rubber fabric, Baldwin's Locomotives and Alexander Graham Bell's telephone appeared in the pages of the *Polytechnische Zeitung*. Dozens of metalworking and woodworking machines and tools were featured, including information on where they could be obtained in Berlin, Hamburg, or other major cities. In the nine months after Grothe returned from the Philadelphia Centennial, he featured over 120 American machines, tools and innovations. From January 1873 to December 1884, the *Polytechnische Zeitung* was a compendium of the latest in American technology and a virtual paean to its accomplishments.[32]

The influence of the *Polytechnische Zeitung* is difficult to measure. In its initial year one thousand copies were printed each week, implying a wide audience of engineers and businessmen. Its focus on international fairs and expositions suggests that export-oriented businesses would have found its advance notices and extensive coverage useful, even profitable. Its detailed analysis of American, British, and French patents suggests that German entrepreneurs and engineers would have learned quickly about technological improvements and opportunities to import them. Advertisers included merchants specializing in imported tools from the United States and Great Britain, patent attorneys, engineers, and agents, publishers of technical studies in the textile field, and other magazines. Wolfgang Weber has called the journal influential, and there can be no doubt about its success in the difficult years of the 1870s. Older and more established journals such as the *Polytechnisches Centralblatt* ceased publication in 1875, but Grothe's ceased

31 For Grothe's attention to American technology in the first six months in 1873 alone, see PZ, 11 January, 26; 8 and 15 February, 84, 92-95; 15 March, 141-43; 5 April, 190-92; 19 April, 209, 7 June, 297.

32 Shipbuilding series ran from October 1876 to February 1877; Edison, 13 January 1883, 25; Corliss, 20. February 1874, 111; Babcock and Wilcox, 18 March 1876, 130; Brooklyn Bridge, 14 April 1877, 173. Centennial machines series from September 1876 to June 1877.

only months before his death in 1885. In a life marked by peripatetic travel and frequent career changes, he devoted more time and energy to this enterprise than to any other single activity.[33]

The Philadelphia Centennial and the German Patent Law of 1877

The year 1876 was the year of America's celebration in Philadelphia of one hundred years of independence and nationhood and, at the same time, its first world's fair. The world came to the Centennial to marvel at the young nation's economic and technological accomplishments, and no group of visitors was more impressed than the German guests, including Grothe. The recession following the Panic of 1873 was entering its fourth year in Germany with no end in sight. Keeping pace with the fall in demand and declines in industrial output, profits and exports was a rise in unemployment, strikes, and social tension, and finally the election of more Social Democrats to the Reichstag. Dozens of influential Germans came as jury members and visitors to see American technology at its finest in workshops, factories and railroads; they visited the U.S. Patent Office, examined machine tools and mass production techniques, evaluated textiles and textile machinery, and learned about American economist Henry C. Carey and protective tariffs.[34]

The Centennial inspired a bitter controversy and earned a place in German economic history when Grothe's fellow engineer and colleague at the Berlin Gewerbeakademie, Prof. Franz Reuleaux, penned a series of open letters to *Die National Zeitung* fiercely critical of the German goods on display in Philadelphia. Reuleaux' condemnation "billig und schlecht" was translated by a London newspaper as "cheap and nasty." In an atmosphere of bitter industrial competition for export markets and invidious national comparisons on the very public stages of world's fairs, this judgment by one of the nation's pre-eminent engineers shocked German public opinion and

---

33 PZ 6 December 1873, 598; Weber, Propyläen Technikgeschichte, 4: 241; the Polytechnisches Centralblatt (Leipzig) had been published since 1835 before it ceased in 1875.

34 On visitors' reactions, especially German, see John Maas, The Glorious Enterprise (Watkins Glen, NY: American Life Foundation, 1973) 156-79, and Robert C. Post, ed., 1876: A Centennial Exhibit (Washington, D.C.: National Museum of History and Technology, 1976); on Germany in the aftermath of the 1873 Panic, Michael Stürmer, Das ruhelose Reich: Deutschland, 1866-1918 (Berlin: Siedler, 1983) 180-86; see the Centennial-inspired literature in Kroker, Die Weltausstellungen, 216-17.

inspired a heated debate over his motives, the accuracy of his assessment, and the means to cure the ills he diagnosed.[35]

At the heart of his criticism was the comparison between German and American applications of technology. German industry, reeling from recession, had resorted to ruinous price competition to retain market share and keep factories in operation. Price competition had led to using inferior materials, cutting corners, lowering wages, and manufacturing inferior products. German industry understood too little the efficacy of American-style labor-saving machinery which offered the alternative of quality competition, namely machine-made goods at lower prices. One of his key recommendations to foster the transformation to machine production was to reward inventors and speed up technology through American-style patent legislation.[36]

Grothe was as impressed as Reuleaux by the American technology on display at the Centennial and no less dismayed by the caliber of most German products there. "Alle die Techniker und Industriellen, welche von Europa hierüber kamen, sind betroffen und stutzig über die Entwicklung jeder Industrie hier," Grothe insisted when the controversy erupted. "Jeder Schritt ... in der Maschinen-Halle hat mir Neues, Hervorragendes gebracht," he enthused, while the extent of the German display, he believed, was suited only to international expositions of the second rank, like Dublin in 1872 or Amsterdam in 1869. Patents and protectionism were the key elements of this success, in his view, and Germany, too, must adopt the American formula for technological greatness. Combining the two, Grothe noted: "Unzweifelhaft ist es, daß der Schutz durch Patent in enger Verbindung mit dem Schutz der Industrie durch Zölle steht. Der Patentschutz entwickelt die individuelle Kraft des einzelnen, der Schutzzoll sichert dieser Kraftäusserung den Erfolg."[37]

After a month in Philadelphia, he traveled for a second month to Washington, D.C., to visit the U.S. Patent Office, to New England to see the centers of the textile and machine tool industries, to Pittsburgh for iron and

35 Franz Reuleaux, Briefe aus Philadelphia (Braunschweig: Friedrich Vieweg, 1877) 3; Kees Gispen, New Profession, Old Order: Engineers and German Society, 1815-1914 (New York: Cambridge University Press, 1989) 115-21.

36 PZ, 21 October 1876, 508; Hans-Joachim Braun and Wolfhard Weber, "Ingenieurwissenschaft und Gesellschaftspolitik: Das Wirken von Franz Reuleaux," in Wissenschaft und Gesellschaft: Beiträge zur Geschichte der Technischen Universität Berlin, 1879-1979, Reinhard Rürup, Hg. (Berlin: Springer Verlag, 1979) 1: 285-300.

37 PZ , 26 August 1876, 419-21; 2 September 1876, 432; Grothe, Die Industrie Amerika's, 109.

steel manufacturing, to Cleveland to tour a bustling Western industrial metropolis, and to New York to visit his acquaintances in technological reporting. Grothe used his connections with Avery, Fairfield, and Einstein to obtain letters of introduction to John Lord Hayes of the National Association of Woolen Manufacturers and James M. Swank, of the American Association of Iron and Steel. Swank, in turn wrote him a broad letter of introduction to gain him access to factories throughout the United States and probably introduced him to Henry C. Carey. After his American Studienreise Grothe noted: "Man muss diese Fabriken gesehen haben, um über die Perfektion dieser Industrie urtheilen zu können."[38]

Grothe's visit to the United States was inspired in part to see American technology firsthand for articles for *Die Polytechnische Zeitung*, to continue unbroken his series of world's fairs, and to take advantage of lucrative business deals with American entrepreneurs. He was also in Philadelphia on a mission from his latest employer, the Centralverband deutsche Industrieller. Grothe was a founding member of the association and became its first Geschäftsführer owing to his connections to textile trade associations. In the same year he published the first volume of what he termed his *magnum opus, Technologie der Gespinnstfasern*, a work which, a leading American expert claimed, established Grothe as the continent's leading authority on the subject. The Centralverband gave him a two months leave of absence in return for the promise that he would bring back information and strategies useful for the association. The result of that deal was the publication in 1877 of Grothe's *Die Industrie Amerika's*.[39]

Like his reporting from the Centennial for *Die Polytechnische Zeitung*, *Die Industrie Amerika's* was a hymn of praise to American technological performance achieved through patent protection and protective tariffs. A full-page engraving of Carey adorned the frontispiece, and the 400-page book was richly illustrated with woodcuts throughout. It was also well

38 Grothe described his trip in the Polytechnische Zeitung, 22 Juni, 1878, 348-50, and in the Bulletin of the National Association of Wool Manufacturers 7 (1877): 163-68 (hereafter Bulletin); PZ, 26 August 1876, 420; his Herr Dr. Karl Braun über 'die Industrie Amerika's' (Berlin: Burmester und Stempell, 1878) also describes his American itinerary.

39 On Grothe's role in the Centralverband and his leave of absence, Henry Axel Bueck, Der Centralverband deutsche Industrieller (Berlin: Deutscher Verlag, 1902) 1: 148; Helga Nussbaum, "Zentralverband Deutscher Industrieller, 1876-1919," in Die Bürgerlichen Parteien in Deutschland, Hg., Helga Nussbaum, Bd. 2 (Berlin: Akademie Verlag, 1974) 850-62; John Lord Hayes on Grothe's authority, in Bulletin 7 (1877): 163.

researched through Grothe's own 15-year career of chronicling American technology from the *Jahresbericht* to surveys of world's fairs and the *Polytechnische Zeitung*. Arguably no other technological writer in Germany could have composed such a work. Key arguments in the book mirrored the views of Reuleaux:

> Der Amerikaner geht bei der Lösung seiner mechanischen Arbeiten anders vor als wir Europäer ... denn überall da, wo es heißt, eine große Quantität eines Maschinenteils zu fertigen, ist in Amerika nicht der Platz für einen Menschen, sondern für eine Maschine. Er stellt sich stets die Aufgabe, einen Artikel zu fabriciren und zwar dafür ein Maschinensystem zu schaffen.

The result of such reliance on machine production was a level of productivity few German industries could match. Grothe cited the study of iron and steel expert Hermann Wedding who compared Bessemer-style steel production in Germany and the United States and discovered that American ovens produced four times as much per unit. Accounting for the superior performance was the continuous use of the ovens and machinery designed to deliver quantities of raw materials at the right time so that a regular flow was maintained from start to finish.[40]

An even more startling international comparison was the weak showing of British technology at the Centennial. In Machinery Hall and in the machine tool division especially, "Englands Maschinenausstellung ist todt und öde gegenüber Amerikas," as if the English had simply given up on the competition. As early as Paris 1867, Grothe noted that the American textile industry was in sight of becoming the world's most productive, and by 1876 it had already outpaced the British and every other textile manufacturing nation in sophisticated machinery. The self actor, the British invention basic to spinning around the world, had reached the limits of its ability to be made more productive. Grothe correctly predicted that the future belonged to the American technology of ring spinning, an advance he regarded as America's most significant technological achievement. He also grasped the importance of advances in weaving machinery that would one day make American looms the standard worldwide.[41]

After returning from Philadelphia, Grothe continued his post as Geschäftsführer of the Centralverband for several months until January 1877, when, with the Centralverband's support, he was elected to a seat in

---

40 Grothe, Die Industrie Amerika's, 198; Wedding in PZ, 21 October 1876, 509-510.

41 PZ, 26 August, 419-20, 2 September, 1876, 432; Hermann Grothe, Die Spinnerei, Weberei und Appretur auf der Weltausstellung zu Paris (Berlin: n.p., 1868) 2; Almut Bohnsack, Spinnen und Weben: Entwicklung von Technik und Arbeit im Textilgewerbe (Reinbek: Rowohlt, 1981) 28-29, 185, 248-54.

the Reichstag from the textile district of Görlitz-Lauban. He served only one term, but he could take some credit for the passage of one of the most meaningful pieces of legislation of 1877, the new German patent law, patterned after the American and British models. Throughout the debate in May 1877, the American example and the disappointing showing at the Centennial returned again and again as incentives to reform. Grothe tried repeatedly to amend the Reichstag proposal to bring it closer to American practice. Before leaving office in 1878, Grothe also wrote the Centralverband's official proposal for tariff legislation, the basis for the Germany's adoption of tariffs one year later. His remaining years were taken up largely with his editorial duties.[42]

Conclusion

When Werner Siemens wrote his memoirs, he credited the passage of the 1877 Patent Law to the sense of national urgency created by a deepening recession and by Prof. Reuleaux' infamous "billig und schlecht" assessment of German industry on display in Philadelphia a year earlier. But Siemens failed to credit the engineers and technological reporters who had spent years publicizing the incentive to technological progress strong patent protection afforded, the kind the United States offered its inventors. No engineer or editor was more important in this work than Hermann Grothe, not only for the length of time he worked at it but also for the range of publications he devoted to the cause. When he began writing in the early 1860s, Great Britain was still the model of capitalist industrialization and technological forerunner; when he quit at the end of 1884, German engineers and entrepreneurs recognized that the United States had taken over the roles of model and forerunner in technology. C. Vann Woodward has called this emerging image of the United States in the 1870s and 1880s, "the Silver Screen in the West," and in no small part this change in perception owes to the labor of Hermann Grothe.[43]

---

42 Bueck, Centralverband, 160-80; Vossische Zeitung, 28 April 1878, Vierte Beilage; Stenographische Berichte über die Verhandlungen des Deutschen Reichstages, Dritte Legislative Periode, Erste Session (Berlin: Verlag der Buchdruckerei der Norddeutschen Allgemeinen, 1877) 45: 917-46, 997-99.

43 Werner von Siemens, Lebenserinnerungen (Berlin: Julius Springer, 1904) 258-62; C. Vann Woodward, The Old World's New World (New York: Oxford University Press, 1991) 16-39.

Mathias Eberenz

Skyscraper and 'Thurmhaus': The German Reaction to American Commercial Architecture, 1893-1922

In what cannot merely be considered a symbolic event, Chicago's famous Sears Tower finally lost its status as the world's tallest building to an office tower in Kuala Lumpur, Malaysia, early in 1996.[1] In fact, this development quite appropriately emphasizes a trend which has been visible now for some time. Only ten years ago the ten tallest buildings on earth stood in American cities – now the United States is rapidly losing its leading position with not more than ten buildings under construction that will exceed twenty stories. It is quite apparent that the *American* skyscraper truly belongs to a bygone era, to a time when technology was still largely unreliable, transportation of people and goods difficult, and the flow of communication and news rather slow. Skyscrapers (in the United States) made perfect sense one hundred years ago until the 1970s – and not only from a speculator's point of view. It also made a lot of sense for a company to have its force of office workers do their job under one roof, preferably within an easily recognizable building, that is, a building bearing the name of that company, proudly announcing to the world that the company owning it is as solid and reliable as the building itself. It also made perfect sense in the past to erect buildings for a single purpose only: the housing of office workers.

The situation, however, has changed dramatically: With the onset of the information age, computers, and the introduction of a wide range of modern communication tools the skyscraper has been rendered virtually superfluous.[2] Today, office space is becoming increasingly decentralized as most companies undertake efforts to move their offices out of the city centers and into financially more attractive suburbs. Some companies even no longer

1 "Chikago verlor Streit mit Kuala Lumpur: Kräftemessen um das offiziell höchste Gebäude der Welt," Die Welt, 15. April 1996.

2 Eggert Schröder, "Wolkenkratzer haben ausgedient: Computer und moderne Fernmeldetechnik machen sie in den USA überflüssig – Ende einer Ära," Die Welt, 2. Dezember 1995. A similar critique faces the old-fashioned office. See the interview with the architect and associate of a Berlin-based multimedia company, Prof. Eduard Bannwart: "Das Büro der Zukunft ist keines mehr," Die Welt, 17. Oktober 1997, 28.

deem it necessary to have people work in offices the traditional way, that is, in offices specifically assigned to a certain employee. One New York advertising agency, for example, merely equips its staff members with mobile phones, and in the morning and throughout the day everyone has to find a desk with a computer herself or himself[3] – a practice that reminds one of the way turn-of-the-century immigrants in New York's tenement houses would take turns sleeping in unoccupied beds while other household members or lodgers were at work. Of course, separating the workplace from one's home no longer makes much sense when computer networks and telecommunication make this unnecessary. Thus, the tall office buildings first envisioned and built by William Le Baron Jenney, Louis Henry Sullivan and other architects of the Chicago School have now become something like glass and steel dinosaurs. Even a cursory look at today's postmodern skyscrapers in Chicago, for example, discloses huge signs advertising unoccupied office space, which in turn reveal how much investment was wasted by ill-informed builders during the 1980s.

Skyscrapers, at least in the Unites States, no longer serve as status symbols, since by now other venues have been found to express what is commonly called corporate identity. Nevertheless, many of the early high-rises, appropriately labeled "Reklamegebäude" by German critics between 1910 and 1920, still stand and, as in the case of the Sears Tower, sometimes have even managed to keep their names despite a change of ownership. Modern-day CEO's, however, concern themselves with calculators, not visions, and thus tend to relocate their administrative offices to smaller, less expansive places. Two prominent examples for this practice may suffice here: Microsoft's headquarters is located in Redmond, Washington, in a mere three-story building; Wal Mart's headquarters is housed in a two-story building in remote Bentonville, Arkansas.

It seems the decision-makers of contemporary corporate America have come to rationalize the skyscraper in much the same way German architects and engineers at the beginning of our century weighed the pros and cons of what they believed to be the German variant of the skyscraper – the "Thurmhaus,"[4] the "Riesenhaus,"[5] or, as they would ultimately call it in a more appropriate, modest way, the "Hochhaus." Unlike their American

---

3 Schröder, "Wolkenkratzer haben ausgedient."

4 Albert Hofmann, "Die amerikanischen Thurmhäuser," Deutsche Bauzeitung 26.3 (13. Januar 1892): 29-30. Herafter referred to as DBZ.

5 "Das Riesenhaus am Broadway in New-York," DBZ 25.93 (21. November 1891): 564-65.

predecessors of the 1880s or 1890s, however, German architects never really got beyond the planning stages of their projects until the mid-1950s.

The entire debate about whether skyscrapers designed after the American model enriched or, as critics saw it, distorted the German landscape has to be placed within the greater debate about Americanism, or anti-Americanism, if you will. This debate of the 1920s and early 1930s has received the attention of scholars in many fields, including history, political science, economics, and film studies. However, the relationship between America's technologically advanced turn-of-the-century architecture and what has ever since the beginning of our century often been described as the "Americanization of Europe" has received only scarce scholarly attention. Sadly, this also holds true for two otherwise excellent and innovative studies: Emily Rosenberg's *Spreading the American Dream: American Economic and Cultural Expansion, 1890-1945*, and Frank Costigliola's *Awkward Dominion: American Political, Economic, and Cultural Relations with Europe, 1919-1933.*[6] Of course, being economic and cultural historians, these authors discuss in some detail America's economic and cultural challenge, for example, to the European cinema – and justly so, because, at least from the 1920s onwards, America's seemingly classless commercial culture did indeed seem to pose a serious threat to Europe's own cultural marketplace. If we accept, however, that most Germans living in the first decades of the 20th century conceptualized American culture above all as technological – a point Frank Costigliola has pointed out – then any serious analysis of the outpouring of cultural artifacts and images should not only include jazz and the movies, but the skyscraper as well.

What I want to do here, therefore, is to briefly put into perspective the first encounters German architects and engineers experienced with a building type completely new to them: the skyscraper. I will try to delineate when and how they reacted to what they either personally experienced when traveling to the U.S. or read about in magazines, and I will explain why the ensuing skyscraper mania of the early 1920s ultimately failed to produce anything much aside from charcoal or pencil drawings.

In order to find out how German architects perceived the American skyscraper and how they intended to apply this new building art to German cities, I have turned to the two major German journals in the field at the time, the *Deutsche Bauzeitung* and *Wasmuths Monatshefte für Baukunst* as sources. I will limit the scope of this paper to about three decades, starting

---

6 Published 1982 and 1984, respectively.

with the 1893 Chicago World's Fair and ending with the 1922 Chicago Tribune Tower Competition.

Chicago 1893: First Encounters with a New Building Type

When the British journalist and social reformer William Thomas Stead compared his native Britain with Germany in his famous 1901 study on *The Americanization of the World*, he noted with interest that there were "no more Americanized cities in Europe than Hamburg and Berlin. They are American in the rapidity of their growth, American in their nervous energy, American in their quick and great appropriation of the facilities of rapid transport."[7] What Stead was referring to, of course, was the two cities' impressive *horizontal growth*, and especially the recent introduction of subway systems. Quite obviously, at the time of Stead's analysis, and in fact for another decade to come, there was arguably little to comment on anywhere in Europe in terms of *vertical growth* – with the possible exception of Edinburgh's historic multiple-story buildings adjacent to that city's Royal Mile. Thus, it is not surprising that Stead did not even touch upon this subject matter.

And yet, Stead could have commented on it in one way or another in his ground-breaking book had he really wanted to, because along with thousands of prominent and wealthy Europeans, he had traveled to Chicago in 1893 to personally see and experience a city that had been advertised during the previous two years over the globe as no other city had ever been advertised before.[8] Like millions of others, Stead had followed the invitation to come and see for himself what the world's most recent metropolis and the exposition it hosted, the World's Columbian Exposition, had to offer to the hungry mind. And, Stead, like almost everyone else, was stunned not only by the Exposition's massive, neo-classicist architecture, but also by the sight in Chicago's downtown of an array of commercial high-rises, most of them only recently completed: among them William LeBaron Jenney's pioneering Home Insurance Building, Dankmar Adler & Louis Sullivan's

---

7 William Thomas Stead, The Americanization of the World or the Trend of the Twentieth Century (New York and London: Horace Markeley, 1901) 198.

8 The massive, world-wide publicity campaign for the Chicago Fair has not yet been the subject of scholarly studies. But see the contemporary account by William Igleheart, "What the Publicity Department Did for the Columbian Exposition," Lippincott's Magazine 51 (April 1893): 478-83.

gigantic and innovative Auditorium Building, or Daniel Burnham & John Root's striking Monadnock Building.[9]

In the end, it seems, nothing could have better exemplified America's dichotomous character than what Stead, as well as some thirteen million other visitors, must have perceived as the amazing contrast between a "black" and a "white" city[10] – a city center densely packed with towering iron- and steel-frame buildings below a smoke-filled sky on the one hand, and a glaringly white city seven miles further south on the other, featuring the world's most imperialistic facades since the days of the Roman Empire.[11]

The main result of this gigantic American exercise in self-representation in 1893 remained undisputed because, quite obviously, a new vision of America began to emerge in its wake.[12] Among those for whom the curtain first rose on the American scene were European architects and engineers, for even if they did not come in person to witness America's boomtown and its spectacular tall office buildings, they must have come across information on what was happening in Chicago by way of journalistic publications, through official reports of the German Government or, even more relevant, within their professional journals – the American publications of which were, as we know, readily accessible in Europe.[13]

---

9 The classic treatment of this subject is Carl W. Condit, The Chicago School of Architecture: A History of Commercial and Public Building in the Chicago Area, 1875-1925 (Chicago and London: University of Chicago Press, 1964).

10 On Chicago's dichotomous character see Clinton Keele, "The White City and the Black City: The Dream of a Civilization," American Quarterly 2 (Summer 1950): 112-117. For a more recent analysis turn to Heinz Ickstadt, "Black vs. White City – Kultur und ihre soziale Funktion im Chicago der Progressive Period," Amerikastudien/American Studies 29.2 (1984): 199-214.

11 Among the first to comment on this was Lewis Mumford. See chapter 6 in his Sticks & Stones: A Study of American Architecture and Civilization (1924; New York: Dover Publications, 1955). An even earlier account of the architecture in World's Fair Chicago can be found in Paul Bourget, Outre-Mer: Impressions of America (London: T. Fisher, 1895).

12 For an introduction to the Fair turn to Robert Muccigrosso, Celebrating the New World: Chicago's Columbian Exposition of 1893 (Chicago: Ivan R. Dee, 1993). For a more scholarly account, including a good treatment of the Fair's architecture, see the catalog accompanying an exhibition organized by the Chicago Historical Society in 1993: Neil Harris, Wim de Witt, James Gilbert, and Robert Rydell, Grand Illusions: Chicago's World's Fair of 1893 (Chicago: Chicago Historical Society, 1993).

13 For the European reaction to the 1893 Fair see Jean-Louis Cohen, Scenes of the World to Come: European Architecture and the American Challenge, 1893-1960 (Paris: Flammarion, 1995), and Leonard K. Eaton, American Architecture Comes of Age: European Reaction to H.H. Richardson and Louis Sullivan (Cambridge, MA:

True, it was soon discovered that the Fair's architectural wonderland which had been put up in record time was only a temporary city whose classical garb could barely hide the fact that, structurally, its buildings were nothing more than gigantic train sheds decorated with a marble-look made of plaster. But then, Chicago's daring new commercial structures, which everyone had read so much about in the Exposition's widely distributed promotional literature and then, later, in architectural magazines,[14] put up a true challenge. Adolph Loos, for example, an Austrian Architect who had visited Chicago in 1893, later admitted that he felt for the first time in his life that Europe was in fact trailing behind the Americans.[15]

It can safely be stated that the *Deutsche Bauzeitung's* coverage of the World's Fair, the city of Chicago, and American architecture in general had a durable influence on its readership, for beginning with the early 1890s the journal's editors slowly but surely began to shift their attention to Chicago's and New York's innovative commercial architecture. Of course, even before 1893 the *Deutsche Bauzeitung*'s readers had not been kept in the dark about the impressive technological achievements of American engineers and architects. They had been regularly informed, for example, about the technical mastery American engineers put on display when it came to the construction of large bridges or of canals, they had read about the erection of new, grandiose train stations, the introduction of subway lines, or the rapid spread of the railroad. By 1893, German architects and engineers also knew how Americans electrified their cities or how they planned their parks. Even the curious elevation of hotels and churches to a higher street level could not have escaped their attention while browsing through the magazine's twenty-five volumes until the year of the Chicago Fair.

And yet it was only with the 1893 Exposition, which literally put Chicago and its skyscrapers on the map, that a wider and more profound interest regarding American architecture can be diagnosed when evaluating the scope and the contents of notices and full-length articles pertaining to that matter in the *Deutsche Bauzeitung*. In fact, the first report on what was then for lack of a better word termed "Riesenhäuser" was a notice in 1891 on a twenty-six story office building in New York which, according to the journal's correspondent and editor, Albert Hofmann, was to exceed the

---

MIT Press, 1972).

14 For Germany see especially the series of articles ("letters") by J. Wattmann, "Briefe von der Columbischen Weltausstellung" (I-IX), DBZ 27.46-90 (10. Juni 1893 - 11. November 1893).

15 See Robert Scheu, "Adolf Loos," Die Fackel 283-284 (26. Juni 1909), quoted in Cohen, Scenes of the World to Come, 25.

stunning height of 550 feet – 40 feet higher than the Dom in Cologne! Interestingly, that first note also included a prediction: from now on, the *Deutsche Bauzeitung's* editor declared, the engineer, and not the architect, would be in charge of architecture in America.[16] The following year, in 1892, the journal for the first time presented a more detailed evaluation of what it now chose to term "Thurmhäuser."[17] Yet even if specimens of the new building type were bluntly ridiculed as profane works of architecture, it was nonetheless noted that their mostly eclectic design, while somewhat "strange," was "at times beautiful, and more often than not quite interesting."[18]

The first American architect to be honored with a more than cursory biography in the German journal was the deceased Henry Hobson Richardson. A homage was printed in 1892,[19] containing much praise for his version of the Romanesque, a style which he had almost single-handedly introduced to the American landscape and which had won him much admiration from his contemporaries. It was felt that, finally, an American had come up with an architectural idiom that was not a slavish imitation of the European model.[20] Far more interesting, however, than this first detailed biography of an American architect in a major German journal was the refutation of a widely popular stereotype that came along with it:

> Es ist unter den Architekten Deutschlands, ja man kann wohl sagen Europas, eine weit verbreitete Anschauung, daß auf dem Gebiete der bildenden Künste in Amerika nicht viel zu lernen sei. Soweit Malerei und Plastik hierbei infrage

16 "Das Riesenhaus am Broadway in New-York," 564-65.

17 Hofmann, "Die amerikanischen Thurmhäuser," 29-30.

18 Ibid. Translation by the author. For an early use of the term "Riesenhaus" see also the review of a lecture by Hr. Jaffé held before the Architekten-Verein zu Berlin on 29 January 1894, in DBZ 28.12 (10. Februar 1894): 75.

19 "Henry Hobson Richardson und seine Bedeutung für die amerikanische Architektur" [nach einem Vortrage des Herrn Regierungs- und Bauraths Hinkeldeyn im Architekten-Verein zu Berlin], DBZ 26 (6. Februar 1892): 64-66. Louis Sullivan and Frank Lloyd Wright were fully recognized only in 1926 when American building art was put on display at Berlin and other German cities. See the review by H.C.C. Wach, "Betrachtungen über die Ausstellung amerikanischer Baukunst," DBZ 60.27/28 (3. April 1926): 225-32. The show included a commemorative exhibit of the works of Louis Sullivan and – possibly – also a Sonderausstellung of the works of Frank Lloyd Wright.

20 For a brief but excellent introduction to Richardson (as well as to turn-of-the-century American architecture) see James F. O'Gorman, Three American Architects: Richardson, Sullivan, and Wright, 1865-1915 (Chicago and London: University of Chicago Press, 1991), chapters one and two.

> kommen, trifft diese Ansicht allgemein auch zu, inbezug auf die Architektur ist dieselbe aber nicht mehr haltbar. Wer in den letzten Jahren Gelegenheit gehabt hat, sich in den Vereinigten Staaten umzuschauen, wird zugeben, dass es sehr lehrreich ist, die Entwicklung der dortigen Architektur zu studieren.[21]

Only a few months later, another author, in what must be considered the first full-length study of the new building type, acknowledged that recent American architecture was indeed instructive: "[W]ir müssen uns ohne Zweifel geradezu mit einem Gefühl der Beschämung sagen, dass in dieser Beziehung vom sog. Lande des Humbugs etwas zu lernen ist."[22] In 1894, another full-length article appeared in the *Deutsche Bauzeitung* discussing the technical and artistic value of the novel building type. The writing contains the first outspoken attack on what the author choose to call "Häuserkolosse," although he does not get any more specific than to declare his negative feelings regarding the new building type:

> Die Aera der Riesenhäuser, die in Amerika mit dem Jahre 1873 begonnen haben soll, ist zwar in deutschen Landen noch nicht angebrochen, und es ist zu wünschen, dass deren Eintritt sich noch recht lange hinzieht; nichts desto weniger wird es von Interesse sein zu beobachten, wie Aufgaben architektonisch gelöst werden, die eben den amerikanischen Architekten gestellt werden. Was bisher bei uns bekannt geworden, hat mehr Abscheu als Gefallen hervorgerufen, und man kann auch bei aller Achtung vor den relativ tüchtigen Leistungen selten mit ungetheilter Befriedigung von diesen Häuserkolossen reden; verhältnismäßig gut bleiben noch manche derselben, wenn sie nicht über 10 Geschosse gehen und dabei auch eine namhafte Breiten-Ausdehnung besitzen. Was ausserhalb dieses Rahmens liegt, ist in der Regel künstlerisch ungeniessbar.[23]

---

21 "Henry Hobson Richardson," 64. An American architectural critic, Fiske Kimball, wrote as late as 1925 that, generally, turn-of-the-century European architects were unable to develop new forms in architecture because they lacked the "problem" of the skyscraper: "Die Europäischen Architekten entbehrten eines großen neuzeitlichen Problems wie das des Wolkenkratzers, welches ihrem Streben nach Originalität ein Ziel gegeben hätte." Fiske Kimball, "Alte und neue Baukunst in Amerika: Der Sieg des jungen Klassizismus über den Funktionalismus der Neunziger Jahre," Wasmuths Monatshefte für Baukunst 9 (1925): 233. Hereafter referred to as WMB.

22 K. Spiess, "Einiges über Ausführungsweisen im amerikanischen Hochbau," DBZ 27.83 (18. Oktober 1893): 509.

23 Leopold Gmelin, "Architektonisches aus Nordamerika (Fortsetzung)," DBZ 28.84 (20. Oktober 1894): 520.

1910-1920: The First "Hochhaus-Debatte"

In 1900, the *Deutsche Bauzeitung* published the first photograph of New York's skyline,[24] but then, in 1903, after a short review of a lecture "über den Bau der 'Wolkenkratzer' – sky-scraper – in den Vereinigten Staaten,"[25] the editors seem to have lost interest in the matter for almost a decade. In fact, nothing of substance is published until after the First World War, despite the fact that the first German *Turmhaus*-designs were published in conjunction with the *Groß-Berlin Wettbewerb* in 1910. That competition has now been acknowledged as the culmination of several years of debate among Berlin city-planners and architects on how to provide the emerging metropolis with visually attractive highlights.[26] Another reason why innovative efforts in re-designing Berlin's cityscape were undertaken already in 1910 becomes apparent when one considers the fact that the German Reich's economic expansion and the ensuing growth of its cities invariably created an heightened demand for building lots. Consequently, much in the way America's major cities grew with ever increasing price tags on their inner city building land, German speculators began to discover the value of building land in Berlin; high-rises were seen as a reasonable alternative to the much criticized tenement blocks.[27] As art historian Rainer Stommer states in his pioneering assessment of the early phase of what he calls the "Germanisierung des Wolkenkratzers:" "Hochhäuser wurden als Ausdruck eines kapitalistischen Wirtschaftssystems und des Machtanspruches des liberalen Großbürgertums verstanden, die den wilhelminischen Prachtbauten im Stadtbild Berlins offensichtlich den Rang ablaufen würden."[28]

One of the foremost exponents of this first phase of the German skyscraper debate was the architect Bruno Möhring. He favored a clear separation of residential premises from work, traffic, industry, and businesses. High-rises, that is, office towers of the American kind, were thus palatable to him, and his design of a ten-story hotel building, presented in 1914 for the

24 DBZ 34 (16. Mai 1900): 243.

25 Lecture by Hr. Kohfahl before the Architekten- und Ingenieur-Verein zu Hamburg on 9 January 1903, as reviewed in DBZ 37 (25. März 1903): 155.

26 Rainer Stommer, "'Germanisierung des Wolkenkratzers,' – Die Hochhausdebatte in Deutschland bis 1921," Kritische Berichte 10.3 (1982): 36-53.

27 Ibid.

28 Ibid., 39.

Bahnhof Friedrichstraße, clearly reflected this point of view.[29] The brief "*Hochhaus-Debatte*" of the 1910s came to a prompt halt with the onset of the First World War. At the same time, *Wasmuths Monatshefte für Baukunst's* coverage of the matter began to supersede that of the *Deutsche Bauzeitung's*. Then, after the war, Germany was infected a second time by what was variously described in contemporary publications as "Hochhausfieber," "Turmhaus-Epidemie," "Hochhaus-Euphorie" or, even more dramatic, as "skyscraper mania."[30] The First World War had delayed the "Hochhaus-Bewegung" until after 1920 because of its drain on available financial resources and manpower, but it was also hampered as long as German government officials widely believed that the buildings would not be fireproof.[31] The situation changed in 1920 when the surveyor of works (*Stadtbaurat*) in Breslau, Max Berg, published a consequential paper on the solution of the pressing postwar housing problem in which he argued in favor of the skyscraper. This paper led to a serious reappraisal among architects and politicians regarding the role of the skyscraper (or, rather, the *Hochhaus*) for the solution of Germany's social and economic problems, as well as their possible function for city planning.[32]

Conceptualizing the Skyscraper

When the *Minister für Volkswohlfahrt* ultimately succumbed early in 1921 to demands by industrialists, real estate owners, and speculators – not primarily by architects! – , and granted a general permission for the erection of high-

---

29 Ibid., 40-42.

30 For an excellent review of the skyscraper euphoria in Germany of the 1920s see Dietrich Neumann, "Die Wolkenkratzer kommen!" Deutsche Hochhäuser der zwanziger Jahre: Debatten, Projekte, Bauten (Braunschweig/Wiesbaden: Vieweg, 1995). See also Rainer Stommer, Hochhaus – Der Beginn in Deutschland (Marburg: Jonas-Verlag, 1990). For a contemporary account turn to Hans von Poellnik, "Der Schrei nach dem Turmhaus," Die Bauwelt 12.47 (24. November 1921).

31 "Der Feuerschutz bei Turmhäusern," DBZ 42 (24. Mai 1916): 224-26; Neumann, "Die Wolkenkratzer kommen!," 63, 78.

32 Max Berg, "Der Bau von Geschäftshochhäusern in Breslau zur Linderung der Wohnungsnot," Stadtbaukunst in alter und neuer Zeit 1 (1920/21): 99-104 and 115-118; a revised version appeared as "Der Bau von Geschäftshochhäusern in den Großstädten als Mittel zur Linderung der Wohnungsnot, mit Beispielen für Breslau," Ostdeutsche Bauzeitung 18 (1920): 233-36. Both references listed in Stommer, "'Germanisierung des Wolkenkratzers,'" 53.

rises (but only for commercial use!),[33] his change of mind quite likely was primarily based on Berg's arguments. But then, various other motifs presented to the minister must also have helped to convince him:

- Politically, it was argued, postwar Germany was a rival of America, and skyscrapers could therefore be viewed as instruments of foreign policy; they would demonstrate Germany's renewed economic power and thus fulfill the need to compensate for the humiliating defeat during the war (or at the bargaining table at Versailles, as some would have it). If built in Berlin, skyscrapers would additionally enhance that city's reputation as a world-class metropolis. America, some even dared to predict, would be beaten on its very own terrain – the skyscraper – by Germany's architects and engineers.[34]
- Economically and socially, skyscraper advocates promised along Berg's line, the new building type could help fight Germany's pressing housing problem by providing for much needed office space. Many private apartments and houses had been turned into office space in the early decades of the 20th century, thus leaving many of the working poor without adequate housing. It was also argued that the much overdue concentration of business life could only be achieved with the help of high-rising office buildings. And tall these buildings had to be because it was only rational to exploit an expensive building lot to the fullest extent possible, a fact Chicagoans or New Yorkers had been aware of for decades.[35]
- Finally, seen from a nationalist's perspective, skyscrapers could be compared to the cathedrals of medieval Germany. In other words: Cathedrals of commerce were to supersede Gothic cathedrals – and

33 "Keine Hochhäuser für Wohnzwecke," DBZ 55.23 (23. März 1921): 112.

34 See "Das erste Hochhaus in Dresden," DBZ 57:51 (27. Juni 1923). "Der Bau ist zugleich aber auch ein machtvoller Ausdruck von dem Geist unseres noch immer ungebrochenen und zukunftsfrohen Industriestolzes." The architectural critic Adolf Behne compared the "Turmhaus-Epidemie" in 1922 directly to the pre-war "Bismarck-Turm-Epidemie" and the "Völkerschlacht-Epoche." Neumann, "Die Wolkenkratzer kommen!," 21. On the building of Bismarck memorials see Leonore Koschnick, "Mythos zu Lebzeiten – Bismarck als nationale Kultfigur," in Bismarck – Preußen, Deutschland und Europa [Katalog zur Ausstellung des Deutschen Historischen Museums im Martin-Gropius-Bau, Berlin, 26. August-25. November 1990] (Berlin: Deutsches Historisches Museum, 1990): 455-58.

35 Max Berg, "Hochhäuser im Stadtbild," WMB 6 (1921/22): 101-104; Martin Mächler, "Zum Problem des Wolkenkratzers," WMB 5 (1920/21): 191-94. See also Siegfried Kracauer, "Über Thurmhäuser," Frankfurter Zeitung, 2. März 1921, as reprinted in Neumann, "Die Wolkenkratzer kommen!," 9-10.

thereby link the nation's past gloriously to the present.[36] One author even believed the task of designing and building skyscrapers to be one of Germany's foremost cultural tasks; another (Bruno Möhring) put it even more bluntly: "Ein Volk, daß nicht baut, stirbt. Bauen bringt Leben, Mut und Vertrauen."[37]

Naturally, critics of the apparently soon-to-be-built high-rises began to emerge simultaneously with the announcements for the first serious designs in Chemnitz, Frankfurt/Main, Munich, Stuttgart, Dresden, Aachen, Berlin, and Cologne. The *Deutsche Bauzeitung* took the lead in covering the matter, but also featured the voices of skyscraper opponents.[38] Meanwhile – in light of the fact that most of the proposed buildings were not to exceed ten stories –, one author appropriately told his audience to come to grips with the fact that the much debated *Turmhäuser* were better called *Hochhäuser* since they clearly lacked the record-breaking dimension of America's high-rises.[39] Nevertheless, the majority of opposing voices continued to sound as if Manhattan- and Chicago-style skyscrapers would soon be built by the dozen, denying unsuspecting German citizens access to air and light within their cities. It was also frequently pointed out that fire safety was still an issue and that many technical problems remained unresolved – even if American architects and engineers seemed to have mastered similar problems. The one theme critics most loved to dwell on, however, was the

36 Mächler, "Zum Problem des Wolkenkratzers (Fortsetzung)," WMB 5 (1920/1921): 260. The success of New York's Woolworth Building was followed with great interest in Germany. For comments and photographs see Mächler, 199, 263-269.

37 As quoted in Stommer, "'Germanisierung des Wolkenkratzers,'" 49. Möhring's dictum can also be found in Albert Hofmann, "Zur Entwicklung des Hochhauses in Deutschland," DBZ 55.18 (5. März 1921): 92.

38 "Ein Thurmhaus für Chemnitz," DBZ 54.104 (29. Dezember 1920): 499; "Thurmhäuser in Preußen," DBZ 55.15 (23. Februar 1921): 79; "Ausbreitung der Hochhaus-Bewegung," DBZ 56.6 (21. Januar 1922): 36; "Das Hochhaus in Frankfurt am Main," DBZ 56.17 (1. März 1922): 104; "Das Hochhaus in München," DBZ 56.28 (8. April 1922): 171-72; "Das Hochhaus in Stuttgart," DBZ 56.35 (3. Mai 1922): 211; "Ein Hochhaus am Bismarck-Platz in Dresden [....]," DBZ 56.47 (14. Juni 1922): 292; "Das erste Hochhaus in Dresden," DBZ 57.51 (27. Juni 1923); "Ein Aachener Hochhaus," DBZ 59.16 (25. Februar 1925): 126; "Das Hochhaus im Tegeler Werk der Firma A. Borsig," DBZ 59.46 (10. Juni 1923): 363-64; "Das Hochhaus am Hansaring in Köln," DBZ 59.67 (22. August 1925): 525-30. See also "Hochhäuser in Stuttgart," WMB 6 (1921/22): 375-87, and "Gründe gegen das Kölner Hochhaus," WMB 10 (1926): 120-24.

39 Berg, "Hochhäuser im Stadtbild," 103. According to the new decree, any new building primarily used for commercial or business purposes featuring more than six floors was to be regarded as a *Hochhaus*.

massive traffic problem that would allegedly accompany the skyscraper. It was argued seriously that the inevitable increase in private ownership of automobiles would ultimately lead to a greatly increased demand for parking space in the vicinity of this new building type – creating serious traffic jams that would be both aesthetically and economically harmful to the cities. Compelling calculations made by a prominent British skyscraper-opponent were widely circulated so that everyone interested in the matter could see for himself or herself that, at a given height, the very existence of a tall office building would in due time lead to a breakdown of the flow of traffic in the streets surrounding it.[40] Strangely enough, though, no-one seemed to realize that America's highest office tower, New York's much-admired 58-story Woolworth Building, had not crippled that city's economy – despite the fact that 14,000 workers entered it every morning.[41] Given the meager size of German's proposed "skyscrapers" – most of them really barely exceeded the six-story minimum that had them qualify as a "Hochhaus" according to the 1921 revision of building ordinances[42] – the widespread opinion that the new building type would do serious harm to humanity should be added to the long list of ill-informed statements that always seem to accompany the introduction of new technology, such as the railroad, the telephone, or the personal computer.

The German version of the skyscraper, as mentioned before, must be analyzed in the context of the general debate about Americanism. The American success story of the 1920s certainly impressed architects in post-war Germany just as much as everyone else, even if much criticism was raised by those not willing to adhere to what had most likely brought about the economic success – the introduction of concepts of rationalization and efficiency. Nevertheless, many of Weimar Germany's problems were constantly discussed with reference to America. Germans were truly fascinated

40 J. Stübben, "Hochhäuser und Straßenverkehr in Neuyork," DBZ 57.13 (14. April 1923): 142-44. Stübben draws on calculations made by Raymond Unwin, who advised the British to restrict the size of skyscrapers in London. See also "Hochbauten in London?," DBZ 56.16 (25. Februar 1922): 98, and Bartschat, "Die Bildwirkung des Wolkenkratzers," DBZ 61.10 (2. Februar 1927): 102.

41 Mächler, "Zum Problem des Wolkenkratzers (Fortsetzung)," 261-62.

42 "Die Errichtung von vielgeschossigen Häusern," DBZ (1921): 60. The government notices date from 3 January 1921, and 29 September 1921. The full text can be found in Zentralblatt der Bauverwaltung 41 (1921): 48. A more accessible source is Stommer, "'Germanisierung des Wolkenkratzers,'" 52: "Vielgeschossige Häuser (Hochhäuser) für Geschäfts- und Verwaltungszwecke dürfen nach dem Erlaß des preußischen Ministers für Wohlfahrt vom 3. Januar d.J. fortan von den Aufsichtsbehörden genehmigt werden...."

by the deeds of American entrepreneurs, as well as the mentality of American workers. The popular press reported widely on American achievements during the 1920s; numerous travel reports and scholarly articles, and more than fifty book-length studies on American technology, economic prosperity, and mass consumption were published. In short, the American economic model loomed large on the German horizon, and nothing could better illustrate America's success story as the Ford Motor Company's T-Model and: the skyscraper.[43]

Of course, Germans being Germans, they thoroughly debated the American economic model's social and cultural implications. That debate included the skyscraper, which some regarded as the ultimate translation of Taylorist ideas. As Martin Mächler put it in 1920: "Das Material ist auf das äußerste ausgenutzt, kein Stein zu viel, keine Disposition zu wenig. Es ist das eisen- und steingewordene Taylorsystem, der Rekord einer Leistung, in der das Tempo die Qualität bestimmt und die Quantität der Effekt des Ganzen ist".[44] "Der amerikanische Wolkenkratzer", he charged, "ist der steingewordene Gedanke des rücksichtslosen allkapitalistischen Unternehmers, dessen Streben nur auf ungeheuren Gewinn von materiellen Gütern gerichtet ist."[45] Another critic condemned the skyscraper merely for its threatening size: "Man braucht nicht dabei zu verweilen, wie sehr diese grausamen, überwältigenden Kolosse den kleinen Leuten, die in ihrem Schatten vorwärts hasten, den letzten Rest von Menschenwürde nehmen."[46] The skyscraper, he charged, "ist eine Architektur nicht für Menschen, sondern für Engel und Aviatiker."[47]

Thus the German architects' position towards the American model of the skyscraper clearly changed with the onset of the 1920s in that the once admired high-rising office tower increasingly served as the antithesis to what they deemed right for Berlin, München, Stuttgart, or Frankfurt. And yet, German architects never shared a unified vision in this matter, as their entries for two of the century's most prominent architectural contests show.

---

43 On the *Amerikanismus* debate of the 1920s (and other decades) see Dan Diner, Verkehrte Welten: Antiamerikanismus in Deutschland (Frankfurt/M.: Eichborn, 1993). See also Mary Nolan, Visions of Modernity: American Business and the Modernization of Germany (New York: Oxford University Press, 1994).

44 Mächler, "Zum Problem des Wolkenkratzers (Fortsetzung)," 260.

45 Mächler, "Zum Problem des Wolkenkratzers," 192.

46 Bartschat, "Die Bildwirkung des Wolkenkratzers," 102.

47 Ibid.

1921/22: Contests in Berlin and Chicago

The second phase of the German *Hochhaus-Debatte* reached its culminating point with the competition in Berlin for a skyscraper, or rather, as it was officially announced, an *Ideenwettbewerb zur Erlangung von Entwurfsskizzen*. For the contest, organized by the local *Turmhaus-Actien-Gesellschaft* in 1921/1922, some 144 entries were submitted, fourteen of which were ultimately put on the short list.[48] A mere forty of them have survived, providing for an interesting insight into the state of building art in Germany at that time. After all, this was the very first time that Germany's leading architects participated in a competition for a skyscraper design (even though the fact that only members of the *Bund Deutscher Architekten* were eligible to participate in the competition drew much criticism).[49] As it turned out, however, the competition was a farce from the beginning. Not only was the time span to hand in designs limited to a mere six weeks (and then it took the jurors only two days to announce a winner), but as press reports later indicated, the winning team of architects – in a clear violation of the rules – was apparently decided upon prior to the competition.[50] To make things even worse, in the end not even the winning design led to anything more than an exchange of letters: local bureaucrats managed to invent ever new

48 Albert Hofmann, "Der Wettberwerb zur Erlangung von Entwürfen für ein Hochhaus am Bahnhof Friedrichstraße zu Berlin," DBZ 56.15 (22. Februar 1922): 901. All participating architects were required to be members of the *Bund Deutscher Architekten*, among them Hans Scharoun, Hans Poelzig, Karl Schneider, and Otto Kohtz.

49 Adolf Behne, "Der Wettbewerb der Turmhaus-Gesellschaft," WMB 7 (1922/23): 58. In the following years, there were also contests in Düsseldorf, Königsberg, and Cologne. Other European cities also debated the skyscraper, but nowhere else was the debate fought so intensely as in Germany. See the sharply phrased comment by Gustav Adolph Platz on the design for a sixty-five-story skyscraper in Rome: "Muß der Geschäftgeist Alles [sic] zerstören, was an Werten die Vergangenheit bietet?" Gustav Adolph Platz, "Ein römischer Wolkenkratzer?," DBZ 59.28 (8. April 1925): 225. Platz thundered against what he called "die jetzt grassierende Hochhaus-Seuche und ihre Folgen" and called New York's skyscrapers "Schädlinge der Gesundheit." Ibid., 224, 225. The Roman skyscraper was never built. As the DBZ revealed a few weeks later, German newspapers were apparently taken in by an Italian "bluff:" See "Ein Wolkenkratzer für Rom?," DBZ 59.53 (4. Juli 1925): 419.

50 Florian Zimmermann, ed., Der Schrei nach dem Turmhaus: Der Ideenwettbewerb Hochhaus am Bahnhof Friedrichstraße, Berlin 1922/22 [Katalog zur Ausstellung im Bauhaus-Archiv, Berlin] (Berlin: Argon Verlag, 1988) 8.

ordinances so that the entire project was halted for years, and in 1927, the *Turmhaus AG* finally gave up on the project for good.[51]

Although the contest did not lead to the actual building of a skyscraper, it nonetheless revealed how far apart in terms of proportions German and American designs were at the time – while at the same time offering irrefutable proof of the German architects' ability to design original high-rises. One design in particular has fascinated critics and scholars ever since, even though at the time of the contest neither the jury in Berlin nor the majority of architectural critics seem to have been aware of its potential: Ludwig Mies van der Rohe's visionary glass skyscraper, a triangular, nearly transparent building so far ahead of its time that it took almost forty years before this kind of *Glas- und Lichtarchitektur* was realized in Chicago. Other designs, too, differed markedly from those then available as models in Chicago or New York: several entries, among them one by Karl Schneider, featured column-like or cylindrical facades, so-called *Rundlösungen* (reminding not only contemporaries of the Roman *Castel Sant' Angelo*). They were similar to Bruno Möhring's *Turmhausentwürfe* (1920), Otto O. Kurz's

Karl Schneider's entry for the Wettbewerb der Turmhaus AG in Berlin; Wasmuths Monatshefte für Baukunst 7 (1922/23): 64.

51 See ibid., pp. 154-66, for a detailed reconstruction of the failure to build the first skyscraper in Berlin.

design for a *Hochhaus* in München (1921), or the Leipzig *Messeturm* by R. Tschammer, E. Haimovici, and A. Caroli (1920), and, they were not based on American examples.

The Leipzig *Messeturm* by R. Tschammer, E. Haimovici, and A. Caroli; Neudeutsche Bauzeitung 16 (1920): 183-85.

On 12 August 1922, the first report on the international competition for the design of a new office building as announced by the "world's largest newspaper," the *Chicago Tribune*, appeared in the *Deutsche Bauzeitung*. The total sum of awards was to be $100,000, and the *DBZ*'s editors recommended that German architects participate.[52] It also was known from the start that, unlike the Berlin contest, the winning design in Chicago would actually most likely be built.[53] As it turned out, only 145 of the 263 entries came from American architects.[54] Unfortunately, however, the competition ended on a sad note for the thirty-nine German participants, mainly because only six of their entries made it in time to be judged by the committee, among them designs by Walter Gropius and Max Taut: a package of thirty-one entries gathered by the Berlin representative of the *Chicago Tribune* apparently got stuck in the mail and thus did not arrive

52 "Ein Internationaler Wettbewerb zur Erlangung von Entwürfen für ein neues Geschäftshaus der Zeitung 'The Chicago Tribune' in Chicago [....]," DBZ 56.64 (12. August 1922): 392. The contest had officially been announced in Chicago on 10 June 1922.

53 "Zum internationalen Wettbewerb Geschäftshaus der Zeitung 'The Chicago Tribune" in Chicago [....]," DBZ 56.75 (20 September 1922): 444.

54 Schmidt, Wolken-Kratzer, 184.

before the jurors had passed their judgement.[55] In the end, the unprecedented prize of $50,000 was awarded to an American architectural office.[56]

The competition proved nonetheless fruitful for German architects – even if men such as Max Berg or Bruno Möhring chose not to participate (but neither did Louis Sullivan or Frank Lloyd Wright on the American side!) – , because for the first time they could compete directly with their American counterparts. In what can only be considered a paradox development, most American entries featured eclectic or gothic designs, paid tribute to neo-Palladianism, or followed the still fashionable Beaux-Arts-Style, while German contributions mainly paid homage to the "Chicago window" (Walter Gropius) and promoted a modern reductionist design (Ludwig Hilberseimer, Max Taut) – thus anticipating what has since been labeled *Neue Sachlichkeit*.[57]

Conclusion

It can safely be stated that, in general, the American model of the skyscraper did not appeal to German architects, although, at no point between 1893 and 1922 did German architects perceive the skyscraper in a uniform fashion. Mary Nolan is right, therefore, when she points out in her recently published *Visions of Modernity: American Business and the Modernization of Germany*, that the skyscraper merely "provided a working version of modernity from which Germans could pick and choose different elements as they strove to imagine not an ideal future, but at least an updated and improved one."[58]

---

55 Neumann, "Die Wolkenkratzer kommen!," 33, 67. The DBZ, apparently unaware of the fact that most German projects did not participate in the contest, speculated already in late 1922 that several designs by *Austrian* architects probably did not reach the Chicago jury in time (the verdict by the five jurors was issued on 3 December 1922, in Chicago). "Über den Wettbewerb der 'Chicago Tribune' betr. Entwürfe für ein neues Geschäftshaus in Chicago [....]," DBZ 56.101 (20. Dezember 1922): 552.

56 The Chicago Tribune Tower was built according to the winning neo-gothic design by Raymond Hood and John Mead Howells.

57 For a devastating critique of this influential but highly abstract and impersonal architecture turn to Tom Wolfe's From Bauhaus to Our House (New York: Farrar Straus Giroux, 1981; Toronto: McGraw-Hill-Ryerson Ltd., 1981). Another clearly "modern" project was presented by the winner of the second prize, Eliel Saarinen of Finland.

58 Nolan, Visions of Modernity, 9.

True, German architects were probably just as infatuated with Taylorism and Fordism as the rest of German society, and the skyscraper certainly embodied much of the rationalization of time and space many associated with these new, magic terms. But then, as German architectural critics repeatedly clarified at the time, the skyscraper was not merely seen as an esthetic or engineering problem, but to no lesser extent as an ethical problem. Germans, unlike Americans, these critics pointed out, were not willing to emphasize the economic or capitalistic aspects of the new building type. "Was uns von [den Amerikanern] trennt, ist nicht so sehr das Formale," the architectural critic Adolph Behne summed up the German position in 1922, "als vielmehr das Verhältnis des Hochhauses zu seiner Umgebung."[59] "Wir glauben es nicht verantworten zu können, daß ein Haus dem anderen das Tageslicht stiehlt," he continued. "Das heißt: sollte es zur Ausbildung von Turmbauten in größerer Zahl bei uns überhaupt kommen, so werden sie kaum jemals eine nahe Gruppe bilden können...."[60]

When Walter Curt Behrend published his brief but informative "Skyscrapers in Germany" in 1923 in the *Journal of the American Institute of Architects*, the first such article to appear in the United States on that subject matter, he pointed out that "the skyscraper has met with general approval in Germany," but he also lectured Americans on the "creative originality" of German architects.[61] German architects, he told his American audience, intended to arrange their projects differently on the ground, and he especially singled out a star-shaped plan for an iron and glass skyscraper by Mies van der Rohe to illustrate his case.[62] As was to be expected, American architects could detect nothing innovative in this approach, especially since it went along with a massive waste of space on the ground, which would hardly have appealed to the financiers of American skyscrapers.[63]

Many proposals for skyscrapers in Germany were put on paper during the early 1920s but virtually none was actually executed before 1922. The first true German *Hochhäuser* were built in 1922-1924: Fritz Höger's eleven-story *Chilehaus* in Hamburg and Wilhelm Kreis's twelve-story *Wilhelm-*

59 Adolf Behne, "Der Wettbewerb der Turmhaus-Gesellschaft," WMB 7 (1922/23): 58-59.

60 Ibid., 59.

61 Walter Curt Behrendt, "Skyscrapers in Germany," Journal of the American Institute of Architects 11.9 (1923): 365.

62 Ibid., 367.

63 George C. Nimmons, "Skyscrapers in America," Journal of the American Institute of Architects 11.9 (1923): 370.

Marx-Haus in Düsseldorf.[64] Moreover, most of the promises that the key figures of the *Hochhaus-Bewegung* made were never fulfilled: neither did skyscrapers (or *Hochhäuser*) change in any way the social situation or the housing problem, nor could German architects ever agree on a universally valid type or style for the commercial high-rise that would both adapt to German conditions and stand apart from the American example. In the end, the main reason for the unspectacular demise of the German skyscraper mania of the early 1920s, of course, must be seen in the simple fact that there was actually no need for tall office buildings in Weimar Germany. For one, not one of the major German cities was comparable with New York or Chicago. Not even the conditions in the *Reichshauptstadt* warranted the erection of skyscrapers (and aside from their possible symbolic function, there was really not much that could be argued in the skyscrapers' favor). In addition, critical voices warning of traffic problems, fire-safety, and other issues of personal and societal health, joined by those who principally opposed tall office buildings (because they would aesthetically ruin historically grown city centers) finally got the upper hand over the skyscraper proponents. But above all, and on a much more mundane level, there was simply no money to finance more than a handful of these often visionary projects. In 1923, the nation's industry suffered from political instability and massive inflation. Quite obviously, then, there were other, more pressing problems to be solved in Weimar Germany than the financing and building of skyscrapers.

64 Another candidate for the first German "skyscraper" would be the twelve-story *Borsig-Hochhaus* in Berlin (1922-1924, architect: Eugen G. Schmohl). Information on these early projects was taken from the extensive catalog in Neumann, "Die Wolkenkratzer kommen!," 158-85.

Gabriele Metzler

Begegnungen mit einer anderen Moderne. Deutsche Physiker und die USA von der Jahrhundertwende bis 1933

Einleitung

Am Ende des 20. Jahrhunderts spielen die Vereinigten Staaten nicht nur in politisch-militärischer und wirtschaftlicher, sondern auch in wissenschaftlicher Hinsicht weltweit eine führende Rolle. Die amerikanischen Forschungseinrichtungen befinden sich auf einem Leistungsstand, der ihnen globale Anerkennung sichert und zudem gerade in Deutschland dafür sorgt, daß der US-Wissenschaft Vorbildcharakter zugeschrieben wird.

Das war nicht immer so. Noch zu Beginn dieses Jahrhunderts blickte man von Europa eher herablassend auf die amerikanische Wissenschaft, vor allem im naturwissenschaftlichen Bereich. In der Physik, die bis in die fünfziger Jahre hinein die Schlüsselposition innehatte, waren die Amerikaner lange Zeit eher nur Außenseiter; gerade in den wichtigsten Teilbereichen der modernen Physik, der Quantenphysik sowie der Relativitätstheorie, spielten die Europäer die führenden Rollen, und unter ihnen waren es vor allem die deutschen Physiker, deren Arbeiten die Entwicklung lange entscheidend vorantrieben. Deutschland war um 1900 das dominierende Zentrum der sich herausschälenden modernen theoretischen Physik, mit deren Durchbruch sich Namen wie Max Planck, Albert Einstein, Arnold Sommerfeld und Max Born verbinden. Im Vergleich dazu war die amerikanische Physik nahezu bedeutungslos. Doch dies änderte sich binnen kurzer Zeit. Bereits in den zwanziger Jahren leisteten auch amerikanische Physiker wesentliche Beiträge, und zu Beginn der dreißiger Jahre hatten die Deutschen ihre Führungsposition im Grunde bereits an die USA abgetreten, noch bevor der 'brain drain' in Folge der Emigration seine Wirkung entfaltete.

Dieser Wechsel in der wissenschaftlichen Vormachtstellung hatte vielerlei Ursachen, die nicht nur in der wissenschaftlichen Entwicklung selbst zu suchen sind. Denn politische, wirtschaftliche und gesellschaftlich-kulturelle Faktoren trugen ohne Zweifel ebenfalls zum Aufstieg der amerikanischen Physik bei, ja sie spielten in diesem Ablösungsprozeß bisweilen sogar die entscheidende Rolle.

Wie sich der Positionswandel der US-Physik von der Peripherie der wissenschaftlichen Welt an deren Spitze vollzog, ist das zentrale Thema dieses Beitrags. Die deutsche Sicht auf diesen Prozeß in den Mittelpunkt der Untersuchung zu rücken, erscheint überaus sinnvoll, weil aus dieser Perspektive zwei kontrastierende Wege in die wissenschaftliche Moderne herausgearbeitet werden können, von denen der eine - obschon er später begann - sich schließlich als der erfolgreichere erwiesen hat. Daß die Sicht der deutschen Wissenschaftler nicht zuletzt von eklatanten Fehleinschätzungen geprägt war, hat zu ihrem eigenen relativen Abstieg am Ende nicht unerheblich beigetragen.

Die Darstellung ist im wesentlichen chronologisch gegliedert. Im ersten Abschnitt wird die amerikanische Forschungslandschaft skizziert, wie sie sich den deutschen Amerikareisenden der Vorkriegszeit präsentierte. In einem Zwischenkapitel soll dann die Bedeutung des Ersten Weltkrieges dargelegt werden, dem in vieler Hinsicht eine wichtige Scharnierfunktion zukam. Anschließend werden die deutsch-amerikanischen Entwicklungen in den zwanziger Jahren dargestellt, der Zeit also, in welcher die US-Physik schließlich aufholte und, am Beginn des neuen Jahrzehnts, die deutsche Wissenschaft schließlich ihrer Vormachtstellung in zentralen Bereichen beraubte.

Aufbruch an der Peripherie: Die amerikanische Physik nach 1900

Die Vereinigten Staaten rückten um die Jahrhundertwende allmählich in den Blickpunkt des europäischen wissenschaftlichen Interesses. Politische Gründe waren mit ausschlaggebend, daß man sich auch in Deutschland bemühte, den Austausch mit der Neuen Welt zu intensivieren; dies gilt besonders für den 1904 vereinbarten Professorenaustausch zwischen den Universitäten von Berlin, Harvard und der Columbia University.[1] Indes war dieses Programm vor allem für die Vertreter der Rechts- und Staatswissenschaften bestimmt, Naturwissenschaftler nahmen an ihm nur in Ausnahmefällen teil, und der einzige für den Austausch vorgesehene Physiker, der Göttinger Professor Woldemar Voigt, mußte seine Berufung 1914 angesichts der politischen Situation absagen. Die internationale Kommunikation zwi-

1 Vgl. Bernhard vom Brocke, „Der deutsch-amerikanische Professorenaustausch. Preußische Wissenschaftspolitik, internationale Wissenschaftsbeziehungen und die Anfänge einer deutschen auswärtigen Kulturpolitik vor dem Ersten Weltkrieg“, Zeitschrift für Kulturaustausch 31 (1981): 128-82.

schen Naturwissenschaftlern vor dem Ersten Weltkrieg erfolgte freilich ohnehin vorrangig informell.

Doch auch auf dieser informellen Ebene intensivierten sich allmählich die Kontakte nach Übersee. In zunehmender Zahl besuchten europäische Wissenschaftler Amerika, und überquerten die ersten von ihnen den Atlantik noch als 'Apostel der Wissenschaft',[2] so gestalteten sich ihre Reisen nach 1900 doch immer mehr als rein professionelle Unternehmungen.[3] Als einer der ersten Deutschen kam 1893 Hermann von Helmholtz, der am *International Congress of Electricians* in Chicago teilnahm. Die erste größere Zusammenkunft von Wissenschaftlern aus aller Welt in den Vereinigten Staaten war der 1904 parallel zur Weltausstellung veranstaltete internationale Congress of Arts and Sciences in St. Louis. Unter den Teilnehmern befanden sich, neben Ernest Rutherford und Henri Poincaré, auch Wilhelm Ostwald und Ludwig Boltzmann.

Letzterer reiste im Jahr darauf bereits wieder in die USA, um an der University of California in Berkeley im Rahmen einer Sommerschule einen Kurs in Thermodynamik und statistischer Mechanik zu geben. Die Eindrücke, die er auf dieser Reise sammelte, waren überaus bunt und vielfältig: War er auf der einen Seite beeindruckt vom Reichtum und der Fortschrittlichkeit des Landes, störte er sich auf der anderen an der Dominanz einer Kultur des „Gelderwerbs".[4] Auch in wissenschaftlicher Hinsicht war sein Reisebericht nicht auf einen gemeinsamen Nenner zu bringen: Zwar war für ihn „die Universität Berkeley ... das Schönste, was man sich denken kann",[5] doch mochte er sich mit dem enormen Einfluß der Mäzene, in diesem Fall des Hearst-Clans, auf das Leben der Universität nicht recht anfreunden.[6] Wirklich beeindruckt freilich war Boltzmann vom Stand der aufwendigen technischen Einrichtungen amerikanischer Forschungsstätten. Eine der zum damaligen Zeitpunkt bereits herausragenden, das Lick-Observatorium bei San José, lernte er auf einer Exkursion nach Süden kennen: eine „herrlich eingerichtete Sternwarte", schwärmte der Besucher, mit „reichem Material",

2 Katherine R. Sopka, „An Apostle of Science Visits America: John Tyndall's Journey of 1872-73", Physics Teacher 10 (1972): 369-75.

3 Eine (unvollständige) Übersicht über die Reisen europäischer Physiker in die Vereinigten Staaten zwischen 1872 und 1935 bei Katherine R. Sopka, Quantum Physics in America. The Years through 1935 (New York: Tomash Publishers, American Institute of Physics, 1988) Appendix B.

4 Ludwig Boltzmann, „Reise eines deutschen Professors ins Eldorado", idem, Populäre Schriften (Leipzig: Barth, 1905) 403-35.

5 Ibid., 413.

6 Ibid., 417.

das „bestens ausgenützt" werde.[7] Freilich wußte Boltzmann auch um die Schwächen der amerikanischen Wissenschaft, trotz seiner insgesamt überaus positiven Bilanz: „Ja, Amerika wird noch Großes leisten, ich glaube an dieses Volk, obwohl ich es bei einer Beschäftigung sah, die ihm am wenigsten gut lag, im theoretisch-physikalischen Seminare beim Integrieren und Differenzieren."[8]

Damit hatte Boltzmann den Grundton angeschlagen, der das Amerikabild deutscher Physiker für die folgenden Jahrzehnte prägen sollte. Man beobachtete den Stand der experimentellen Forschung in diesem Land mit großem Respekt, den man insbesondere auch der Astronomie zu zollen bereit war; doch in der theoretischen Physik, wie sie sich seit der Jahrhundertwende allmählich entfaltete, war Amerika weit zurückgeblieben. Es war kaum mehr als eine höfliche Floskel, mit der Max Planck 1909 seine Vorlesungsreihe an der Columbia University beschloß: „Ihnen, meine verehrten Zuhörer, danke ich von ganzem Herzen für die Anregung, die Sie mir gegeben haben, ... und ich wünsche Ihnen, daß es manchen unter Ihnen gelingen möge, in der angedeuteten Richtung unserer geliebten Wissenschaft noch manche wertvolle Dienste zu leisten."[9]

Daran war vorerst nicht zu denken. Denn nicht nur die theoretische Physik, die sich auch in Europa in den Jahren vor dem Ersten Weltkrieg erst als eigenständige Disziplin etablieren mußte, befand sich in den Vereinigten Staaten im Rückstand, sondern die Physik als Wissenschaft und akademisches Fach überhaupt durchlief zu dieser Zeit erst einen Prozeß der Professionalisierung, der in der Alten Welt, zumal in Deutschland, längst abgeschlossen war. Allein die quantitativen Verhältnisse sprachen gegen die amerikanische Physik: Um 1900 lehrten an amerikanischen Universitäten knapp hundert Physiker, in Deutschland waren es an Universitäten und Technischen Hochschulen 103. Rechnet man diejenigen Wissenschaftler hinzu, die zwar nicht fest angestellt, aber mit den Forschungsarbeiten an den Hochschulen assoziiert waren, fällt das Verhältnis noch deutlicher aus: In den USA waren insgesamt 294 Physiker an Lehre und Forschung beteiligt, in Deutschland waren es zur selben Zeit 338. Besonders signifikant aber ist das Gefälle im Bereich der Publikationen: Zwar waren die amerikanischen Universitäten finanziell deutlich besser ausgestattet als die deutschen, doch lag der wissenschaftliche 'Output' der deutschen Physiker erheblich höher, nicht nur absolut (460 deutsche, 240 amerikanische Publikationen), sondern

---

7 Ibid., 423, 424.
8 Ibid., 429.
9 Max Planck, Acht Vorlesungen über Theoretische Physik (Leipzig: Hirzel, 1909) 127.

auch pro (Physiker-)Kopf (3,2 zu 1,1) und im Verhältnis zum investierten Geld (auf 10 eingesetzte Mark kam in Deutschland 3,1, in den USA nur 1,2 Publikationen).[10]

Die relative Rückständigkeit der amerikanischen theoretischen Physik war die Folge mehrerer Ursachen. Zum einen ist auf die Fülle der Vorbehalte zu verweisen, mit denen man in den Vereinigten Staaten jeder Art von Forschung begegnete, aus der nicht unmittelbar praktischer Nutzen zu ziehen war; hinzu kam die starke Betonung streng empirischer Forschung, ein Erbe Baconscher Traditionen.[11] Zweitens fehlte dem Land seit Beginn des 19. Jahrhunderts eine aristokratische Mäzenatenschicht, die 'reine' Forschung zu unterstützen bereit gewesen wäre; und drittens lag der Schwerpunkt in der Tätigkeit von Physikern an den Colleges auf der Lehre, nicht aber auf der Forschung.[12] All das änderte sich allmählich gegen Ende des 19. Jahrhunderts, als Rufe nach 'pure science' zunehmend laut wurden.[13] Von den Reformen im Universitäts- und Bildungsbereich, wie sie in der 'Progressive Era' durchgeführt wurden, profitierten nicht zuletzt die Physiker; fördernd hinzu kamen schließlich die Fortschritte in der Physik selbst: die Entdeckung der Röntgen-Strahlen 1895 und der Radioaktivität im Jahr darauf, 1897 der Nachweis des Elektrons im Experiment und dann schließlich, 1900, die Präsentation der Quantenhypothese durch Max Planck, der damit den Anstoß gab zum Durchbruch der modernen Physik. Die Revolution hatte begonnen.

Begleitet wurde sie in den Vereinigten Staaten von der Professionalisierung der Physik selbst. Die Ausbildung junger Nachwuchswissenschaftler wurde erheblich verbessert, so daß die Notwendigkeit, zu weiterführenden Studien das Land – vor allem in Richtung Deutschland – zu verlassen, stetig abnahm.[14] Kurz nach der Jahrhundertwende verkündete Science schon ganz selbstbewußt: „No American need any longer come to this Germany or any other country for higher education. In my judgement the United States offers today facilities for collegiate, academical, and postgraduate studies

---

10 Zahlen aus Paul Forman, John L. Heilbron und Spencer Weart, „Physics circa 1900. Personnel, Funding, and Productivity of the Academic Establishments", Historical Studies in the Physical Sciences 5 (1975): 1-185, Tabellen I und A.1.

11 Daniel J. Kevles, The Physicists. The History of a Scientific Community in Modern America (Cambridge, MA: Harvard University Press, 1987) 7.

12 Stanley Coben, „The Scientific Establishment and the Transmission of Quantum Mechanics to the United States, 1919-32", American Historical Review 76 (1971): 443.

13 So etwa Henry A. Rowland, „A Plea for Pure Science", Science 2 (1883): 242-50.

14 Vgl. noch Samuel Sheldon, „Why Our Science Students Go to Germany", Atlantic Monthly 63 (1889): 463-66.

equal in quantity and quality to those offered by any country in the Old World.«[15]

Das war sicherlich noch übertrieben, doch es war nur eine Frage der Zeit, bis die für den Ausbau des amerikanischen Universitätssystems aufgebrachten Investitionen Früchte tragen würden.[16] Vor allem von den jungen Universitäten und Forschungseinrichtungen gingen in der Folgezeit wesentliche Impulse aus; genannt sei hier die 1876 gegründete Johns Hopkins University, die ihrerseits mit ihrer starken Betonung der Graduiertenstudien auf die Entwicklung von Columbia, Harvard, Princeton und Yale ausstrahlte.[17] Weitere Schritte zur Professionalisierung erfolgten, als 1894 mit der Physical Review ein Publikationsorgan zur verbesserten Kommunikation geschaffen wurde. Fünf Jahre später wurde schließlich die American Physical Society gegründet, deren erster Präsident just Henry A. Rowland wurde – der anderthalb Jahrzehnte zuvor den Ruf nach 'reiner Wissenschaft' angestimmt hatte und dessen Wahl nun als Zeichen dafür zu werten war, daß die nicht-angewandte Forschung auf dem besten Wege war, sich dauerhaft zu etablieren. Rowland selbst war in dieser Hinsicht optimistisch: „Much of the intellect of our country", betonte er in seiner Antrittsrede, „is still wasted in the pursuit of so-called practical science. ... But your presence here gives evidence that such a condition is not to last forever.«[18]

Tatsächlich verstärkte sich die theoretische Orientierung der amerikanischen Physiker, auch wenn sie von ihren europäischen Kollegen noch längst nicht als ernstzunehmende Partner im wissenschaftlichen Kommunikationsprozeß anerkannt wurden. Die großen Leistungen der US-Physik vor dem Ersten Weltkrieg wurden freilich auch ohne Zweifel auf experimentellem Gebiet erzielt, so etwa in der Spektroskopie. Herausragende Vertreter ihres Fachs in jenen Jahren waren Robert A. Millikan, Percy W. Bridgman oder Albert A. Michelson, in dessen Chicagoer Institut Max Born 1912 zu Gast war. Obwohl dieser die amerikanische Physik für rückständig hielt, schätzte er seinen Kollegen dort hoch ein: „Na ja, bei Michelson konnte man schon 'was lernen!«[19] Michelson wurde immerhin 1904 erstmals für den

15 Henry W. Diederich, „American and German Universities", Science 20 (1904): 157.

16 Vgl. Forman, Heilbron und Weart, „Physics circa 1900", Tab. A.2.

17 Sopka, Quantum Physics in America, 8.

18 Henry A. Rowland, „The Highest Aim of the Physicist", Science 10 (1899): 826.

19 Max Born, Interview mit P. P. Ewald, Juni 1960; Archive for the History of Quantum Physics (AHQP), University of California, Berkeley, 8.

Physik-Nobelpreis vorgeschlagen und gewann ihn als erster Amerikaner im Jahre 1907.[20]

Gleichwohl dauerte es etliche Zeit, bis die Errungenschaften der modernen theoretischen Physik in den Vereinigten Staaten rezipiert und in eigene Forschungsprogramme integriert wurden. In der Quantenphysik wurde in diesem Prozeß der Aneignung in den letzten Jahren vor dem Ersten Weltkrieg ein Durchbruch erzielt - reichlich spät, wenn man bedenkt, daß die Plancksche Quantenhypothese von 1900 stammte. Doch dieser Befund relativiert sich, wenn man berücksichtigt, daß bis etwa 1911 vor allem die Deutschen auf diesem Feld forschten und auch die europäischen Physiker dorthin noch kaum vorgestoßen waren. Erst 1911 entwickelte sich so etwas wie ein internationales Forschungsprogramm auf dem Gebiet der Quantenphysik, wofür die erste Solvay-Konferenz deutlichster Ausdruck war.[21] Freilich nahmen an dieser ersten internationalen Zusammenkunft von Physikern noch keine Amerikaner teil; erst zwei Jahre später bat man mit Millikan den ersten US-Wissenschaftler hinzu.[22]

Der Krieg als Vater aller Wissenschaft?

Als im Sommer 1914 der Krieg in Europa begann, konnte man in den Vereinigten Staaten noch nicht ahnen, daß er auch das eigene Land erfassen und dort auf einigen Gebieten das Leben verändern würde. Doch bereits im Jahr darauf mußte man sich auch jenseits des Atlantiks über die wachsende Gefahr, in die militärische Auseinandersetzung verwickelt zu werden, im klaren sein, und auf wessen Seite man stehen würde, stand nach der Versenkung des Passagierschiffs *Lusitania* durch die Deutschen ebenfalls außer Zweifel. Die brutale Art der deutschen Kriegführung, die sich offensichtlich über völkerrechtliche Bindungen hinwegsetzte, und die chauvinistische

---

20 Die Nominierungen sind aufgeführt in Elisabeth Crawford, John L. Heilbron und Rebecca Ullrich, Hg. The Nobel Population 1901-1937. A Census of the Nominators and Nominees for the Prizes in Physics and Chemistry (Berkeley, CA: Office for History of Science and Technology; Uppsala: Office for History of Science, 1987) 28, 34.

21 Vgl. Paul Langevin und M. de Broglie, Hg., La Théorie du Rayonnement et les Quanta. Rapports et Discussions de la Réunion tenue à Bruxelles du 30 Octobre au 3 Novembre 1911. (Paris: Gauthier-Villars, 1912).

22 Diese zweite Solvay-Konferenz hatte die Struktur der Materie zum Thema; vgl. La Structure de la Matière. Rapports et Discussions du Conseil de Physique tenu à Bruxelles, du 27 à 31 Octobre 1913. (Paris: Gauthier-Villars, 1921).

Propaganda, mit welcher man in Deutschland selbst die Stimmung kräftig anheizte, sorgten dafür, daß in den USA rasch antideutsche Ressentiments die Oberhand gewannen.[23] Unter diesen Umständen mußte die internationale scientific community, wie sie sich seit der Jahrhundertwende ausgebildet hatte, zu den ersten Opfern des Krieges zählen, denn gerade die deutschen Wissenschaftler hielten sich in ihren martialischen und chauvinistischen Äußerungen nicht zurück. Besondere Berühmtheit erlangte der Aufruf von 93 deutschen Professoren „An die Kulturwelt!" – im übrigen nur eines unter vielen Manifesten mit ähnlichem Tenor – , in dem sie unverhohlen kulturelle Führungsansprüche erhoben.[24]

Diese besondere Konstellation, in welcher der Zusammenbruch der internationalen Wissenschaft und die Negation zivilisatorischen Fortschritts durch die im Krieg bald angewandten Ergebnisse wissenschaftlicher Forschung (die besonders deutlich im Einsatz von Giftgas seit dem Frühjahr 1915 zutage trat) zusammenliefen, veränderte auch in den Vereinigten Staaten die Haltung gegenüber der Wissenschaft, und zwar noch vor dem eigenen Kriegseintritt. Um unter den Bedingungen des Krieges die eigene Wirtschaft aufrechtzuerhalten und damit den Volkswohlstand sichern zu können und zugleich in dem drohenden militärischen Konflikt erfolgreich zu bestehen, mußte man, so die bald dominierende Meinung, die eigene Forschungsarbeit intensivieren.[25] Das war aber nur möglich, wenn für sie zugleich neue organisatorische Formen gefunden würden, denn nur auf diesem Wege ließen sich alle vorhandenen Ressourcen optimal ausnutzen. So begann, noch vor der militärischen, die wissenschaftliche Mobilmachung.

In einem ersten Schritt wurde die Forschung enger mit den Verteidigungsanstrengungen verzahnt; institutionell schlug sich dies in der Gründung des National Advisory Committee for Aeronautics im März 1915

---

23 Vgl. Reinhard R. Doerries, Imperial Challenge: Ambassador Count Bernstorff and German-American Relations, 1908-1917 (Chapel Hill, NC: U. of North Carolina Press, 1989); Lawrence Badash, „British and American Views of the German Menace in World War I", Notes and Records of the Royal Society of London 34 (1979/80): 91-121.

24 Der Text sowie die internationalen Folgen dieses Manifests wird ausführlich erörtert von Bernhard vom Brocke, „Wissenschaft und Militarismus. Der Aufruf der 93 'An die Kulturwelt!' und der Zusammenbruch der internationalen Gelehrtenrepublik im Ersten Weltkrieg", Wilamowitz nach 50 Jahren, Hg. William E. Calder et al. (Darmstadt: Wissenschaftliche Buchgesellschaft, 1985) 649-719. Siehe auch Jürgen und Wolfgang von Ungern-Sternberg, Der Aufruf 'An die Kulturwelt!' (Stuttgart: Steiner, 1998).

25 Vgl. als eine Stimme unter vielen J. J. Carty, „The Relation of Pure Science to Industrial Research", Science, N.F. 44 (Oktober 1916): 511-18.

nieder. Weitere organisatorische Schritte erfolgten 1916 mit der Etablierung des Engineers Reserve Corps und vor allem des Naval Consulting Board.[26] Dies alles waren Versuche, insbesondere die militärische Forschung zu koordinieren; rein zivile wissenschaftliche Institutionen, wie sie vor dem Krieg längst bestanden, waren allenfalls am Rande involviert. Doch das änderte sich grundlegend, als der für die Außenbeziehungen zuständige Sekretär der National Academy of Sciences und Direktor der Mount Wilson-Sternwarte Ende 1915 die Initiative ergriff. George Ellery Hale, bedeutender Astronom, wurde im Ersten Weltkrieg schließlich zur Schlüsselfigur der amerikanischen Forschungspolitik.

Hales Motivation, die US-Forschung neu und effizienter zu organisieren, speiste sich aus mehreren Quellen. Zum einen fürchtete er, die Interessen der Wissenschaft selbst könnten bei der sich abzeichnenden Dominanz militärischer Entscheidungsträger ins Hintertreffen geraten; zum anderen, und dies ist keineswegs zu unterschätzen, war auch er ein Nationalist, der in der absehbaren Isolation der deutschen Wissenschaft eine Chance für die Amerikaner im internationalen Handlungskontext witterte. Deshalb sind aus dieser Perspektive die Umorganisation der amerikanischen Forschungspolitik und die Neugestaltung der internationalen Wissenschaftsbeziehungen im Ersten Weltkrieg und in den Jahren danach nicht voneinander zu trennen; es sind zwei Seiten derselben Medaille, auf welcher der unaufhaltsame Aufstieg der amerikanischen Wissenschaft beruhte.

Hale war es ein wichtiges Anliegen sicherzustellen, daß nicht nur die angewandte, unmittelbar militärischen oder industriellen Nutzen bringende, sondern auch die „reine" Forschung von den Veränderungen profitierte.[27] Dies war schließlich auch das Ziel des im Frühjahr 1916 eingerichteten National Research Council (NRC), unter dessen Dach die zivilen wissenschaftlichen und technischen Ressourcen des Landes mit den militärischen Forschungsanstrengungen koordiniert und die finanzielle Unterstützung durch die Industrie gesichert wurden. Unterstellt war der NRC - ein Novum der amerikanischen Forschungspolitik - der Regierung in Washington, nicht nur für die Dauer des Krieges, sondern auch für die Zeit danach.[28] Daß in Anbetracht der amerikanischen politischen Traditionen Kritik an der drohenden „Überzentralisierung" nicht ausblieb, nimmt kaum wunder;

---

26 Kevles, The Physicists, 102-109.

27 Diese Vorstellungen finden sich am deutlichsten in George Ellery Hale, National Academies and the Progress of Research (Lancaster, PA: New Era Printing Co., 1915).

28 Vgl. A History of the National Research Council 1919-1933 (Washington, D.C.: Reprint and Circular Series of the National Research Council Nr. 106, 1933).

indes gelang es dem NRC nach kurzer Zeit, diese Kritik verstummen zu lassen.[29]

Unter der Federführung des NRC intensivierte sich die amerikanische Kriegsforschung erheblich. Die Bedeutung gerade der physikalischen Forschung auf zahlreichen Gebieten stieg. Dies stand in einem bemerkenswerten Gegensatz zur Kriegsforschung in Deutschland, wo man, vor allem auf Initiative Fritz Habers, in erster Linie auf die Chemie und nicht auf die Physik setzte und wo es zu keinem Zeitpunkt zu einem ähnlich hohen Maß an Koordination kam.[30] Folgen für die deutsche Kriegführung blieben dabei ebensowenig aus wie für die Wissenschaften selber, unter denen die Chemie einen deutlichen Legitimationsvorsprung vor der Physik erzielen konnte. In der deutschen Physik selbst ging vor allem die theoretische Forschung gestärkt aus dem Krieg hervor, was die internen Spannungen in dieser Disziplin nach Kriegsende beträchtlich verschärfen sollte.[31]

Zwar lag auch in den Vereinigten Staaten das Schwergewicht der Kriegsforschung auf den angewandten Wissenschaften,[32] doch vermochte auch die „reine" Wissenschaft am neu erworbenen Prestige zu partizipieren: „I believe", schrieb Hale im April 1918 an den Sekretär der Londoner Royal Society,

> ... that the outcome of the present efforts of the National Research Council, which for the moment are so largely directed to war and industry, will be very greatly to the advantage of pure science. On the one hand, the prominence of science with the war has had a profound effect upon thinking people, and has rendered possible large movements in its support which would certainly have had little success under former conditions. On the other hand, we have learned through close contact with really great leaders of the industries, that in spite of their prime interest in the utilization of science for the attainment of practical ends they fully recognize, and are more than willing to state publicly, that prog-

29 Kevles, The Physicists, 112.

30 Eine fundierte Gesamtdarstellung der deutschen Forschungspolitik im Ersten Weltkrieg ist noch immer ein Desiderat der Forschung; eine knappe Übersicht findet sich bei Paul Eversheim, „Die Physik im Kriege", Deutsche Naturwissenschaft, Technik und Erfindung im Weltkriege, Hg. Bastian Schmid (München-Leipzig: P. Nemnich, 1919) 57-79; vgl. auch Manfred Rasch, „Wissenschaft und Militär. Die Kaiser-Wilhelm-Stiftung für kriegstechnische Wissenschaft", Militärgeschichtliche Mitteilungen 1/1991: 73-120.

31 Dieser Zusammenhang kann hier nicht näher ausgeführt werden; vgl. ausführlicher Gabriele Metzler, Internationale Wissenschaft und nationale Kultur. Deutsche Physiker in der internationalen Community, 1900-1960 (Göttingen: Vandenhoek und Ruprecht, 2000).

32 Kevles, The Physicists, 117-38.

ress must depend upon the advancement of the underlying branches of pure science.[33]

In der Tat gelang es, unter dem Banner des National Research Council nicht nur die Ressourcen der Washingtoner Regierung, sondern auch erhebliche finanzielle Unterstützung von seiten der Industrie für die Forschung zu mobilisieren, wovon langfristig auch die theoretisch orientierte Wissenschaft profitierte. Namhafte Beiträge leisteten vor allem die Carnegie Corporation, die dem NRC fünf Millionen Dollar 'Starthilfe' gab, sowie die Rockefeller Foundation, die später ein wichtiges Stipendienprogramm auflegte, auf das noch zurückzukommen sein wird.

Vorteile von dieser veränderten Haltung weiter Kreise der Industrie, die sich auch in der Stimmung der Öffentlichkeit niederschlug, hatten schließlich alle Forschungseinrichtungen, nicht nur die großen Industrielaboratorien, wo schon vor dem Krieg ein erheblicher Anteil der amerikanischen Forschungsarbeiten geleistet worden war, sondern auch die Universitäten und unabhängigen Forschungsinstitute des Landes.[34] In dieser neuen Konstellation gediehen schließlich sogar Neugründungen, die sich in der Folgezeit zu den wichtigsten Einrichtungen entwickeln konnten, wie etwa das California Institute of Technology in Pasadena bei Los Angeles, das im wesentlichen durch Mittel der Carnegie Corporation finanziert wurde.[35]

War die verbesserte finanzielle Ausstattung künftig die eine tragende Säule der amerikanischen Wissenschaft, so war die veränderte Konstellation in der internationalen scientific community die andere. Sie beruhte freilich zu einem großen Teil auf der gewandelten nationalen Bedeutung von Forschung.[36] Da durch den Krieg bestehende organisatorische Formen der internationalen Wissenschaft zerstört worden waren – allen voran die Internationale Assoziation der Akademien, in welcher Preußen-Deutschland die

---

33 George Ellery Hale an Arthur Schuster, 18. April 1918; Hale Papers, Box 47, Archive of the California Institute of Technology (ACIT), Pasadena, CA.

34 Vgl. James Rowland Angell, The Development of Research in the United States (Washington, D.C.: Reprint and Circular Series of the National Research Council Nr. 6, 1920).

35 Robert H. Kargon, „Temple to Science. Cooperative Research and the Birth of the California Institute of Technology", Historical Studies in the Physical Sciences 8 (1977): 3-31.

36 Vgl. zur Rolle der Wissenschaft im nationalen Kontext Carol S. Gruber, Mars and Minerva. World War I and the Uses of Higher Learning in America (Baton Rouge, LA: Louisiana State University Press, 1975).

dominierende Kraft gewesen war –,[37] waren neue zu finden. Denn an eine bloße Rückkehr zum Status quo ante bellum in der Wissenschaft mochte angesichts der tiefen Gräben, die der Krieg auch in kultureller Hinsicht aufgerissen hatte, niemand denken. Eine grundlegende Umgestaltung war auch deshalb unumgänglich, weil die bisherige Vormacht isoliert war; die deutschen Wissenschaftler hatten sich durch ihren propagandistischen Kriegseinsatz diskreditiert: „Now Germany, the most scientific of all nations", schrieb der Direktor des Lick-Observatoriums verbittert an Hale, „has prostituted science to the base ambition of 'Deutschland über alles', not figuratively, but literally. Her ambitions in Weltpolitik have cost the world unthinkable quantities of human blood and human suffering, and science has been her principal weapon." Für ihn konnte man aus dieser Erkenntnis nur einen Schluß ziehen: „In protest against recent German thought and action I believe I should refuse to cooperate with any man who holds appointment from the German government...."[38] Das hieß: Zu deutschen Wissenschaftlern, die fast ausnahmslos als Universitätsangehörige von der Regierung ernannt worden waren, würde man in absehbarer Zeit keine Kontakte aufnehmen.

In diesem scharf antideutschen Kurs konnten sich die Amerikaner einig wissen mit den Wissenschaftlern aus den übrigen Entente-Staaten, allen voran aus Frankreich und Belgien, wo man größtes Interesse daran hatte, die Deutschen dauerhaft zu isolieren. Dies korrespondierte auf das beste mit den amerikanischen Plänen zur Neuordnung der internationalen Wissenschaft. Hier versuchte nun wiederum vor allem Hale, den NRC zur Keimzelle internationaler Wissenschaftsbeziehungen zu machen, indem er ihn zum Modell nationaler Forschungsorganisation schlechthin erhob. Zwar sollte es auch den nationalen Akademien der Wissenschaften möglich sein, dem neu zu gründenden International Research Council (IRC) beizutreten, doch stärkeres Gewicht sollte in einer solchen Organisation den staatsnäheren nationalen Forschungsräten zukommen. In einigen europäischen Staaten, vor allem in England, existierten derartige Einrichtungen bereits, so daß

---

37 Brigitte Schröder-Gudehus, „Division of Labor and the Common Good. The International Association of Academies, 1899-1914", Science, Technology, and Society in the Time of Alfred Nobel, Hg. Carl Gustaf Bernard et al. (Oxford: Pergamon Press, 1981) 3-20.

38 William Wallace Campbell an George Ellery Hale, „International Cooperation in Science", 15. September 1917; Hale Papers, Box 47.

Hales Vorstellungen tatsächlich durchsetzbar waren.[39] So gelang es Hale, der internationalen Wissenschaft für die Zeit nach dem Ersten Weltkrieg einen prägenden, amerikanischen Stempel aufzudrücken. Begleitet von den allgemeinen politischen Veränderungen, einer verbesserten finanziellen und wirtschaftlichen Situation und dem Wandel in der öffentlichen Haltung gegenüber „reiner" Forschung half die grundlegend neue internationale Konstellation nach dem Ersten Weltkrieg, die Stellung der amerikanischen Physik weiter zu konsolidieren.

Die amerikanische Physik wird erwachsen: Die zwanziger Jahre

In den zwanziger Jahren wurde die amerikanische Physik 'erwachsen'. Der Harvard-Physiker John H. Van Vleck, der diese Formel im Rückblick prägte, wollte unter diesem Erwachsensein etwas Bestimmtes verstanden wissen: „I mean a combination of quality and quantity, so that a country is in the front ranks in total productivity".[40] Tatsächlich brachten die Jahre nach dem Ersten Weltkrieg in dieser Hinsicht den Durchbruch: Die amerikanischen Physik-Departments expandierten, neue Institute erblickten das Licht der Welt, die Bedeutung der wissenschaftlichen Zeitschriften wuchs, die Beiträge amerikanischer Physiker zu den wissenschaftlichen Debatten der Zeit nahmen zu, quantitativ wie qualitativ. Vor allem die beiden wichtigsten Entwicklungsstränge der modernen theoretischen Physik, Quantentheorie bzw. Quantenmechanik und Relativitätstheorie, wurden nun rasch und weitgehend reibungslos rezipiert; ganz im Gegensatz zu Deutschland, wo diese Entwicklungen zwar ihren Ursprung nahmen, aber in keiner Weise unumstritten waren. Insbesondere die Einsteinsche Relativitätstheorie

---

39 George Ellery Hale, „Memorandum on the Organization of International Science", ohne Datum [1918]; Hale Papers, Box 47; siehe auch idem, „The Purpose and Needs of the National Research Council", Februar 1919, Hale Papers, Box 61. Zur Reorganisation der internationalen Wissenschaft allgemein vgl. Daniel J. Kevles, „'Into Hostile Political Camps'. The Reorganization of International Science in World War I", Isis 62 (1971): 47-60.

40 John H. Van Vleck, „American Physics Comes of Age", Physics Today (Juni 1964): 24.

geriet in den Strudel politischer Auseinandersetzungen, der die deutsche Physikerschaft fast zerriß.[41]

Ohnehin war die Atmosphäre, in welcher sich die deutsche Physik nach dem Krieg weiter entwickelte, politisch aufgeladen; das konnte sich, wie im Falle der Relativitätstheorie, kontraproduktiv auswirken, konnte die Physik aber auch außerordentlich befruchten. Die Quantenmechanik etwa war von dem spannungsreichen kulturellen Milieu der Weimarer Republik deutlich mit beeinflußt.[42] Besonders deutlich trat in jenen Jahren die, nicht zuletzt durch die Genese ihres Fachs bedingte, Prädisposition deutscher Physiker zur philosophischen Durchdringung naturwissenschaftlicher Probleme zutage, die in gewisser Hinsicht in dieser besonderen Konstellation ihre Stärke ausmachte und vor allem von ihnen selbst auch als Stärke empfunden wurde. Ohne Zweifel waren es bisweilen brillante Leistungen, die von deutschen Wissenschaftlern vollbracht wurden, doch im Gefühl eigener Überlegenheit, das obendrein durch die Vergabe mehrerer Nobelpreise nach 1918 bestätigt wurde, wurden sie blind für die Entwicklungen in anderen Ländern, gerade in den Vereinigten Staaten.

Parallel zum Aufstieg der amerikanischen Physik vollzog sich daher in jenen Jahren scheinbarer Blüte in Wirklichkeit bereits der Abstieg der deutschen. Nirgends kommt dies deutlicher zum Vorschein als im Umgang der deutschen Physiker mit Amerika, wo sich eine andere, erfolgreichere Variante der Moderne, von ihnen unverstanden, entfaltete. Zu dieser Fehlsicht trug sicherlich die Isolation der deutschen Wissenschaft über das Kriegsende hinaus bei, eine Isolation, die sich freilich im Laufe der Jahre immer stärker zur Selbstisolation wandelte.[43] Hinzu kamen unübersehbare wirtschaftliche Probleme, politische Turbulenzen gerade in den frühen zwanziger Jahren und enorme gesellschaftliche Spannungen; all das war für die deutschen Physiker mehr als hinderlich in ihrer Arbeit und blieb auch

---

41 Vgl. Hubert Goenner, „The Reaction to Relativity I: The Anti-Einstein Campaign in Germany in 1920", Science in Context 6 (1993): 107-33; Metzler, Wissenschaft als Kultur, Kap. C.II.

42 Dazu noch immer grundlegend Paul Forman, „Weimar Culture, Causality, and Quantum Theory, 1918-1927. Adaptation by German Physicists and Mathematicians to a Hostile Intellectual Environment“, Historical Studies in the Physical Sciences 3 (1971): 1-115.

43 Vgl. Kevles, „'Into Hostile Political Camps'“; Gabriele Metzler, „'Welch ein deutscher Sieg!' Die Nobelpreise von 1919 im Spannungsfeld von Wissenschaft, Politik und Gesellschaft“, Vierteljahrshefte für Zeitgeschichte 44 (1996): 173-200.

amerikanischen Beobachtern nicht verborgen.[44]. Von der deplorablen Situation der Nachkriegszeit waren indes nicht nur die deutschen, sondern fast alle europäischen Physiker betroffen, was aus Sicht mancher Europäer den Amerikanern einen wichtigen Vorsprung verschaffte: „You in America", schrieb der schwedische Wissenschaftler Svante Arrhenius 1925 an Hale, „are now the foremost in regard of possibilities in the whole world and I suppose that this situation will continue for very [sic] long time."[45]

Die wirtschaftliche Prosperität des Landes allein mochte freilich kaum hinreichen, um die amerikanische Physik auf einen der vorderen Ränge unter den führenden Wissenschaftsnationen der Welt zu befördern. Auch wenn Hales weitreichende Vorstellungen von der Wirkungsmacht des National Research Council nicht Wirklichkeit wurden, so war doch wesentlich, daß die Wissenschaft in den Vereinigten Staaten nun systematisch gefördert wurde, und zwar durch staatliche Instanzen und private Sponsoren gleichermaßen. Die wichtigsten Impulse in diesem Prozeß gaben die führenden Experimentalphysiker wie etwa George W. Peirce, Percy W. Bridgman oder Robert A. Millikan;[46] ihren Bemühungen war es zuzuschreiben, daß gerade die Physik in der Öffentlichkeit zunehmend hohes Ansehen genoß.

Dazu trug nicht zuletzt auch der Durchbruch der Relativitätstheorie bei. Er kam mit der Bestätigung der Einsteinschen Voraussagen im Herbst 1919 durch eine britische Sonnenfinsternisexpedition, und umgehend mutierte die wissenschaftliche Theorie zum Medienereignis.[47] Reißerischer als in der New York Times konnte eine Schlagzeile kaum ausfallen: „Lights All Askew in the Heavens. Men of Science More or Less Agog Over Results of Eclipse Observations. Einstein Theory Triumphs. Stars Not Where They Seemed or Were Calculated to be, but Nobody Need Worry. A Book for 12 Wise Men. No More in All the World Could Comprehend It, Said Einstein When His Daring Publishers Accepted It."[48]

Damit war der Grundton angeschlagen, der die Haltung der amerikanischen Öffentlichkeit gegenüber Einstein im besonderen und der modernen Physik im allgemeinen fortan kennzeichnete: Fasziniert von der Unver-

44 So etwa Robert A. Millikans Bericht über seine Deutschlandreise an George Ellery Hale, 29. September 1922; Hale Papers, Box 29.

45 Arrhenius an Hale, 3. Mai 1925; Hale Papers, Box 3.

46 S. S. Schweber, „The Empiricist Temper Regnant. Theoretical Physics in the United States, 1920-1950", Historical Studies in the Physical Sciences 17 (1986): 56.

47 Im Gegensatz dazu war die Reaktion der Medien in Deutschland eher zurückhaltend; vgl. Lewis Elton, „Einstein, General Relativity, and the German Press, 1919-1920", Isis 77 (1986): 95-103.

48 New York Times, 10. November 1919.

ständlichkeit der Theorie, doch bereit, dem schöpferischen Genius zu huldigen, bereitete Amerika dem deutschen Professor 1921 schließlich einen euphorischen Empfang, der einen bemerkenswerten Kontrast bildete zur Zurückhaltung gegenüber dem Wissenschaftler in Deutschland selbst.

Die Welle der Einstein-Begeisterung half erheblich, auch der 'reinen' Wissenschaft in den Vereinigten Staaten ein Höchstmaß an Popularität zu verschaffen, was dieser die Suche nach geeigneten Geldgebern weiter erleichterte.[49] Einen entscheidenden Beitrag leistete nun die Rockefeller Foundation, die sowohl den NRC unterstützte als auch, seit 1923, Mittel für den internationalen Austausch über das General Education Board und das International Education Board bereitstellte. Das Geld wurde nicht nur für ein umfangreiches Stipendienprogramm verwendet, welches das Sozialisationsmuster junger Physiker in dieser Dekade mit veränderte, sondern kam auch direkt wissenschaftlichen Einrichtungen im Ausland zugute. Unter den ersten und prominentesten Nutznießern war Niels Bohrs Kopenhagener Institut für theoretische Physik, das sich mit amerikanischer Hilfe zum wichtigsten Zentrum der Physik in den zwanziger Jahren entwickeln konnte. Vor diesem Hintergrund ist es kaum verwunderlich, daß die Zahl der amerikanischen Besucher in Kopenhagen stetig anstieg.[50] Die jungen Wissenschaftler brachten von dort den neuesten Stand der modernen Physik mit nach Hause und gaben auf diesem Wege der amerikanischen Entwicklung weitere Impulse.[51] Einige von ihnen wirkten später gar schulebildend: J. Robert Oppenheimer in Berkeley oder John C. Slater am Massachusetts Institute of Technology.[52]

Auch die Deutschen profitierten vom amerikanischen Geld. Sie stellten einen Großteil der Rockefeller-Stipendiaten, die freilich ihr Stipendium zumeist für Forschungsaufenthalte im europäischen Ausland nutzten; nur die wenigsten von ihnen gingen in die USA, die nach wie vor in wissenschaftlicher Hinsicht unattraktiv zu sein schienen. Das hatte mehrere Gründe. Zum einen verfügten längst nicht alle deutschen Physiker über hinreichende Grundlagen der englischen Sprache, um mit Gewinn am transatlantischen Austausch partizipieren zu können. Auch aus diesem Grunde nahmen sie englischsprachige Publikationen nur wenig zur Kenntnis; wichtige ameri-

---

49 Kevles, The Physicists, 170-84, bes. 175-78.

50 Alle Namen sind verzeichnet im Kopenhagener Gästebuch „Udenlandske gaester på Universitetets Institut for teoretisk Fysik", Sources for the History of Quantum Physics, (SHQP), Mf. 35,2, University of California, Berkeley, CA.

51 Werner Heisenberg im Interview mit Thomas S. Kuhn, Teil X, 28. Februar 1963, AHQP, 11.

52 Schweber, „The Empiricist Temper Regnant", 57.

kanische Zeitschriften wie die Physical Review ignorierten sie fast vollständig.[53] Zum anderen war den deutschen theoretischen Physikern der in den USA dominierende Forschungsstil fremd; die Amerikaner interessierten sich mehr für Ergebnisse und weniger für die Interpretation der Forschung, bemerkte Otto Laporte, der 1924-26 als Rockefeller-Stipendiat das Land kennengelernt hatte.[54] Selbst nach 1933 brach Victor Weisskopf noch mit „missionarischen Gefühlen"[55] in die USA auf, wo er schließlich als Flüchtling aus Deutschland aufgenommen wurde. Die Publikationen der amerikanischen Physiker, gerade nach 1926 in zunehmender Zahl auf dem Feld der Quantenphysik, wurden nicht vollständig rezipiert - worüber sich der eine oder andere der Übergangenen auch schon selbstbewußt bei seinem deutschen Kollegen beschwerte.[56]

Fremd war den Deutschen auch der auf Kooperation ganzer Wissenschaftlergruppen ausgerichtete akademische Stil der Amerikaner, während diesseits des Atlantiks doch vorrangig die herausragende Leistung eines einzelnen „Genies" zählte. Theorie und Experiment waren in den USA noch enger verzahnt als in Deutschland, wo sich die Wege beider Subdisziplinen bereits getrennt hatten und die Theoretiker häufig nur herablassend auf ihre in der experimentellen oder angewandten Forschung arbeitenden Kollegen herabsahen.[57] Die Bedeutung des Experiments auch für die Theorie lernten manche der deutschen Nachwuchsphysiker erst in den USA recht schätzen.[58] Mit dieser stark individualistisch ausgerichteten, den 'Geist' des Forschers in den Mittelpunkt rückenden Vorstellung ging auf deutscher Seite auch eine starke Zurückhaltung gegenüber neuen Formen der Forschungsorganisation einher, wie sie sich in den zwanziger Jahren allmählich herauskristallisierten. Namentlich der Großforschung mochte man in Deutschland kaum gute Seiten abgewinnen. Gleichwohl, dieser gehörte die Zukunft, denn die immer aufwendigeren Forschungsprogramme in den nun an Gewicht gewinnenden Feldern der Atom- und Kernphysik, Schlüsselgebieten der modernen Physik seit den dreißiger Jahren, machten es unabdingbar, daß enorme Ressourcen - personeller wie materieller Art - für ihre Zwecke

---

53 Vgl. die Äußerungen Heisenbergs im Interview mit Kuhn, Teil III, 11. Februar 1963, AHQP, 3-5.

54 Otto Laporte im Interview mit Thomas S. Kuhn, Teil II, 31. Januar 1964, AHQP, 30.

55 Victor F. Weisskopf im Interview mit Thomas S. Kuhn und John L. Heilbron, 10. Juli 1963, AHQP, 27.

56 So etwa John H. Van Vleck an Max Born, 19. Oktober 1925; SHQP Mf. 49,3.

57 Am Beispiel der Münchener Institute Heisenberg im Interview mit Kuhn, Teil II, 7. Februar 1963, AHQP, 17.

58 Laporte im Interview mit Kuhn, Teil II, 23.

mobilisiert wurden. Hier waren die Amerikaner unbestritten die Vorreiter. Beispielhaft wurde Großforschung etwa in Berkeley bereits in den späten zwanziger Jahren praktiziert, wo auch die ersten Teilchenbeschleuniger auf Initiative Ernest O. Lawrences errichtet wurden; höchst aufwendige Apparate, deren Bedeutung in Deutschland erst in den vierziger Jahren langsam erkannt wurde.[59]

Mit regelrechter Systematik baute man in den Vereinigten Staaten die Forschungsressourcen aus. Dabei setzte man in der theoretischen Physik nur auf einige wenige Zentren.[60] Am Durchbruch der modernen Physik in den USA dürften kaum mehr als die zwanzig führenden Institute beteiligt gewesen sein. Um deren Arbeit zu fördern, versuchte man auch, hervorragende europäische Naturwissenschaftler für amerikanische Universitäten und Forschungsinstitute anzuwerben, was freilich nur zum Teil gelang.[61] So gewann das California Institute of Technology 1921 mit Paul Epstein einen ausgezeichneten Theoretiker, der, so erwartete etwa sein deutscher Kollege Max Born, die Position der Amerikaner in der internationalen Wissenschaftskonkurrenz erheblich stärken würde: „In experimenteller Hinsicht", schrieb Born, „waren die Amerikaner uns schon lange gleichwertig und in manchem überlegen; jetzt wird auch die Theorie dort zum Leben erwachen, da Sie die Führung übernehmen." Es muß ihn ein wenig Selbstüberwindung gekostet haben, dem hinzuzufügen: „Aber ich bin kein Nationalist und freue mich, wenn Männer gleicher Gesinnung und gleichen Strebens über den Erdball verstreut am selben Ziele wirken."[62] Ganz so gern sah man es in Deutschland zu jener Zeit sicherlich nicht, wenn andere Staaten sich an-

---

59 Vgl. John L. Heilbron, „The First European Cyclotrons", Rivista di Storia della Scienza 3 (1986): 1-44; Burghard Weiss, „Harnack-Prinzip und Wissenschaftswandel. Die Einführung kernphysikalischer Großgeräte (Beschleuniger) an den Instituten der Kaiser-Wilhelm-Gesellschaft", Die Kaiser-Wilhelm-/Max-Planck-Gesellschaft und ihre Institute. Studien zu ihrer Geschichte: Das Harnack-Prinzip, Hg. Bernhard vom Brocke und Hubert Laitko (Berlin-New York: de Gruyter, 1996) 541-60; John L. Heilbron und Robert W. Seidel, Lawrence and His Laboratory. A History of the Lawrence Berkeley Laboratory, Bd. 1 (Berkeley, CA: University of California Press, 1989).

60 Genaue Zahlenangaben sind umstritten. Während Coben, in „The Transmission of Quantum Mechanics", nur 15 Institutionen zählt, kommt Weart auf 20: Spencer R. Weart, „The Physics Business in America, 1919-1940. A Statistical Reconnaissance", The Sciences in the American Context, Hg. Nathan Reingold (Washington, D.C.: Smithsonian Institution Press, 1979) 295-358.

61 Vgl. hierzu auch Coben, „The Transmission of Quantum Mechanics".

62 Max Born an Paul Epstein, 24. Januar 1921; Epstein Papers, Box 1, ACIT.

schickten, den Deutschen die wissenschaftliche Führungsposition streitig zu machen – allem internationalistischen Gerede zum Trotz.[63]

Als echte Konkurrenz schätzte man auf deutscher Seite die amerikanischen Wissenschaftler in den zwanziger Jahren jedoch noch nicht ein, obwohl sich die „frischen, harmlosen Boys“[64] bei ihren Forschungsaufenthalten an europäischen Instituten oftmals längst als ebenbürtig erwiesen.[65] Gerade die jungen Physiker in den Vereinigten Staaten, unter denen J. Robert Oppenheimer sicherlich herausragte und die durch junge, erst am Beginn einer glanzvollen Karriere stehende Europäer wie John von Neumann oder Eugene Wigner verstärkt wurden, standen ihren Kollegen und Altersgenossen aus der Alten Welt in nichts nach. Daher war sich einer der führenden älteren US-Physiker, Robert Millikan, bereits 1927 ganz sicher, den Schlüssel für das Tor zur Zukunft fest in Händen zu halten: „We have now at the [California] Institute [of Technology] the most brilliant group of young physicists I have ever seen together in one place, men who are altogether certain to be the makers of the physics of the next generation.“[66]

Was die Wahrnehmung der deutschen Physiker erheblich verzerrte, war zum einen ihr eingeschränktes Amerikabild, zum anderen die Dominanz politischer Anliegen in den Kontakten mit den Vereinigten Staaten. Waren sie nach Kriegsende zunächst von der internationalen wissenschaftlichen Kommunikation abgeschnitten, wobei sich besonders schmerzlich das Fehlen fremdsprachiger Fachlektüre infolge der miserablen finanziellen Situation bemerkbar machte, so hatten sie doch seit etwa 1922 wieder eine echte Chance zu Kommunikation und Kooperation. Nicht nur die Kontakte ins europäische Ausland wurden wieder zahlreicher, auch die Amerika-Reisen häuften sich. Doch viele ließen sich in der Neuen Welt nur ihr festes Wertesystem bestätigen: „Seit ich in Amerika war“, zog Max Born eine Bilanz seines Aufenthalts 1925/26, „fühle ich verstärkt Europa als Einheit.“[67] Andere verfolgten auf ihrer USA-Reise nicht vorrangig wissenschaftliche,

---

63 Daß sich hinter den internationalistischen Parolen der Weimarer Physiker vorrangig nationale Interessen verbargen, belegt nachdrücklich Paul Forman, „Scientific Internationalism and the Weimar Physicists. The Ideology and Its Manipulation in Germany after World War I“, Isis 64 (1973): 151-80; vgl. auch Metzler, „‘Welch ein deutscher Sieg!’“

64 Arnold Sommerfeld an Theodor von Kármán, 21. Mai 1929; SHQP Mf. 31,11.

65 Rudolf E. Peierls im Interview mit John L. Heilbron, 17. Juni 1963, AHQP, 25.

66 Notizen Millikans über das California Institute of Technology, 14. März 1927; Hale Papers, Box 29.

67 Max Born an Arnold Sommerfeld, 15. Juni 1926; SHQP Mf. 29,11.

sondern politische Interessen, die ihnen den Blick auf den Stand der amerikanischen Forschung verstellten.

Besonders deutlich tritt diese Präferenzverschiebung bei Arnold Sommerfeld zutage, der 1922/23 als Gastprofessor an der University of Wisconsin in Madison lehrte. Gekränkter Nationalstolz ließ ihn bereits im Vorfeld seiner Reise Abstand nehmen von wissenschaftlichem Austausch: „Ich würde ja gewiß gern die astrophysikalische Märchenwelt des Mt. Wilson bewundern und die erstklassige Forschungsanstalt, die die Energie des Hrn. Millikan in Pasadena geschaffen hat. ... Aber es ist mir klar, daß ich mich als Deutschen nicht anbieten werde."[68] Selbst seine unzulänglichen Sprachkenntnisse sollten Sommerfeld nicht davon abhalten, politisch für Deutschlands Interessen einzutreten: „Mein Englisch ist vorläufig so schlecht", gestand er Epstein, „daß ich den politischen Diskussionen zunächst fernbleiben muß; für später rechne ich aber darauf, mit Herren, die mir näher treten, auch über politische Fragen zu sprechen. Wenigstens war diese Möglichkeit für mich bei der Annahme des Wisconsiner Rufes ausschlaggebend."[69]

In einem rückblickenden Bericht über seine Reise, den er unmittelbar nach seiner Rückkehr schrieb, rückte Sommerfeld seine politische Motivation sogar noch weiter in den Vordergrund:

> Im Sommer 1922 kam an mich die Aufforderung, die Karl-Schurz-Gedächtnis-Professur für das Wintersemester 1922/23 an der Staats-Universität Wisconsin in Madison zu übernehmen. Diese Professur ist gestiftet von den Deutschamerikanern Wisconsins, des deutschesten Staates Amerikas, insbesondere von den deutschen Kreisen Milwaukees. Ich fühlte mich verpflichtet, dieser Aufforderung zu folgen, trotz all der Bitterkeit, die Amerikas Verhalten im Kriege und Wilsons Rolle beim Friedensschluß in uns zurücklassen mußte. Denn einmal ist es eine nationale Notwendigkeit für uns, mit den Überresten der deutsch-fühlenden Amerikaner die alten Fäden anzuknüpfen; andrerseits sind wir in unserer verzweifelten Lage darauf angewiesen, bei dem amerikanischen Volke als solchen Verständnis und Mitfühlen für die deutsche Not zu erwecken."[70]

Das tat er auch bei jeder sich bietenden Gelegenheit; selbst als er vor Studenten in Berkeley, CA, einen Vortrag über den Unterschied des deutschen und amerikanischen Universitätssystems hielt, kreisten seine Ausführungen zum großen Teil um die Bitterkeit der deutschen Situation infolge der Kriegsniederlage. In kräftigem Schwarz und Weiß, das den holprigen Sprachstil freilich kaum übertünchen konnte, malte er seinen amerikanischen Zuhörern ein deutliches Bild: „Of course the whole conditions, economical and

68 Arnold Sommerfeld an Paul Epstein, 29. Juli 1922; Epstein Papers, Box 8.
69 Arnold Sommerfeld an Paul Epstein, 24. September 1922; ibid.
70 Arnold Sommerfeld, „Amerikanische Eindrücke", Manuskript o. D. [1923], SHQP Mf. 23,6.

political, are quite opposite. You have in this country the most happy conditions, no enemies, a full supply of all needed material. The conditions in Germany are the worst.... On the other hand, we have in Germany the old scientific tradition."[71] Und gerade auf dieser Tradition beruhe die deutsche Stärke, an welche die amerikanischen Universitäten kaum heranreichen könnten. In experimenteller Hinsicht hätten die Amerikaner zwar ein beachtliches Niveau erreicht – während man in Deutschland auf absehbare Zeit wegen der miserablen wirtschaftlichen Lage eine Blüte der Experimentalphysik nicht erwarten dürfe –, doch das Interesse an theoretischer Forschung sei in den Vereinigten Staaten wohl kaum hinreichend ausgeprägt.[72]

Gleichwohl brachte Sommerfeld aus der Neuen Welt auch physikalische Neuigkeiten mit, insbesondere die Kenntnis des Compton-Effekts, dessen wissenschaftlichem Reiz er sich nicht entziehen konnte: „Was ich bei Ihrer Entdeckung von Anfang an bewundert habe", schrieb er an Arthur H. Compton, als er diesem zum Nobelpreis gratulierte, „war nicht nur die Neuheit und Schönheit des Resultates, sowie auch die theoretische Gestaltung, aus der er hervorgegangen ist, die Überzeugung von der einfachen Größe und von der Allgemeinheit der mechanischen Vorgänge derselben."[73]

Die Formulierung des Compton-Effekts war so zwingend, daß sich umgehend nach Sommerfelds Rückkehr aus den USA das legendäre Münchener Mittwochs-Kolloquium damit zu befassen hatte, wo man sich im übrigen fortan regelmäßig den Fortschritten der amerikanischen Physik widmete.[74] Trotz aller Herablassung und Mißachtung wuchs das Interesse der deutschen Physiker an den Leistungen ihrer amerikanischen Kollegen allmählich, auch wenn sie weiterhin daran festzuhalten versuchten, daß die Sprache der internationalen Physik Deutsch sei. So regte Max Born als Herausgeber der Physikalischen Zeitschrift bereits 1921 an, amerikanische Wissenschaftler mögen dort in deutscher Sprache publizieren, womit er freilich keineswegs nur fachliche Interessen verfolgte: Als Herausgeber sehe er seine Aufgabe darin, schrieb er an Epstein, „die Zeitschrift wieder in die Höhe zu bringen. Auch meine ich, daß unsere deutsche Wissenschaft noch nicht so am Boden liegt wie unser Staat und daß auch die Ausländer sich

---

71 Arnold Sommerfeld, handschriftliche Notizen für einen Vortrag vor Studenten der University of California in Berkeley über den Unterschied zwischen amerikanischen und deutschen Universitäten, o. D. [1922/23], SHQP Mf. 23,6.

72 Ibid., 3, 8.

73 Arnold Sommerfeld an Arthur H. Compton, Entwurf, o. D. [1927], SHQP Mf. 32,7.

74 Vgl. Tagebuch des Münchener Physikalischen Mittwochskolloquiums, SHQP Mf. 20, 103ff.

nicht zu scheuen brauchen, bei uns zu publizieren."[75] Doch unaufhaltsam setzte sich Englisch als lingua franca der internationalen Physik durch; gegen Ende der dreißiger Jahre konnte man ohne solide Sprachkenntnisse „die einschlägige Literatur (natürlich amerikanisch!)"[76] nicht mehr studieren.

Bereits am Ende der vorangehenden Dekade konnte man die amerikanische Physik nicht mehr ignorieren. Zu deutlich waren ihre Leistungen auf experimentellem Gebiet, zu ambitioniert die Wissenschaftler im Bereich der Theorie. Gehaltvolle wissenschaftliche Papers und erste solide Lehrbücher der neuen Quantentheorie von amerikanischen Wissenschaftlern lagen bald vor.[77] Bedeutsamer war aber, daß die Amerikaner neue, zukunftsträchtige Forschungsfelder erschlossen, deren Bearbeitung sie ihren eigenen Stempel aufdrücken konnten.[78] Einige in Deutschland ahnten, daß die Tage der amerikanischen wissenschaftlichen Vorherrschaft bereits angebrochen waren und daß man sich fortan stärker an den Vorgaben aus der Neuen Welt zu orientieren hatte: „Angesichts der sehr schnell aufeinanderfolgenden und sehr großen Fortschritte", schrieb der Herausgeber der Naturwissenschaften 1929 an Epstein,

> die man in Amerika auf allen Gebieten der Naturwissenschaften macht, halte ich es für notwendig, in den Naturwissenschaften eine regelmäßige Berichterstattung einzurichten über die ... in Amerika gemachten Fortschritte. ... daß die Experimentalphysik drüben sehr viel schnellere Fortschritte macht, als das gegenwärtig bei uns der Fall ist, steht fest. [Der Tübinger Physik-Professor] Paschen geht sogar soweit in der Schätzung der amerikanischen Physiker, daß er kürzlich jemandem gesagt hat, wir sollten uns in Deutschland nicht einbilden, immer noch die Führung in der Physik zu haben.[79]

Fazit

Der Wechsel in der wissenschaftlichen Vormachtposition von den deutschen zu den amerikanischen Physikern vollzog sich schleichend binnen weniger Jahrzehnte. Spätestens in den dreißiger Jahren war er im Grunde schon unübersehbar, lange bevor sich die neue wissenschaftliche Supermacht in Hiroshima einer entsetzten Weltöffentlichkeit präsentierte. Natürlich ist der

---

75 Max Born an Paul Epstein, 24. Januar 1921; Epstein Papers, Box 1.

76 Arnold Sommerfeld an Ludwig Hopf, 20. Dezember 1937; SHQP Mf. 31,8.

77 Sopka, Quantum Physics in America, 95ff.

78 Ein deutliches Beispiel hierfür ist die Molekularphysik; vgl. Alexi Assmus, „The Americanization of Molecular Physics", Historical Studies in the Physical Sciences 23 (1992): 1-34.

79 Arnold Berliner an Paul Epstein, 26. Oktober 1929; Epstein Papers, Box 1.

Anteil der Emigranten aus Europa an den Erfolgen der amerikanischen Wissenschaft nach 1933 nicht gering zu veranschlagen, waren unter ihnen doch einige der herausragendsten Vertreter ihres Fachs. Doch die Weichen für die 'Machtübernahme' waren längst gestellt.

Der amerikanische Forschungsstil[80] erwies sich langfristig schließlich als der erfolgreichere. Fehlte den Amerikanern zu Beginn des 20. Jahrhunderts noch weitgehend das Interesse an theoretischer Forschung (und nicht zuletzt auch das notwendige theoretisch-mathematische Instrumentarium), so konnten sie doch auf eine starke experimentalphysikalische Basis bauen. Auf dieser Grundlage entfaltete sich die Theorie, sobald finanzielle Ressourcen dafür bereitgestellt, institutionelle und organisatorische Reformen durchgeführt wurden und die Haltung von Staat, Öffentlichkeit und privaten Organisationen, vor allem philanthropischen Stiftungen, gegenüber der 'reinen' Wissenschaft sich gewandelt hatte. Der Erste Weltkrieg und die durch ihn vermittelte Einsicht in die Notwendigkeit von angewandter wie theoretischer Forschung gleichermaßen brachte aus dieser Perspektive den Durchbruch, zumal er zugleich Einsichten in die Möglichkeiten effizienter und gezielter Forschungsförderung eröffnete. Wissenschaft nahezu jeder Couleur wurde durch ihn zu einem nationalen Anliegen, besonders aber die Physik. Begünstigt wurde die amerikanische Entwicklung dadurch, daß im Gegensatz zu Deutschland, wo noch immer das Vorbild des Generalisten dominierte, eine rasche Spezialisierung der Nachwuchswissenschaftler üblich war.

Der fundamentale Wandel, wie er hier beschrieben wurde, vollzog sich nahezu unbemerkt. Gerade die deutschen Physiker nahmen den Aufstieg ihrer Wissenschaft in Amerika genausowenig wahr, wie sie bereit waren, neue Formen der Forschungsorganisation – zu denken wäre vor allem an die Großforschung – in Deutschland zu übernehmen. Kulturelle Vorbehalte, die sich nach dem Verlust des Weltkrieges noch verstärkten, verstellten ihnen den Blick für sich bietende Chancen. So nahmen die Deutschen auch die Angebote aus den USA kaum wahr, was sich insbesondere an ihrer Nutzung der Rockefeller-Stipendien ablesen läßt. Der transatlantische Austausch litt deshalb unter denselben Belastungen, die auch die Beziehungen der deutschen zu den übrigen europäischen Wissenschaftlern nach 1919 blockierten: Kennzeichnend für die deutsche Physik der zwanziger Jahre war, neben unbestreitbarer fachlicher Brillanz, eine ausgesprochene Selbstbezogenheit.

---

80 Zur kontroversen Diskussion um „nationale Forschungsstile" vgl. Marga Vicedo, „Scientific Styles. Towards Some Common Ground in the History, Philosophy, and Sociology of Science", Perspectives on Science 3 (1995): 231-54.

Anstelle offener Kommunikation und Bemühen um Kooperation wählte man die Isolation, sicher, auf die eigenen Stärken vertrauen zu können und nicht von den Entwicklungen anderer Staaten lernen zu müssen. Das kostete die Deutschen am Ende ihre Führungsrolle, während in den USA am Ende der zwanziger Jahre ein Lernprozeß abgeschlossen wurde, der etwa vier Jahrzehnte zuvor eingesetzt hatte. Fortan war die amerikanische Physik der Fixstern, an dem sich die Wissenschaft weltweit zu orientieren hatte.

Michael Wala

Amerikanisierung und Überfremdungsängste: Amerikanische Technologie und Kultur in der Weimarer Republik

Die in der Zeit der Weimarer Republik hitzig geführte Amerikanisierungsdebatte wird in historischen und literaturwissenschaftlichen Studien häufig als ein Diskurs über Hochkultur vs. Massenkultur, über Beethoven vs. Jazz, Walzer vs. Shimmy untersucht. Dabei machen die in der Literatur immer wieder angeführten Begriffe Taylorismus und Fordismus, die so zentral in der zeitgenössischen Debatte waren, deutlich, daß es hier um mehr ging, daß die Verbindung von Technologie und Kultur im Zentrum des Diskussion stand, und daß im Kern eine Debatte über eine gefürchtete Überfremdung durch Versatzstücke einer anderen „nationalen" Kultur geführt wurde, die den Grundlagen der eigenen, deutschen Kultur entgegengesetzt schien.[1]

Hierbei waren die Vereinigten Staaten zu einem Teil durchaus austauschbar. Was an den Vereinigten Staaten in dieser Zeit zumeist kritisiert wurde, speiste sich oft aus dem Inneren, aus den eigenen Modernitätsängsten: Was Amerikakritiker als bedrohlich empfanden, wurde den USA als Schuld angelastet. Diese Projektion von Modernitätsängsten war in den zwanziger Jahren beileibe nichts Neues, sondern kann bis ins 18. und 19. Jahrhundert zurückverfolgt werden. Amerika mußte auch hier schon als Gegenwelt zu Europa herhalten, als Komplementär zur europäischen Zivilisation, wie Dan Diner in einem Essay über den Antiamerikanismus in Deutschland schreibt. Die USA dienten als eine „Projektionsfläche all jener Bilder und Metaphern,

---

1 Die Literatur zu diesem Bereich ist viel zu umfangreich als daß sie an dieser Stelle auch nur annähernd umfassend aufgeführt werden könnte. Ein jüngeres Beispiel ist Adelheid von Saldern, „Überfremdungsängste. Gegen die Amerikanisierung der deutschen Kultur in den zwanziger Jahren", Amerikanisierung. Traum und Alptraum im Deutschland des 20. Jahrhunderts, Alf Lüdtke, Inge Marßolek und Adelheid von Saldern, Hg. (Stuttgart: Steiner, 1996) 213-44, die aber die übliche Grundlage der Diskussion, die amerikakritischen Schriften von Autoren wie etwa Adolf Halfeld, Amerika und der Amerikanismus. Kritische Betrachtungen eines Deutschen und Europäers (Jena: Eugen Diederichs, 1928), und Fritz Giese, Girlkultur. Vergleiche zwischen amerikanischem und europäischem Rhythmus und Lebensgefühl (München: Delphin-Verlag, 1925), durch Protokolle des Reichstags und des Preußischen Landtags und andere „Materialien, vor allem aus Hannover" (S. 216), ergänzt.

die der Entgegensetzung zu Europa entspringen", Ängste, die „der Moderne geschuldet sind", werden „der Neuen Welt allein aufgelastet".[2] Die Bürgerlichkeit der USA, wie die Obrigkeitsstaatslosigkeit, verwirrten zudem schon damals die Gemüter in Deutschland; ein Gebilde, das mehr Gesellschaft als Staat war, in dem es der kulturellen Zuflucht in die Vergeistigung nicht bedurfte, bürgerliche Kultur gelebt werden konnte, ohne Gegenkultur sein zu müssen, das war befremdlich.

Hier ging es also um ein Unbehagen an den USA, könnte man vielleicht sagen, das viel tiefer geht und zugleich in Ausdruck und Analyse ganz an der Oberfläche bleibt. Gegnerschaft zu den Vereinigten Staaten wird zwar immer wieder durch politische Argumente gefüttert und untermauert, der wahre Anti-Amerikanist in der Weimarer Zeit bedurfte dessen jedoch nicht. Sobald sich die Argumente und Erklärungen nur ein wenig vom Kernpunkt der konkreten politischen Kritik entfernten, gerieten Amerikakritiker auf die Bahn der kulturell-technologischen Ebene, die die konkrete politische Amerikakritik mit einem allgemeinen Ressentiment gegenüber den USA verbinden konnte. Kultur meint hier nicht nur E-Musik, Malerei und „gute" Literatur, sondern Massen- oder populäre Kultur, die Lebenskultur und auch politische, Unternehmens- und industrielle Kultur, Technologie - Kultur also als Ausdruck von kollektiven Erinnerungen, Ideologien, Lebensstilen, wissenschaftlichen Erkenntnissen, technischen Umsetzungen und natürlich künstlerischen Ausdrucksformen, die eine Gesellschaft entwickelt hat.[3] Das Eindringen von Elementen einer anderen, „national" verstandenen Kultur konnte also leicht als eine möglicherweise gefährliche Überfremdung verstanden werden, solange diese Elemente nicht als transnational erkannt wurden, die sich etwa aus den Bedingungen demokratischer föderativer Gesellschaftssysteme oder moderner Industriegesellschaften ergaben.

Schon eine oberflächliche Betrachtung der Entwicklungen im Deutschland der 1920er und frühen 1930er Jahre macht deutlich, warum gerade in

---

2 Dan Diner, Verkehrte Welten. Antiamerikanismus in Deutschland. Ein historischer Essay (Frankfurt/M.: Eichborn, 1993) 11-12. Ähnlich auch Ulrich Ott, Amerika ist anders. Studien zum Amerika-Bild in deutschen Reiseberichten des 20. Jahrhunderts (Frankfurt/M.: Lang, 1991) 229, über den konservativen Antiamerikanismus der Weimarer Zeit.

3 Kultur wäre dann im Grunde eine Art von Kommunikation innerhalb einzelner und zwischen verschiedenen Nationen. Siehe hierzu Akira Iriye, „Culture", Journal of American History 77 (June 1990): 99-100. Iriyes Beitrag ist Teil von „A Round-Table: Explaining the History of American Foreign Relations", ibid., 93-180. Ähnlich auch in Iriye, „Culture and Power: International Relations as Intercultural Relations", Diplomatic History 3 (Spring 1979): 115-28.

dieser Zeit die amerikanische Kultur und Technologie zum Kernpunkt wichtiger Diskussionen wurde. Nach dem verlorenen Weltkrieg und mit dem Ende des Kaiserreiches waren große Bereiche der politischen und gesellschaftlichen Grundlagen Deutschlands obsolet geworden: Die Monarchie war hinweggewischt, die alte Ordnung der Gesellschaft durch die Gleichheit aller vor dem Gesetz ersetzt worden. Der erlittene Werte- und – im genannten weitesten Sinne – Kulturverlust mußte ausgeglichen, neue Möglichkeiten des gesellschaftlichen Ordnungsrahmens nicht nur aufgesetzt, sondern auch angeeignet werden; ein schmerzvoller Prozeß, der nicht nur Hoffnung für Neues, sondern auch den Abschied von bekannten Mustern bedeutete und Ängste über die Zukunft mit sich brachte. Für Deutschland war der Ablösungsprozeß von der Vergangenheit durch die Dolchstoßlegende zusätzlich massiv behindert: Vermeintlich hatte nicht die hergebrachte Ordnung, die aristokratischen Eliten und militärische Führung versagt, und nicht diese wurden für die Niederlage verantwortlich gemacht, sondern diejenigen, die die neuen Werte für das demokratische Deutschland repräsentierten und die Weimarer Republik tragen sollten: die bürgerlichen politischen Parteien.

Da Kultur fast ausschließlich als „nationale" Kultur verstanden wurde, war es kaum vorstellbar, daß Deutschland sich in dieser Phase an den ehemaligen Kriegsgegnern Frankreich, Großbritannien oder gar der UdSSR orientiert hätte. Wie bei dem Bestreben, auf der internationalen politischen und wirtschaftlichen Ebene wieder Weltgeltung zu erlangen, blieben die Vereinigten Staaten einzig möglicher Partner und Vorbild. Hier war die Gegnerschaft nicht so stark emotional besetzt, hatte die militärische Konfrontation erst spät eingesetzt. Der Grund für die Kriegserklärung der Vereinigten Staaten an Deutschland im April 1917 konnte zudem in der Politik und Propaganda der Alliierten und bei einigen Kriegstreibern im Lande gefunden werden. Die Vereinigten Staaten – die amerikanische Wirtschaft und Politik, militärische Macht, Technik, Produktionsweise, amerikanische Kultur und Lebenskultur – verkörperten für viele Deutsche das „Moderne" und oft auch „Bessere". Die USA wurden zum Inbegriff von sozialer Stabilität, zu einem Land, in dem Produktivität und Liberalität nebeneinander existierten. Eine Amerikanisierung Deutschlands bedeutete daher für viele nicht nur die Übernahme von Teilen der amerikanischen Kultur und die Einführung des Taylorismus – die verfahrenstechnische Aufteilung von Produktionsvorgängen in einzelne einfache Arbeitsschritte – , sondern wurde darüber hinaus im Fordismus auch als Möglichkeit einer sozial verantwortlichen Ideologie und Gesellschaftsstruktur begriffen, die Vorbildcharakter für das von innenpolitischen Krisen und Unruhen geschüttelte Deutschland annehmen konnte.[4] Dieser Prozeß der Hinwendung zu Elementen eines neuen Wertesystems wurde jedoch, ähnlich wie bei dem Ablösungsprozeß, durch eine Last behindert: die Gegnerschaft im Krieg, der erst durch das Eingreifen der USA endgültig zu Ungunsten Deutschlands entschieden wurde, aber viel mehr noch von der Legende vom Verrat Wilsons am deutschen Volk, die Lüge vom Dolchstoß des amerikanischen Präsidenten, der erst die militärische Führung zu Verhandlungen bewegt und dann einen gerechten Frieden verhindert habe.[5]

Trotz des hierdurch geschürten Wilson-Hasses in Deutschland zeigten sich jedoch bei der Perzeption der Vereinigten Staaten gerade in den Bereichen Technologie und Kultur erstaunliche und aufschlußreiche Ambivalenzen, die sich auch aus den erzwungenermaßen engeren Kontakten zwischen Deutschen und Amerikanern ergaben: Bis 1923 waren in Teilen des Rheinlandes amerikanische Truppen stationiert. Zwar waren die Regeln gegen die Fraternisierung mit Deutschen zuerst sehr streng, Kontakte gab es dennoch in großer Zahl, und bald wurden auch die Anweisungen nicht mehr strikt durchgesetzt. Die amerikanischen Besatzungssoldaten brachten den Jazz, den Foxtrott und das Erlebnis eines liberalen Lebensstils an den Rhein, der, zusammen mit der allgegenwärtig erkennbaren Produktivität zum Inbegriff von Modernität wurde. Deutsche Zeitschriften wurden bald nicht müde zu behaupten, daß in Amerika jeder ein Haus und ein Auto besitze, daß soziale Mobilität kein Problem und die persönliche Freiheit, die Bürgerrechte gesichert seien.[6]

In Deutschland wurden die Schlagworte Fordismus und Taylorismus – die die enge Verquickung der kulturellen mit den wirtschaftlichen, technischen und politischen Aspekten des Diskurses über die Vereinigten Staaten als Vorbild oder abschreckendes Beispiel umgreifen – besonders durch die Autobiographie von Henry Ford bekannt, ein Werk, von dem in kurzer Zeit mehr als 200.000 Exemplare verkauft wurden. In dieser „Bibel der Weimarer Republik" fanden die Deutschen vieles von dem, wonach sie suchten: Sozialpartnerschaft von Arbeit und Kapital, Rationalisierung und das Versprechen eines unaufhaltsam steigenden Lebensstandards. Anstelle von Klassen- oder Kampfideologien (Erklärungs- und Zukunftsmodelle, die

4 Siehe hierzu besonders Charles S. Maier, „Between Taylorism and Technocracy: European Ideologies and the Vision of Industrial Productivity in the 1920s", Journal of Contemporary History 5 (April 1970): 27-61.

5 Klaus Schwabe, „Anti-Americanism within the German Right 1917-1933", Amerikastudien/American Studies 21.1 (1976): 89-107.

6 Siehe hierzu Keith L. Nelson, Victors Divided: America and the Allies in Germany, 1918-1923 (Berkeley, CA: University of California Press, 1975).

in Deutschland nur zu gut bekannt waren) schien Ford zu belegen, daß das gesellschaftliche Problem in Deutschland nichts weiter war als ein pragmatisch zu lösendes Organisationsproblem. Höhere Löhne würden zu höherer Kaufkraft, Kaufkraft zu höherem Konsum und dies zu höherer Nachfrage, größerer Produktion und wieder zu höheren Löhnen führen – eine Glücksspirale des sozialen Friedens und Wohlstands.[7]

Einige Autoren, die sich mit dem Thema des Anti-Amerikanismus beschäftigt haben, glauben erkannt zu haben, daß die Mehrheit der deutschen Bevölkerung generell pro-amerikanisch eingestellt war; dies zeige sich allein schon an der Tatsache, daß so viele Deutsche in die USA auswanderten.[8] Das überhöht sicherlich den zumeist ökonomisch begründeten Wunsch, in einem anderen Land ein besseres Leben für sich und die Nachkommen zu finden. Die deutsche Bevölkerung mußte sich mit der neuen Situation nach dem Ende des Weltkrieges auseinandersetzen und war von den Umwälzungen betroffen, die mit der Neuordnung des politischen und gesellschaftlichen Lebens einherging. Direkt mögen nur wenige Deutsche etwa die Veränderungen in der Produktion, für die amerikanische Technologie stand, erfahren haben. Die Vereinigten Staaten werden den meisten von ihnen eigentlich eher gleichgültig gewesen sein. Die Glitzerwelt Berlins, die „wilden 20er Jahre", sie fanden in den kleinen Städten und in den Dörfern keinen großen Widerhall. Dies war zu einem überwiegenden Teil die Kultur einer städtischen Elite. Das moderne Amerika, seine gesellschaftlichen Grundlagen und seine Kultur wurde außerhalb Berlins und in einigen anderen großen Städten daher noch gebrochener und selektiver wahrgenommen als dies in den urbanen Zentren der Fall war. Eingedeutschter Jazz und Elemente der amerikanischen Alltagskultur, besonders transportiert durch das Medium Film, erreichten aber auch ein Publikum außerhalb dieses engen

---

7 Maier, „Between Taylorism and Technocracy"; und das Kapitel „Society as Factory", in Charles S. Maier, In Search of Stability: Explorations in Historical Political Economy (Cambridge, MA: Cambridge University Press, 1987) 19-69, das neben einem Nachdruck des vorgenannten Aufsatzes weitere Ausführungen zu diesem Bereich enthält. Siehe hierzu auch Jakob Walcher, Ford oder Marx: Die praktische Lösung der sozialen Frage (Berlin: Neuer Deutscher Verlag, 1925), der zu dem Schluß kommt, „daß Sowjet-Rußland das einzige Land der Welt ist, wo sich die Methoden Fords tatsächlich nach jeder Seite hin als nützlich erweisen werden", daß Ford der UdSSR eigentlich näher stehen müßte als dem „kapitalistische[n] Amerika", da das, was „Ford für die gesamte Produktion fordert: Arbeiten zum Wohle der Allgemeinheit, ... im Kapitalismus undurchführbar [ist]. Das ist aber das Leitmotiv für Sowjet-Rußland"; ibid., 155, 157.

8 Herbert J. Spirpo, „Anti-Americanism in Western Europe", Anti-Americanism: Origins and Context, The Annals 497 (May 1988): 120-132; hier: 126.

Kreises.[9] Vor allem die fast anarchistischen, die gesellschaftlichen Machtverhältnisse durch Slapstick karikierenden Filme von Charly Chaplin wurden nicht nur von der kulturellen Avantgarde in den Städten, sondern auch in Kleinstädten und ländlichen Gegenden häufig gesehen.[10]

Im Filmgeschäft waren die deutsch-amerikanischen Beziehungen während der Zwischenkriegszeit allerdings auch weit mehr als nur eine Einbahnstraße. Schon während der Stummfilmära gingen viele deutsche Schauspieler und Regisseure nach Hollywood. Friedrich Wilhelm Murnau - dessen *Nosferatu* in den USA hochgelobt wurde - drehte in Hollywood; Ernst Lubitsch, Douglas Sirk, Robert Siodmak, Erich von Stroheim, Joseph von Sternberg, Marlene Dietrich, Pola Negri und Emil Jannings sind nur einige Namen aus der Liste der Filmschaffenden, die in Hollywood arbeiteten. Unmittelbar nach dem Krieg hatte Deutschland aufgrund der schwachen Reichsmark noch Filme in die Vereinigten Staaten exportieren können, und es war in den USA sogar zu Protesten gegen eine mögliche Überfremdung der Filmkultur durch deutsche Produkte gekommen, die sich auch aus patriotischen und anti-deutschen Stimmungen nährten. Doch spätestens nach der Währungsreform in Deutschland drehte sich das Verhältnis um.[11]

Erschwerend für die deutsche Filmindustrie kam Ende der 1920er Jahre zudem der Übergang vom Stummfilm zum Tonfilm hinzu, der das Genre des Kunstfilms, für das Deutschland auch im Ausland berühmt gewesen war,

---

9 Michael H. Kater, „The Jazz Experience in Weimar Germany", German History 6 (August 1988): 147.

10 Zur Rezeption von Chaplin in Deutschland siehe Sabine Hake, „Chaplin Reception in Weimar Germany", New German Critique 51 (Fall 1990): 87-111.

11 Während des Krieges hatte Hollywood, teilweise auf Anregung britischer Stellen, auch eine Reihe von Filmen mit anti-preußischen Inhalten produziert, von The Claws of the Hun (1918) und Huns within Our Gates (1918) bis My Four Years in Germany (1918), auf der Grundlage der Erinnerungen des amerikanischen Botschafters James W. Gerards, My Four Years in Germany (London: Hodder and Stoughton, 1917); siehe Anthony Slide, „The Prussian Image on the American Screen", Films in Review 36 (December 1985): 608-18. Dies wurde auch nach dem Krieg bis zum Ende der zwanziger Jahre weitergeführt. Siehe auch das Kapitel „German-American Production in Hollywood", in Tom [Thomas J.] Saunders, „Weimar, Hollywood, and the Americanization of German Culture, 1917-1933" (Diss., University of Toronto, 1985) 247-81. Die Dissertation bildete die Grundlage für Saunders Buch Hollywood in Berlin: American Cinema and Weimar Germany (Berkeley, CA: University of California Press, 1994). Zu den Protesten gegen deutsche Filme in den USA, siehe Jan-Christopher Horak, „Rin-Tin-Tin erobert Berlin oder amerikanische Filminteressen in Weimar", in Filmkultur zur Zeit der Weimarer Republik, Uli Jung und Walter Schatzberg, Hg. (München: Saur, 1992) 255-69.

vorerst zerstörte. Die deutsche Filmindustrie kam zudem mit der neuen Technik nicht zurecht, und erst die Rückkehr von deutschen Regisseuren und Produzenten aus den Vereinigten Staaten zur UFA – Joseph von Sternberg, beispielsweise, für den Film *Der blaue Engel* mit Marlene Dietrich und Emil Jannings – erlaubte den Anschluß an die technische Fortentwicklung. Synchronisation war zu diesem Zeitpunkt noch nicht möglich, und einige der Regisseure drehten Filme für den internationalen Markt in zwei oder drei Sprachen mit oft unterschiedlichen Schauspielern, die die jeweilige Sprache beherrschten. *Der blaue Engel* wurde mit Jannings in englischer Sprache auch in den USA ein Erfolg. Mit den Hunderten von amerikanischen Filmen, die bald in deutschen Kinos gezeigt wurden, erlebte das Kinopublikum aber nicht nur ein bewegtes Abbild der Vereinigten Staaten, wirtschaftliche Prosperität, amerikanische Wolkenkratzer, Gangster und unbekannte weite Landschaften, sondern wurde auch mit amerikanischen Werten und Normen konfrontiert, mit Stereotypen und Vorurteilen, Wünschen und Mythen, gesellschaftlichen Konventionen und Eigentümlichkeiten.[12]

Während Teile der politischen Linken und der künstlerischen Avantgarde die kulturellen Erneuerungen begrüßten, stieß dies auf Ablehnung besonders von Wertekonservativen und der politischen Rechten. Amerikanische Technologie jedoch wurde fast einhellig begrüßt, wenn auch die konsequente Umsetzung der Arbeitsteilung des Taylorsystems zuweilen Unmut erregte. Versuche, wie beispielsweise der Werkbund, zeigen, daß durchaus auch eine Verbindung zwischen Massenproduktion und der handwerklich-künstlerischen Traditionen gesucht wurde.[13] Die Akzeptanz neuer

---

12 Ursula Hardt (Ida Brix), „Erich Pommer: Film Producer for Germany" (Diss., University of Iowa, 1989) 32, Fußnote 19, und S. 172-73, 177-78. Die Anzahl der in deutschen Kinos gezeigten amerikanischen Filme läßt sich nicht genau feststellen. Für 1925 wird allerdings die Zahl von 300 in deutschen Studios und von 351 in amerikanischen Studios produzierten Filmen genannt. Im Jahre 1926 befanden sich in Deutschland insgesamt 487 Filme im Verleih, davon 185 deutsche und 302 amerikanische Produktionen; ibid., 237-38. Saunders, „Comedy as Redemption: American Slapstick in Weimar Culture," Journal of European Studies 17 (December 1987): 253. Auch in den USA gab es Kritik an dem Bild der USA, das sich den ausländischen Zuschauern in den Hollywood-Filmen präsentierte; siehe beispielsweise Charles Merz, „When the Movies Go Abroad", Harper's Magazine 152 (January 1926): 162-165.

13 Mary Nolan, Visions of Modernity: American Business and the Modernization of Germany (New York: Oxford University Press, 1994). Jeffrey Herf hat hierfür den Begriff des „reactionary modernism" geprägt: der Einsatz modernster Technologien, der mit einem Gesellschaftsverständnis einhergeht, das sich an überholten Formen

Technologien mutet stellenweise gar fast wie eine Manie an: Das Taylorsche System war allgegenwärtig; sogar bis in die Haushalte hinein wurden Arbeitsabläufe gemessen, um die jeweils kosten- und zeitgünstigste Methode auszuwählen. Dies geschah mit großer Gründlichkeit, und so wurde „wissenschaftlich“ untersucht, welches das beste Kartoffelschälgerät sei, oder ob es besser wäre, Fußböden immer feucht zu wischen oder sie mit Bohnerwachs zu behandeln. Eine Langzeitstudie über einen Zeitraum von zwei Jahren ergab, daß die taylorisierte Hausfrau mit der Feuchtwischmethode für eine Fläche von 25 qm im Jahr 95 Stunden 41 Minuten und 40 Sekunden aufwenden mußte, bei der – allerdings dreimal so teuren – Bohnerwachsmethode nur 52 Stunden 21 Minuten und 40 Sekunden.[14] Der Haushalt teilte das Schicksal von Betrieben und Fabriken: Hausfrau und Haushalt sollten so rationalisiert werden, wie es die amerikanischen Haushalte vermeintlich schon waren. „Der Haushalt muß“, schrieb Erna Meyer 1922, „genau wie die Werkstatt oder die Fabrik, als eine Produktionsstätte, ein Betrieb verstanden werden“.[15] Diese und eine große Anzahl ähnlicher Informationen wurden durch Erlebnisberichte aus den USA ergänzt: in Druckwerken wie „Rationale Haushaltführung. Praktische Ergebnisse einer amerikanischen Studienreise“, und *Heim und Technik in Amerika.*[16]

Die vermehrte amerikanische Investitionstätigkeit in Deutschland, die der deutschen Industrie amerikanische Technologien und Verfahrenstechniken direkt hätte zuführen können, rief jedoch Befürchtungen einer Überfremdung der heimischen Wirtschaft durch ausländisches Kapital hervor, die an Ängste anknüpften, die noch unter dem Eindruck des verlorenen Krieges und der Kapitalnot der unmittelbaren Nachkriegsperiode entstanden waren.

---

orientiert. Siehe sein Reactionary Modernism: Technology, Culture, and Politics in Weimar and the Third Reich (Cambridge, MA: Cambridge University Press, 1984). Zum Werkbund siehe Joan Campbell, Der Deutsche Werkbund, 1907-1934 (München: dtv, 1989).

14 Siehe die Forschungsberichte in Rationalisierungs-Kuratorium der Deutschen Wirtschaft, Jahresbericht 1929, 141; und Rationalisierungs-Kuratorium der Deutschen Wirtschaft, Nachrichten 3 (August 1929): 219-20; zitiert in Mary Nolan, „'Housework Made Easy': The Taylorized Housewife in Weimar Germany's Rationalized Economy“, Feminist Studies 16 (Fall 1990): 556.

15 Erna Meyer, „Rationalisierung der Verbrauchswirtschaft im Haushalt“, Technik und Wirtschaft (Februar 1922): 116, zitiert in Nolan, „'Housework Made Easy'“, 554.

16 Irene Witte, „Rationale Haushaltsführung. Praktische Ergebnisse einer amerikanischen Studienreise“, International Congress of Scientific Management; Memoiren Bd. 1, Teil 2 (Rom, 1927): 313, zitiert in Nolan, „'Housework Made Easy'“, 575, Fußnote 32; Irene Witte, Heim und Technik in Amerika (Berlin: Verband der Deutschen Industrie-Verlag, 1928).

Diese Überfremdungsängste speisten sich aus dem real empfundenen Abstieg Deutschlands von einer Weltmacht zu einer Nation, deren Handeln durch die Restriktionen des Versailler Vertrages eingeschränkt war, die in der Folge des Dawes-Plans 1924 durch ausländische Agenten kontrolliert und mit Hypotheken belastet wurde, ihre Steuern verpfänden mußte, und deren Schuld bis zum Young-Plan 1929 nicht einmal endgültig festgelegt war und damit als um so schwerwiegender empfunden wurde.

Von einer Gläubigernation in der Zeit vor 1914, durch die Niederlage im Weltkrieg in die ungewohnte Rolle der Schuldnernation gewandelt und auf die Hilfe ausländischen Kapitals angewiesen, fürchtete man in Deutschland die Ausnutzung dieser Position der Schwäche durch die gleichen ausländischen Interessen, in die man die Hoffnung für ein Wiedererstarken der deutschen Wirtschaft legte. Die Vereinigten Staaten, auf deren wirtschaftliche und politische Unterstützung die deutsche Außenpolitik baute, waren als ökonomisch dominierende Macht aus dem Krieg hervorgegangen und wurden schnell als der eigentliche Gegner in der Überfremdungsdebatte ausfindig gemacht. Im Kern dieser Ambivalenz stand der Aufstieg der Vereinigten Staaten zu einer Weltmacht, während Deutschland gerade diese Stellung verspielt hatte. Hier waren, ähnlich wie im kulturellen Bereich und eng mit ihm verknüpft, Amerikahoffnung und Amerikafurcht nur zwei verschiedene Seiten derselben Entwicklung, die weitere Nahrung bot für eine ökonomisch motivierte und oft kulturpolitisch gewandete Amerikakritik.[17]

Zwar hatten Unternehmerverbände die Beteiligung ausländischen Kapitals schon bald nach dem Ende des Krieges für die wirtschaftliche Umstrukturierung Deutschlands von der Kriegs- auf die Friedenswirtschaft für dringend notwendig erachtet, aber in vielen Unternehmen wurde eine mögliche ausländische Kontrolle gleichzeitig durch Satzungsänderungen ausgeschlos-

---

17 Es soll hier nicht die innerdeutsche Agitation aus dem rechten oder dem linken politischen Spektrum gegen Dawes-Plan oder Young-Plan rekapituliert werden, sondern an einigen wenigen Beispielen die Reaktion aus Kreisen der Wirtschaft und deren Umfeld auf die amerikanischen Beteiligungen an deutschen Unternehmen dargestellt werden. Ein häufig angestellter Vergleich zwischen dem Vordringen amerikanischer wirtschaftlicher Interessen in Lateinamerika, dem sogenannten „Dollarimperialismus", und der Beteiligung amerikanischen Kapitals in der deutschen Wirtschaft macht deutlich, in welch hilfloser wirtschaftlicher Lage einige Autoren das Deutsche Reich wähnten. Siehe hierzu Peter Berg, Deutschland und Amerika, 1918-1929. Über das deutsche Amerikabild der zwanziger Jahre (Lübeck: Matthiesen, 1963) 85-93; Schwabe, „Anti-Americanism within the German Right 1917-1933", 102; und Ott, Amerika ist anders. Studien zum Amerika-Bild in deutschen Reiseberichten des 20. Jahrhunderts, 230.

sen, oder aber kleinere Gesellschaften fusionierten vorsorglich mit größeren Unternehmen, von denen man annahm, daß sie weniger leicht unter ausländische Kontrolle geraten könnten. Zudem hatten viele deutsche Unternehmen einen Teil ihrer Aktien in Vorzugsaktien oder Überfremdungsschutzaktien umgewandelt, um im Fall einer Aktienminderheit die Kontrolle über das Unternehmen nicht zu verlieren.[18]

Nachdem Mitte der 1920er Jahre im Gefolge des Dawes-Planes vermehrt amerikanisches Kapital nach Deutschland floß und auch die Firmengründungen und Beteiligungen besonders in den Wachstumsbranchen zunahmen, verstärkte sich der Eindruck, die deutsche Wirtschaft sei von amerikanischen Interessen dominiert. Die Einschätzung von Johann Victor Bredt, Abgeordneter der Reichspartei für den deutschen Mittelstand und Mitglied des Auswärtigen Ausschusses des Reichstages, daß die „Abhängigkeit von der New Yorker Bankenwelt ... für Europa immer unerträglicher [werde] und auf die Dauer ... hier irgendein Gegengewicht geschaffen werden müsse", wurde sicherlich von vielen deutschen Politikern und Unternehmern geteilt, obwohl sie gleichzeitig erkannten, daß ohne amerikanisches Kapital ihre Pläne für die Wiedererlangung der wirtschaftlichen Weltmachtposition Deutschlands vorerst nicht zu verwirklichen waren.[19]

---

18 Heinz Hartmann, Amerikanische Firmen in Deutschland. Beobachtungen über Kontakte und Kontraste zwischen Industriegesellschaften (Köln: Westdeutscher Verlag, 1963) 44-45. Simon Kurz beurteilte 1921 die Ausgabe von mehrstimmigen Vorzugsaktien noch als brauchbares Mittel, um der Gefahr einer Überfremdung entgegenzuwirken; Simon Kurz, Die Überfremdungsgefahr der deutschen Aktiengesellschaften und ihre Abwehr (Leipzig: Gloeckner, 1921) 60. Die „Überfremdungsschutzmaßnahmen" erwiesen sich in den folgenden Jahren allerdings nicht nur als wenig erfolgreich, sondern erleichterten in einigen Fällen sogar, beispielsweise durch die Übertragung von mehrstimmigen Vorzugsaktien, die Übernahme der Kontrolle durch ausländische Kapitalgeber. Siehe hierzu besonders Rafael Bernfeld, „Überfremdung und Überfremdungsabwehr", Die Bank. Monatshefte für Finanz- und Bankwesen, Oktober 1924, 562-72, der darauf hinweist, daß die Gefahren erheblich überschätzt wurden und daß sich das ausländische Kapital bei den Beteiligungen an deutschen Unternehmen in den Jahren unmittelbar nach dem Ersten Weltkrieg sehr zurückhielt. Zu den Abwehrmaßnahmen gegen eine ausländische Kontrolle von Firmen siehe auch U.S. Department of Commerce, Bureau of Foreign and Domestic Commerce, Rights of Foreign Shareholders of European Corporations (Washington, D.C.: GPO, 1929).

19 Johann Victor Bredt, „Deutschlands außenpolitische Lage", Europäische Gespräche 5 (März 1927): 176. Der Staatsrechtler Bredt, Mitbegründer der DNVP, von der er sich aber nach dem Kapp-Putsch abwandte, gehörte dem Reichstag bis 1933 für die Reichspartei des deutschen Mittelstandes (vormals Wirtschaftspartei) an und wurde während der Regierung Brüning von März bis November 1930 kurzzeitig Justizminister.

Als im Sommer 1928 in kurzer Abfolge General Motors (GM) eine Mehrheitsbeteiligung bei der Adam Opel AG erwarb, General Electric (GE) 16 Prozent Anteile von Osram übernahm und die Beteiligung von GE bei der AEG bekannt wurde, die den Anteil von General Electric an der AEG auf etwa 30 Prozent ansteigen ließ, kam es fast zu einer Flut von Zeitungsartikeln in einschlägigen Wirtschafts- aber auch in Tageszeitungen, die die „Überfremdung" der deutschen Wirtschaft proklamierten. Nicht neue Firmengründungen oder die Errichtung von Zweigwerken amerikanischer Muttergesellschaften waren es, die die Gemüter erhitzten, sondern die Beteiligung an einem alteingesessenen Unternehmen, das fast zum nationalen Wirtschaftsinventar zu gehören schien. Die Adam Opel AG war zwar im Automobilbau führend in Deutschland, im Vergleich zu den Produktionszahlen der amerikanischen Kraftfahrzeugfabriken aber eher ein kleineres Unternehmen, und die Beteiligung bei Osram hatte noch den Anschein einer Minderheitsbeteiligung.

Daß mit der Übernahme eines gewichtigen Aktienpaketes der AEG zum ersten Mal „eine Großmacht der deutschen Industrie mit international anerkannter Stellung" unter den entscheidenden Einfluß eines ausländischen Unternehmens geriet, war für viele Wirtschaftsjournalisten, Politiker und Unternehmer ein Alarmsignal. Überschriften, wie „Überfremdung-Ausverkauf?" in der *Frankfurter Zeitung* vom 24. Juli 1929 und „Die Amerikanisierung der deutschen Industrie" in *Die Börse* vom 15. August 1929 zeigen die Tendenz dieser Debatte. Auf besonderes Unverständnis stieß zudem, daß offenbar der Handel zwischen GE und AEG gänzlich einseitig bleiben sollte, daß die AEG keine Beteiligung an GE und auch keine Plätze in dem Board of Directors der General Electric erhalten sollte. Das Gewicht der fünf durch GE zu bestellenden Mitglieder des Aufsichtsrates der AEG fiel besonders auf, da selbst die führende an der AEG beteiligte Bank, die Berliner Handels-Gesellschaft, nur zwei Mitglieder des Aufsichtsrates stellte. Über die Gründe, die die AEG gehabt haben könnte, „praktisch ein Glied des großen General Electric-Konzerns zu werden", konnte das *Magazin der Wirtschaft* in der Ausgabe vom 8. August 1929 nur rätseln. Verglichen mit der Beteiligung von General Motors bei der Adam Opel AG, fuhr das Blatt mit Blick auf die wieder aufgeflammte Überfremdungsdebatte fort, trage die qualifizierte Minderheitsbeteiligung von GE bei der AEG ein weitaus gewichtigeres Merkmal: „Ein Unternehmen wie Opel kann schließlich neu geschaffen werden. Dagegen trägt ein Unternehmen wie die AEG Monopolcharakter". Die „Unterwerfung der AEG unter amerikanische Kontrolle", heißt es in diesem Tenor in der von Gustav Stolper geführten Zeitschrift *Der deutsche Volkswirt* in der Ausgabe vom 9. August 1929 unter dem Thema „Überfremdung", habe auch diejenigen erschreckt, die bisher die weit-verbreitete Sorge vor der Überfremdung der deutschen Wirtschaft „als Gespensterglauben zu belächeln geneigt waren".[20]

Für eine Begrenzung des ausländischen Einflusses auf die deutsche Wirtschaft hatten aber nicht nur Wirtschaftsjournalisten und Politiker, sondern auch der Reichsverband der Deutschen Industrie und solch einflußreiche Geschäftsleute wie Adam Opel und Carl Friedrich von Siemens plädiert. Siemens warf bei einer Ansprache zum 82jährigen Bestehen von Siemens & Halske im Herbst 1929 – in Metaphern gekleidet und ohne Namen zu nennen aber gleichzeitig kaum verhohlen – der Geschäftsleitung der AEG vor, zu früh die Hilfe fremden (amerikanischen) Kapitals in Anspruch genommen zu haben. Den gemeinsamen Interessen von deutschen Arbeitgebern und Arbeitnehmern am Wohle des Landes könnte ein Unternehmen unter ausländischer Kontrolle nicht entsprechen und ein Gemeinschaftsgefühl nicht hergestellt werden, gab Siemens zu bedenken. Das Urteil von Siemens war Ausdruck einer generellen Alarmstimmung, beruhte jedoch auch auf einer Grundeinstellung des Unternehmers, möglichst unabhängig zu bleiben. Hier wurden auch die grundlegenden Unterschiede zwischen Siemens und der AEG deutlich, die als Deutsche Edison-Gesellschaft gegründet, ihre Wurzeln in einem amerikanischen Konzern hatte.[21]

---

20 Georg Katona, „General Electric und AEG", Der deutsche Volkswirt, 9. August 1929, 1535-37, der zu bedenken gibt, daß die „Gesamtheit der deutschen Wirtschaft" gefährdet sei, wenn die „Geschäftspolitik eines ihrer wichtigsten Vertreter von der ausländischen Konkurrenz diktiert wird"; ibid., 1537. Katona hatte noch im März 1929 den Kaufabschluß von Opel durch GM als ein Zeichen dafür gewertet, daß die Zukunftsaussichten der deutschen Wirtschaft von GM offensichtlich positiv eingeschätzt würden, aber hatte sich einer Überfremdungsdebatte zu diesem Zeitpunkt noch nicht angeschlossen; siehe Georg Katona, „General Motors – Opel", Der deutsche Volkswirt, 22. März 1929, 810-12. „Die General Electric in der AEG", Magazin der Wirtschaft, 8. August 199, 1240; „Aus der Woche", Der deutsche Volkswirt, 9. August 1929, 1519.

21 Wilfried Feldenkirchen, „Foreign Investment in the German Electrical Industry (1918-1945)", in Transnational Investment from the 19th Century to the Present, Hans Pohl, Hg. (Stuttgart: Steiner, 1994) Fußnote 48, S. 130. Für die Rede von Siemens siehe den Zeitungsbericht „Siemens gegen A.E.G.", Berliner Tageblatt, 15. Oktober 1929, zitiert in Frank A. Southard, American Industry in Europe (1931; New York: Arno Press, 1976) 185; und Wilfried Feldenkirchen, „Zur Unternehmenspolitik des Hauses Siemens in der Zwischenkriegszeit", Zeitschrift für Unternehmensgeschichte 33.1 (1988): 35, Fußnote 44. Zu Opel siehe Southard, American Industry in Europe, 164. Theodor Lüddecke merkte zu Recht an, daß der Aufkauf deutscher Unternehmen durch Amerikaner auch „in erster Linie eine 'Bedrohung', d.h. Entwurzelung der deutschen Führerschicht in der Wirtschaft [sei]. Das betreffende Werk gedeiht dadurch nicht schlechter"; Theodor Lüddecke, „Amerikanismus als Schlag-

In der Automobilindustrie – wo die Beteiligung von GM bei Opel bereits zu einer durchaus kontroversen Diskussion auch in der amerikanischen Presse über die Investitionen in Deutschland unter den Schlagworten „Dollar-Imperialismus“, „Förderung des Welthandels“ oder auch „Invasion Deutschlands“ geführt hatte – hatte es die deutsche Industrie nicht mit Vorwürfen bewenden lassen. Hier war Opel einer der Führer in den Bestrebungen gewesen, die amerikanische Automobilindustrie möglichst vom deutschen Markt fernzuhalten. Bereits Mitte 1926 hatte der Reichsverband der Automobilindustrie (RDA) deutsche Unternehmen angeschrieben und, an nationale Gefühle appellierend, mit dem Argument zum Boykott amerikanischer Kraftfahrzeuge aufgerufen, daß die Last des deutschen Volkes nicht zusätzlich zu den Reparationsleistungen noch durch den Kauf ausländischer Produkte erschwert werden sollte. Die Unternehmer wurden aufgefordert, in die Zukunft der deutschen Automobilindustrie zu investieren, indem der Reichsverband sie ermahnte, daß die Kraftfahrzeughersteller die von ihnen erwarteten Rationalisierungen in der Produktion und damit einhergehende Preisreduzierungen nicht leisten könnten, wenn sie jetzt bei der Vergabe von Aufträgen nicht berücksichtigt würden.[22]

---

wort und als Tatsache“, Deutsche Rundschau 222 (Januar-Februar-März 1930): 215, Fußnote 1. Dies greift selbstverständlich nur sehr kurz, mag aber mit einer der Gründe gewesen sein, warum sich Unternehmer gegen ein Vordringen des amerikanischen Einflusses in der deutschen Wirtschaft wandten. Zur Entstehungsgeschichte der AEG siehe die informative Ausarbeitung 50 Jahre AEG (Berlin: AEG Abt. Presse-Lehrmittel- und Vortragsdienst, 1956).

22 Für die amerikanische Diskussion siehe beispielsweise die Zusammenfassung des deutschen Generalkonsuls in St. Louis, MO, Ahrens, „Inhalt: Presse des mittleren Westens zur Durchdringung Deutschlands mit amerikanischem Kapital“, an Auswärtiges Amt (AA) über Botschaft Washington, D.C., 20.3.1929, AA, Abt. III, Wirtschaft 14, Ver.St.v.Amerika, „Akten Betreffend: Beteiligung fremden Kapitals in Deutschland“, 47204, Bundesarchiv Abteilungen Potsdam; und auch Louis Domeratzky, „American Industry Abroad“, Foreign Affairs 8 (July 1930): 569-82. Hierzu auch Edelmann, Vom Luxusgut zum Gebrauchsgegenstand. Die Geschichte der Verbreitung von Personenkraftwagen in Deutschland, 112, die diesen Bereich für die Automobilindustrie untersucht hat. Eine ähnliche Argumentation wie in den Schreiben des Reichsverbandes findet sich auch bei Wilhelm Salewski, Das ausländische Kapital in der deutschen Wirtschaft. Tochterunternehmen, Kapitalbeteiligungen und Optionsrechte (Essen: Ruhrverlag W. Girardet, 1930) 74.

Nach scharfen Protesten stellte der Reichsverband diese schriftlichen Ermahnungen ein, schuf aber schon Mitte 1927 wieder einen Propagandafonds, der durch Inserate potentiellen Käufern die Qualität der deutschen Automobile, ihre Betriebssicherheit und Leistungsfähigkeit nahebringen sollte und zugleich an die nationale Verantwortung der Käufer für die deutsche Industrie und die Arbeitsplätze appellierte. Anfang 1928 kehrte die deutsche Automobilindustrie auch wieder zu einer aggressiveren Werbung zurück und versandte Schreiben an Käufer ausländischer Kraftfahrzeuge, deren Anschriften anhand der Zulassungslisten ermittelt worden waren. Die amerikanische Seite ließen diese Aktivitäten weitgehend unberührt: Der deutsche Automobilmarkt war 1928 bei weitem noch nicht gesättigt, und die amerikanischen Produkte konnten nicht nur durch Verarbeitungsqualität, sondern vor allem auch durch den Preis gerade den Kundenkreis mit den höchsten Wachstumsraten, die Käufer von niedrig motorisierten PkW, für sich gewinnen. Durch die Akquisition der Adam Opel AG durch GM erlitten die Bestrebungen des RDA einen schweren

Anzeige finanziert aus Mitteln des Propagandafonds des RDA in der Metallarbeiterzeitung, 1928, S. 56; abgedruckt in Heidrun Edelmann, Vom Luxusgut zum Gebrauchsgegenstand. Die Geschichte der Verbreitung von Personenkraftwagen in Deutschland (Frankfurt/M.: Verband der Automobilindustrie, 1989) 113.

Rückschlag, denn nun war das führende Unternehmen der deutschen Automobilindustrie in ausländische Hände übergegangen.[23]

Generell war das Interesse an Amerika in dieser Zeit enorm, und nicht zufällig erschien jetzt auch eine Flut von Reiseberichten, in denen die Gemeinsamkeiten zwischen Deutschland und den USA und der Beitrag der deutschen Volksgruppe zum Werden der amerikanischen Republik hervorgehoben wurden. Auch die Legende, daß es kurz nach der Unabhängigkeit der USA eine Abstimmung über die zukünftige Landessprache gegeben hätte, bei der die deutsche Sprache nur mit einer Stimme unterlegen sei, wurde zu Beginn der zwanziger Jahre vermehrt wieder kolportiert.[24]

Solche Reise- oder Studienberichte, wie sie auch oft genannt wurden, erschienen nach 1925 in Deutschland in kaum überschaubarer Fülle. In den meisten Fällen ist, gerade auch bei den Studienberichten, nicht so recht ersichtlich, worin der Studienzweck gelegen haben mag – die meisten dieser Reisen waren weder einem abgegrenzten Untersuchungsfeld gewidmet noch besonders vorbereitet. Es ist daher kaum verwunderlich, daß die meisten Autoren solcher Bücher einen Eindruck von den USA erhielten, der nachdrücklich durch ihren eigenen Bezugsrahmen geprägt war und sich an ihrer eigenen Einschätzung der politischen, sozialen und ökonomischen Bedingungen in Deutschland orientierte. Im wilhelminischen Deutschland des 19. Jahrhundert verwurzelt, hatten die meisten der Amerikareisenden keine Möglichkeit, waren intellektuell nicht flexibel genug, sich abseits der Be-

---

23 Der Handelsattaché der amerikanischen Botschaft in Berlin bemerkte in einem Schreiben vom 26. Februar 1926, „[t]hat in the long run competition based on a quality appeal and not on an appeal to nationalism works out better for both parties"; zitiert in Edelmann, Vom Luxusgut zum Gebrauchsgegenstand, 113.

24 Diese Legende wird auch als Mühlenberg-Legende bezeichnet, da oft behauptet wird, der erste Sprecher des Repräsentantenhauses, Frederick Augustus Conrad Mühlenberg, habe die entscheidende Stimme gegen die Einführung der deutschen Sprache als Landessprache abgegeben. Siehe hierzu Otto Lohr, „Deutsch als 'Landessprache' der Vereinigten Staaten?", Mitteilungen der Akademie zur Wissenschaftlichen Erforschung und zur Pflege des Deutschtums / Deutsche Akademie, November 1931, 283-290. Lohr berichtet, daß offensichtlich auch Gustav Stresemann der Ansicht gewesen sei, daß die Legende auf Tatsachen beruhe. Er hätte in einem Aufsatz über seine USA-Reise im Herbst 1912 darüber geschrieben und sei um einen Beleg gebeten worden. Lohr gibt an, daß sich ein Brief Stresemanns an die Redaktion der New Yorker Staatszeitung mit der Bitte um weitere Informationen in dieser Sache in seinem Besitz befinde. Informelle regelmäßige Befragungen von Teilnehmern an Proseminaren zur amerikanischen Geschichte an der Friedrich-Alexander-Universität Erlangen-Nürnberg in der Zeit von 1988 bis 1999 haben ergeben, daß diese Legende auch heute noch in den Schulen der Bundesrepublik vermittelt wird.

wunderung der amerikanischen Technologie den anderen, fremden Gesellschaftsgrundsätzen in den USA offen zu nähern und wurden oft durch die komplexe und vielschichtige Gesellschaftsstruktur überfordert. Ihre Reaktionen waren daher eher emotional als intellektuell, und die Beobachter sahen meist nur, was sie sehen wollten, um vorgefaßte Urteile zu bestätigen und Befürchtungen zu untermauern.[25] Friedrich Schönemann, der *spritus rector* der modernen Amerikastudien in der Weimarer Zeit, schrieb später über diese Publikationen, daß wohl nirgendwo so viel Halbwissen über die USA gedruckt worden sei wie in Deutschland.[26]

Prägnant läßt sich dies etwa an den Reaktionen und Urteilen von Fachleuten des Reichswehrministeriums beschreiben, die die Vereinigten Staaten in der Zwischenkriegszeit besuchten und das Land mit einer Mischung aus Bewunderung für die wirtschaftliche und technologische Leistung und gleichzeitig mit kulturellen Vorurteilen erlebten. Obwohl es sich bei ihnen zumeist um Auslandsexperten handelte, konnten auch sie ihren vorgefaßten

---

25 Ott, Amerika ist anders, passim; Earl R. Beck, Germany Rediscovers America (Tallahassee, FL: Florida State University Press, 1968). Der Autor dieser umfassenden Arbeit über das deutsche Amerikabild während der Weimarer Republik urteilt: „[I]t seems obvious that the majority of visitors to the United States during the Weimar era came to see what they wanted to see – to enjoy the satisfaction of bolstering preexistent fears, of reinforcing pre-existent judgements"; ibid., 231. Diese Gefahr wurde durchaus auch schon von Zeitgenossen erkannt. Theodor Lüddecke schrieb 1930 in der Deutschen Rundschau: „Ich kenne viele deutsche Amerikafahrer, die den Amerikanismus als kalte, satanische Angelegenheit schildern – weil sie drüben das Rennen nicht durchhalten konnten. Sie konnten ihr Gehirn von den europäischen Hemmungen nicht freimachen. Sie brachten nicht einmal die nötige Frische auf, um den Amerikaner auch nur zu verstehen"; Lüddecke, „Amerikanismus als Schlagwort und als Tatsache", 214-21, hier S. 217. Adolf Halfeld, einer der schärfsten konservativen Kritiker des amerikanischen Einflusses in Deutschland, merkt gleich im ersten Absatz seines Buches an, daß er die Vereinigten Staaten „immer zunächst aus den geistigen Kämpfen des eigenen Kontinents heraus" beurteile; Halfeld, Amerika und der Amerikanismus, ix.

26 Friedrich Schönemann, Die Vereinigten Staaten von Amerika (Stuttgart: Deutsche Verlags-Anstalt, 1932) 1: xiii. Schönemann ging 1911 in die USA und lehrte zuerst am Hunter College, New York, NY, um von 1913 bis 1920 als instructor für Deutsch an der Harvard University zu unterrichten. Ein Jahr nach seiner Rückkehr nach Deutschland verfaßte er eine Thesenschrift mit dem Titel Amerikakunde – Eine zeitgemäße Forderung (Bremen: Angelsachsen-Verlag, 1921), die sich für die Etablierung von systematischen Amerikastudien einsetzte. Hierzu und zur Entwicklung der Amerikastudien allgemein siehe Christian H. Freitag, „Die Entwicklung der Amerikastudien in Berlin bis 1945 unter Berücksichtigung der Amerikaarbeit staatlicher und privater Organisationen" (Diss., Freie Universiät Berlin, 1977) 99-100, 102-107.

Urteilen nicht entkommen. So lobte der zur Auslandsaufklärungsabteilung „T 3" gehörende Hauptmann Friedrich Nagel 1925 im Abschlußbericht über seine dreimonatige Reise zwar „die *Automobilisierung des Landes durch Henry Ford*", die er zur „größte[n] Tat" erklärte, merkte aber auch an, daß durch das Auto und die Fahrstühle die Amerikaner viel an körperlicher Bewegung eingebüßt hätten. Diesem Mangel würde durch sportliche Betätigung abgeholfen. Gängige Metaphern wiederholend, bezeichnete er die amerikanische Kultur als „rein mechanische"; es stehe dahin, „ob die Amerikaner verstehen, sie in eine geistige einmal umzusetzen, wenn das bei weitem noch nicht ganz erschlossene Land zu einem gewissen Stillstand der wirtschaftlichen Entwicklung gekommen ist".[27] Ein verbreitetes Vorurteil über die USA wiedergebend, meinte er, Amerika sei „*noch ein Kolonialland* und als solches auch zu beurteilen. Allerdings ein Kolonialland mit größter Zukunftsaussicht."[28] Bedenklich, schrieb Nagel, seien allerdings „das Schwinden von Religion, des Familiensinns, Verringerung des Nachwuchses, die ungesunde Verschiebung der Stellung der Frau zu Ungunsten des Mannes und das Zunehmen von Verbrechen".[29]

Einem anderen Reichswehroffizier, dem zuständigen Referenten für die Vereinigten Staaten im Reichswehrministerium, Major Oskar von dem Hagen, schien es besonders der „amerikanische Volkscharakter" angetan zu haben. Trotz seines kurzen Aufenthaltes von nur sieben Wochen im Spätsommer 1928 glaubte von dem Hagen, zu dieser „psychologisch am meisten umstrittene[n]" Frage Stellung nehmen zu müssen, gerade auch, schrieb er, weil sein „nicht durch Sachkenntnis getrübte[s] Urteil seine Berechtigung" habe. Von dem „Gesehenen und Gehörten" leitete von dem Hagen seine Analyse über den amerikanischen Volkscharakter und dessen Entstehungsgeschichte ab. Es klingt wie eine krude und durch Karl-May-Lektüre inspirierte Frontier-Theorie, wenn von dem Hagen schreibt:

> Er [der Volkscharakter] bildete sich im Kampf mit den eingeborenen Indianern, die den eingewanderten Europäer zum Zusammenleben in sicherem Lager [Camp] zwang. Der Camp ist daher gewissermaßen die Urzelle des Familien- und Gesellschaftslebens. Von hier aus machte er sich die Bevölkerung und das Land untertan. Zu einer Zeit als man in Mitteleuropa schon in einer hohen Zivilisation lebte, also etwa Mitte des vorigen Jahrhunderts (Chicago hatte 1831 hundert Einwohner), wurden in den mittleren und westlichen Staaten Nord-Amerikas die primitivsten Rechtsbegriffe wie der Besitz von Land, Wasser und Frau nicht vor dem

---

27 Nagel, „Bemerkungen über Amerika", 11, datiert vom 19.8.1925, und „Geheim" gestempelt, Generalstab des Heeres, (RH 2) /1820, Bundesarchiv-Militärarchiv, Freiburg (im folgenden mit BA-MA abgekürzt).

28 Siehe hierzu Beck, Germany Rediscovers America, 155.

29 Nagel, „Bemerkungen über Amerika", 12, RH 2/1820, BA-MA.

> Amtsgericht sondern mit Dolch und Pistole unter sich oder im Kampf mit den Eingeborenen ausgefochten. Diese Erziehung gibt m.E. dem Amerikaner seine guten Nerven, seine Wagelust, den rücksichtslosen Einsatz seiner Person und seine Brutalität aber begründet auch die besonders geachtete Stellung der Frau in diesem Lande, die anfangs nur in wenigen Exemplaren vorhanden, stark umworben war.[30]

Der Machtverlust nach dem Versailler Vertrag war schon schmählich genug gewesen: Deutschland entmannt, nur mit einem Rumpf an Streitkräften. Mit der Amerikanisierung, fürchteten nun einige Betrachter, würde auch in der inneren Struktur der Gesellschaft eine Machtverschiebung stattfinden, es würden bald amerikanische Verhältnisse auch im Verhältnis der Geschlechter zueinander eintreten und das natürlich scheinende Verhältnis zwischen Mann und Frau würde aufgelöst. In den USA hatte dies vermeintlich schon zu einer Feminisierung der Gesellschaft geführt, der Mann sei der Frau hörig. Über die größere soziale Macht der Frauen in den USA und den damit einhergehenden Rangverlust des Mannes herrschte fast schon Alarmstimmung im Deutschland der 20er Jahre. Das Schlagwort von der „Venus Cosmetica" und das Gespenst der „Girlkultur" entstanden.[31]

Ganz offensichtlich war dies eine Projektion der eigenen Ängste. Die veränderte Produktionsstruktur hatte in Deutschland, wie schon in den USA, dafür gesorgt, daß vermehrt Frauen in der industriellen Produktion einen Arbeitsplatz fanden. 1925 waren mehr als 35 Prozent der Beschäftigten Frauen, davon zweidrittel unverheiratet. Das gestiegene Selbstbewußtsein der Frauen nach der Verleihung des Wahlrechts, praktizierter Individualismus und die veränderte Sexualmoral führten nicht nur unter Konservativen, sondern auch unter linksgerichteten Arbeitern und Angestellten

30 Von dem Hagen hatte sich von Ende Juli 1928 bis Mitte September 1928 in den USA aufgehalten. Von dem Hagen, „Erfahrungsbericht des Major v. dem Hagen über seinen Aufenthalt in den Vereinigten Staaten, 30.7. bis 15.5.1928", November 1928, 27-28, RH 2/1822, BA-MA. Diese Ansichten über die USA finden sich in vielfältiger Form in den populärwissenschaftlichen Abhandlungen der 1920er Jahre über die USA, so auch in Giese, Girlkultur. Vergleiche zwischen amerikanischem und europäischem Rhythmus und Lebensgefühl, 105, in dem Kapitel „Frauenstaat und Männerrecht"; oder schon früher bei Fritz Voechting, Über den amerikanische Frauenkult (Jena: Eugen Diederichs, 1913).

31 Hans Tausil stellt den Zusammenhang zwischen der Schönheit der amerikanischen Frauen und den Produkten der Kosmetikindustrie her; Tausil, „Venus in Amerika", Deutsche Allgemeine Zeitung, 24. November 1926, zitiert in Beck, Germany Rediscovers America, 137. Siehe das Kapitel „America's 'Venus Cosmetica'" in ibid., 137-52. Diner, Verkehrte Welten. Antiamerikanismus in Deutschland, 24-25. Siehe hierzu auch Giese, Girlkultur, der das Thema im Kontext der „Körperbildung" behandelt.

und Feministinnen der alten Schule zu Befürchtungen. Die jungen arbeitenden Frauen würden möglicherweise eine Heirat und das Eheleben unattraktiv und langweilig finden, glaubte man, wenn sie erst städtische Vergnügungsmöglichkeiten und sexuelle Abenteuer genossen hätten. Empfängnisverhütung und die Möglichkeit zur Abtreibung, stimmten linke Arbeiter und Feministinnen überein, sollten für Frauen möglich sein, der Bubikopf wurde als praktische und hygienische Erneuerung akzeptiert, aber Make-up, da waren sie sich einig, war nicht akzeptabel.[32]

Für viele Amerikakritiker also waren Technologie und Kultur Gegensätze. Das eine hatte mit dem anderen nichts zu tun – so wie das „reine" Geistige mit dem „kruden" Materiellen nichts gemein haben konnte. Erst die geistige Durchdringung von Zivilisation (verstanden als Nutzung von Technologie zur Verbesserung der Lebensqualität) ließ „Höherwertiges", ließ Kultur entstehen. Für diejenigen, die die USA, positiv, als Vorwegnahme der eigenen Zukunft begriffen, waren aber oftmals Kultur und Technologie nicht nur miteinander vereinbar, sondern waren voneinander durchdrungen, bedingten einander. Die künstlerischen und intellektuellen Eliten, die Avantgarde, die nicht den traditionellen und romantischen Idealen nationaler deutscher Kultur nachhing, konnte ebenso wie viele Industrielle in den USA ein Vorbild erkennen. Technologie, Stadtleben, Massenkonsum und Massenkultur waren die neuen Leitlinien, Phänomene wie Sport, Jazz, Hochhäuser – bis dato häßliche Zeichen fehlender Kultur – die Symbole und Leitsterne einer neuen, besseren, moderneren Zukunft. Die Architektur des Bauhauses, moderne deutsche Malerei, die Stücke und die Musik von Brecht und Weill, sind typische Ausdrücke dieses Erlebens, das sich aus den sozialen und politischen Verhältnissen in Deutschland speiste und teilweise mit einem Bild von Amerika verquickt wurde, das oft hochgradig individuell geprägt war und häufig mit der Realität in den USA nicht in Einklang stand.[33] Aber auch hier stand neben der Bewunderung immer auch eine

---

32 Atina Grossmann, "Girlkultur or Thoroughly Rationalized Female: A New Woman in Weimar Germany?", Women in Culture and Politics: A Century of Change, Judith Friedlander et al., Hg. (Bloomington, IN: Indiana University Press, 1986) 62-80. Die Informationen über die Sicht linker Arbeiter und Feministinnen der jungen arbeitenden Frauen entstammt einer Umfrage, die Erich Fromm 1929 durchführte; ibid., 67.

33 George Grosz war sicherlich ein etwas extremes Beispiel für die Amerikaphilie deutscher Künstler der Avantgarde, bietet aber ein eindringliches Beispiel für ein Verständnis von Amerika, das kaum an der Realität orientiert war. Grosz hatte seinen Vornamen anglisiert und lebte bereits zum Ende des Ersten Weltkrieges, von Karl-May- und James-F.-Cooper-Lektüre inspiriert, in seinem zu einem Wigwam umgewandelten Studio, in dem er seine Besucher darin unterrichtete, sich wie Amerikaner

große Skepsis, oft schroffe Enttäuschung, über den Gegensatz zwischen dem Anspruch der „Idee Amerika", dem „American Dream", und den realen sozialen Verhältnissen in den Vereinigten Staaten. Reinhold Wagnleitner analysiert dies prägnant als eine „doppelte Entfremdung, formuliert von enttäuschten Liebhabern, die selbst schon lange ihre eigene Unschuld verloren hatten und einfach nicht einsehen mochten, daß die Jungfräulichkeit ihrer transatlantischen Geliebten nie mehr war als ein europäisches Hirngespinst."[34] Rhetorisch - aber nicht inhaltlich - traf sich hier der anti-individualistische Anti-Kapitalismus der linken Avantgarde mit dem anti-egalitären Anti-Demokratismus aus dem konservativen Lager.[35]

An dieser Ambivalenz änderte auch der weitaus intensivere Kontakt mit Amerikanern in der Nachkriegszeit (durch die Besatzungssoldaten im Rheinland, Journalisten und Künstler, Geschäftsleute und Ingenieure) nichts. Im Berlin der Hyperinflation siedelten sich einige Amerikaner an, die - wie etwa auch ausländische Studenten - von dem niedrigen Wert der Mark profitierten. Unter ihnen befanden sich auch Literaten der sogenannten „Lost Generation", die in dem Gefühl, in einer Übergangszeit zu leben, versuchten, mit Traditionen zu brechen und im selbstgewählten Exil in Paris und anderen Orten Europas lebten. „Following the Dollar", schrieb diese Stimmung einfangend Malcolm Cowley, einer dieser Schriftsteller, in der Zeitschrift *Broom*, „ah, following the dollar, I learned three fashions of eating with the knife and ordered beer in four languages from a Hungarian waiter while following the dollar eastward along the 48th degree of north latitude - where it buys most, there is the Fatherland". Bei einer Umtauschrate von 4,2 Billionen Mark für einen Dollar, zum Höhepunkt der Inflation Ende 1923, konnten sie - vom Berliner Volksmund „Valutaschweine" tituliert - ein Leben in Luxus führen. Ein einziger Dollar reichte in dieser Zeit, um ein Zimmer für einen Monat zu mieten; ein Monatsgehalt von 100 Dollar ermöglichte ein Luxusapartment, zwei Bedienstete, Reitstunden für die Gattin, Besuche der besten Restaurants, Reisen, Konzertbesuche und

---

zu verhalten: Er lehrte sie zu boxen, Pfeife zu rauchen, zu photographieren, Lieder der Schwarzen zu singen und zu Ragtime-Musik zu tanzen; Beth Irwin Lewis, George Grosz: Art and Politics in the Weimar Republic (Princeton, NJ: Princeton University Press, 1991) 23-26.

34 Reinhold Wagnleitner, Coca-Colonisation und Kalter Krieg. Die Kulturmission der USA in Österreich nach dem Zweiten Weltkrieg (Wien: Verlag für Gesellschaftskritik, 1991) 27.

35 Siehe hierzu Anton Kaes, „Brecht und der Amerikanismus im Theater der 20er Jahre: Unliterarische Tradition und Publikumsbezug", Sprache im technischen Zeitalter 56 (1975): 359-71; und auch Ott, Amerika ist anders, 229-30.

sogar kleinere finanzielle Unterstützungen für notleidende deutsche Literaten.[36] Dies blieb allerdings die Ausnahme. Nur wenige konnten die Atmosphäre ertragen, in der für ein paar Dollar alles zu haben war.[37]

Zu den bedeutendsten amerikanischen Künstlern, die sich längere Zeit in Berlin aufhielten, gehörten der Maler Marsden Hartley und der Schrifsteller Sinclair Lewis. Lewis' Hauptquartier wurde bald die Bar im berühmten *Hotel Adlon* mit seiner Schar von amerikanischen und britischen Journalisten. „One of the most agreeable spots in America", nannte er zynisch diesen Ort in einem Beitrag für die amerikanische Zeitschrift *The Nation*, der unter dem bissigen Titel „An American Views the Hun" erschien. In Berlin lernte er seine spätere Ehefrau Dorothy Thompson kennen, vollendete seinen Roman *The Man Who Knew Coolidge* und schrieb den ersten Entwurf für den Roman *Dodsworth*, in dem es zahlreiche Parallelen zwischen Lewis' Leben in Deutschland und den Erfahrungen seines Protagonisten gibt und in dem das Berlin der 1920er Jahre ein Hauptschauplatz der Ereignisse ist.[38]

Im Bereich der ernsthaften Musik nahm Berlin schon bald nach dem Kriegsende wieder einen hohen Stellenwert ein. Viele amerikanische Sänger, Musiker und Komponisten kamen nach Berlin, um an der Hochschule für Musik oder an der Akademie der Künste zu studieren, oder versuchten, wie George Antheil (dessen mechanische und an Alltagsklängen und Maschinenarbeit orientierte Kompositionen in den USA nur wenig Anklang fanden),

---

36 Malcolm Cowley, Exile's Return: A Literary Odyssey of the 1920s (1956; New York: Penguin, 1976) 81-84, 133; James Lee Colwell, „The American Experience in Berlin During the Weimar Republic" (Diss., Yale University, 1961) 119-37. Auch die Zeitschrift *Broom* folgte diesem Kurs und war von den Herausgebern wegen des vorteilhaften Wechselkurses von Italien nach Deutschland transferiert worden. Zu den Europareisen von Amerikanern siehe auch Foster Rhea Dulles, Americans Abroad: Two Centuries of European Travel (Ann Arbor, MI: University of Michigan Press, 1964), besonders das Kapitel „Between Two Wars", ibid., 153-68.

37 Cowley, Exile's Return, 81. Cowley beschreibt diese Situation recht eindringlich in einer kurzen Geschichte: Eines Tages wollte ein Mann eine Schachtel Streichhölzer bezahlen – der Preis betrug zu dem Zeitpunkt 10 Mark – als sein Blick auf die Banknote fiel. Dort stand: „Für diese 10 Mark habe ich meine Unschuld verkauft". Er schrieb eine lange, rührende Geschichte über dieses Erlebnis, erhielt dafür 10.000 Mark Honorar und kaufte dafür seiner Geliebten ein paar kunstseidene Strümpfe.

38 Hartley war schon vor dem Krieg über Paris und München – wo er mit Kandinsky und Marc zusammentraf – nach Berlin gekommen. Er wandte sich von 1921 bis Ende 1923 von der abstrakten Malerei ab und schuf, erstaunlicherweise in Berlin, seine dramatischen New-Mexico-Landschaften, die zu den besten Werken seiner frühen Schaffensperiode zählen; Colwell, „The American Experience in Berlin During the Weimar Republic", 88-104, 138-50, 152.

in Deutschland Werke zur Aufführung zu bringen.[39] Der Jazz kam erst nach Deutschland, nachdem er in Frankreich bereits einige Jahre zur kulturellen Szene gehörte. In Frankreich waren während des Krieges Bands der U.S. Army zur Truppenunterhaltung aufgetreten, die aus schwarzen Jazzmusikern bestanden, und einige der Mitglieder waren nach dem Waffenstillstand in Paris geblieben. Jazzmusik, anders als in unserem heutigen allgemeinen Verständnis von Jazz, war während der 1920er Jahre fast ausschließlich Tanzmusik zu Foxtrott, Shimmy, Charleston und Tango – moderne Tänze, die den Walzer des 19. Jahrhunderts verdrängt hatten. In Deutschland wurden zuerst Schallplatten mit Jazzmusik verkauft; die Deutsche Grammophon übernahm amerikanische Plattenlabels und vertrieb beispielsweise schon früh Aufnahmen von Louis Armstrong. Erst nach dem Aufbau von Radiosendern wurde allerdings eine größere Anzahl von Zuhörern durch Tanzmusiksendungen für den Jazz gewonnen.[40]

Zur Mitte der zwanziger Jahre traten zum ersten Mal amerikanische Jazzmusiker in Berlin auf. Das aus schwarzen Musikern bestehende Orchester von Sam Wooding, das zusammen mit der Revue *The Chocolate Kiddies* (die mit 40 Sängern und Tänzern das Nachtleben in Harlem und das Leben auf den Plantagen des amerikanischen Südens darstellte) auftrat, feierte 1925 erste Triumphe. Als Josephine Baker 1926 nach Berlin kam, hatte die Jazz- und Amerika-Begeisterung bereits ihren Höhepunkt erreicht.[41] Joseph Wood Krutch berichtete 1928 in der amerikanischen Zeitschrift *The Nation*, daß in Berlin die moderne amerikanische Kultur (oder auch das, was dafür gehalten wurde) zum Teil so stark adaptiert werde, daß man sich für amerikanischer als die Amerikaner halte.[42] Die Bühnen spielten amerikanische Stücke (ins Deutsche übersetzt und daher oft ihres Sprachwitzes beraubt), „Negerbands" traten auf, und Jazz wurde in der Unterhaltungsmusik, aber auch in der zeitgenössischen ernsten Musik aufgegriffen. Ernst

39 Antheils *Transatlantic* wurde zwar am 25. Mai 1930 in Frankfurt uraufgeführt, hatte aber trotz guter Kritiken nur insgesamt sechs Vorstellungen; siehe Susan C. Cook, Opera for a New Republic: The 'Zeitopern' of Krenek, Weill, and Hindemith (Ann Arbor, MI: UMI Research Press, 1988) 180-82, 218. Siehe auch Antheils Autobiograpie Bad Boy of Music (Garden City, NJ: Doubleday and Doran and Co, 1945). Colwell, "The American Experience in Berlin During the Weimar Republic", 153-85.

40 Susan C. Cook, „Jazz as Deliverance: The Reception and Institution of American Jazz During the Weimar Republic", American Music 7 (Spring 1989): 31.

41 Siehe die Einleitung „The Ambiguous Culture: Jazz in the Weimar Republic", in Michael H. Kater, Different Drummers: Jazz in the Culture of Nazi Germany (New York; Oxford U. Press, 1992) 3-28.

42 Joseph Wood Krutch, „Berlin Goes American", The Nation, 16. Mai 1928, 564-65.

Krenek komponierte die Jazz-Oper „Johnny spielt auf“, die mit über 420 Aufführungen in 45 Häusern im Jahr 1927 zu einem großen Erfolg wurde.[43]

Hunderte amerikanischer Jazzmusiker fanden Beschäftigung in Berlin oder gingen auf Tournee durch Deutschland. Ein Beispiel ist der amerikanische Musiker Michael Danzi, der im November 1924 nach Deutschland kam. Er spielte Jazz und Tanzmusik mit den verschiedensten Bands in allen größeren Städten und wurde auch von Komponisten neuerer ernster Musik herangezogen. So bat ihn Kurt Weill im Juni 1930, mit einigen weiteren amerikanischen Jazzmusikern das Berliner Symphonieorchester zu unterstützen, um bei der Berliner Premiere der Oper „Aufstieg und Fall der Stadt Mahagonny“ von Brecht und Weill - Brechts Vision des unbarmherzigen Amerikas zur Zeit des Goldrausches - für die „amerikanischen Töne“ zu sorgen.[44]

Das flächendeckend weitaus erfolgreichste Medium war jedoch zweifellos das Kino. In den folgenden Jahren ermöglichte die große Produktivität Hollywoods und der Reiz von Glück, Zufriedenheit und Wohlstand, den die Inhalte der meisten der in Hollywood gedrehten Filme ausstrahlten, daß etwa die Hälfte der fast 500 abendfüllenden Filme, die pro Jahr in Deutschland gezeigt wurden, aus amerikanischer Produktion stammten. Mit wenigen Ausnahmen stammten auch alle Kurzfilme, die in deutschen Kinos gezeigt wurden, aus den USA. Ein „Film-Krieg“ um Marktanteile wurde bereits 1921 von der Zeitschrift *Die Weltbühne* ausgerufen, aber schon im November 1925 zwangen finanzielle Nöte die größte deutsche Filmgesellschaft, die UFA, Vertriebsverträge mit amerikanischen Studios abzuschließen, die den amerikanischen Filmen einen großen Anteil an den Vorführun-

---

43 John Warren, „Ernst Krenek and Max Brand: Two Austrians at the 'Court' of Weimar“, German Life and Letters 41 (July 1988): 467-78, hier S. 468; Cook, Opera for a New Republic: The 'Zeitopern' of Krenek, Weill, and Hindemith, 217.

44 Michael Danzi, as told to Rainer E. Lotz, American Musician in Germany 1924-1939: Memoirs of the Jazz, Entertainment, and Movie World of Berlin During the Weimar Republic and the Nazi Era - and in the United States (Schmitten: Rücker Verlag, 1986) 58. Danzi erinnert sich fälschlich, daß die Berlin-Premiere, an der er mitwirkte, auch die Uraufführung gewesen sei; diese fand am 9. März 1930 am Neuen Theater in Leipzig statt. Siehe hierzu auch Michael H. Kater, „The Revenge of the Fathers: The Demise of Modern Music at the End of the Weimar Republic“, German Studies Review 15 (May 1992): 295-315. Zu Brechts Amerika-Bild siehe Patty Lee Parmalee, Brecht's America (Athens, OH: Ohio State University Press, 1981); und Jürgen Schäfer, „Brecht und Amerika“, in Bertolt Brecht - Aspekte seines Werkes, Spuren seiner Wirkung, Helmut Koopmann und Theo Stammen, Hg. (München: Verlag Ernst Vögel, 1983) 201-17.

gen sicherten.[45] Im Jahre 1926 stammten 44,5 Prozent aller in Deutschland gezeigten Filme aus amerikanischer Produktion, ein im Vergleich zu Frankreich (85 Prozent) und Großbritannien (83,6 Prozent) noch relativ niedriger Anteil. Bis zum Jahr 1931 verringerte sich jedoch in all diesen Ländern der Anteil amerikanischer Filme: in Deutschland auf 28 Prozent, in Frankreich auf 48,5 Prozent und in Großbritannien auf 72,6 Prozent.[46] In diesem Zeitraum hatte sich sowohl in Deutschland wie auch in den anderen Staaten größerer Widerspruch gegen die amerikanische Dominanz auf dem Filmmarkt zu regen begonnen, Einfuhrquoten hatten gegriffen und den Anteil der amerikanischen Filme gesenkt, aber auch der Publikumsgeschmack hatte sich von den oft schematischen, um ein „happy-end" bemühten Filmen aus Hollywood abgewandt. Slapstick-Filme allerdings waren von dieser Kritik ausgenommen: Charly Chaplin war unersetzbar und – zumindest von der deutschen Filmindustrie – unnachahmbar.[47]

---

45 Die Dominanz der amerikanischen Filmindustrie betraf nicht nur Deutschland, sondern war weltweit, und zum Ende der 1920er Jahre führten viele Nationen Importbeschränkungen oder Kontingentierungen ein. Siehe Merz, „When the Movies Go Abroad", 159-65; C.J. North, „Our Foreign Trade in Motion Pictures", The Annals (The Motion Picture in Its Economic and Social Aspects) 128 (November 1926): 100-108. Zur Geschichte der UFA siehe Klaus Kreimeier, Die Ufa-Story. Die Geschichte eines Filmkonzerns (München: Hanser, 1992).

46 Kristin Thompson, Exporting Entertainment: America in the World Film Market, 1907-34 (London: British Film Institute Publishing, 1985) Table XIV, S. 125. Thompsons Zahlenmaterial beruht auf Angaben aus amtlicher Quelle, dem U.S. Department of Commerce, Trade Information Bulletin. Eine sehr abweichende Aufteilung findet sich in William Victor Strauss, „Foreign Distribution of American Motion Pictures", Harvard Business Review 8 (April 1930): 307-15. Unter den genannten Staaten war 1928 nur in Japan, wo nicht-japanische Filme nur schwer vom Publikum angenommen wurden, der Anteil mit 22 Prozent geringer; ibid, 308, 311. Siehe auch North, „Our Foreign Trade in Motion Pictures", 101-102. North war Chief der Motion Picture Section des Department of Commerce und diskutiert in seinem Beitrag den Marktanteil und die Marktzugangsmöglichkeiten in einer ganzen Reihe von Staaten. Standardwerke über den deutschen Film während der Zwischenkriegszeit sind immer noch Siegfried Kracauer, From Caligari to Hitler (Princeton, NJ: Princeton University Press, 1947); und Hans Wollenberger, Fifty Years of German Film (London: Falcon Press, 1948). Siehe auch Saunders, Hollywood in Berlin: American Cinema and Weimar Germany.

47 Saunders, „Comedy as Redemption", 253, 255-56, 273. Zur französischen Reaktion siehe David Strauss, „The Rise of Anti-Americanism in France: French Intellectuals and the American Film Industry, 1927-1932", Journal of Popular Culture 10 (Spring 1977): 821-32.

Neben all der Bewunderung für die Modernität Amerikas, neben der „Amerikanisierung" von Technik und Wirtschaft, von Kultur und Gesellschaft blühte aber auch ein virulenter Antiamerikanismus. Die Vereinigten Staaten waren entscheidend für den Kriegsausgang gewesen, und nun schien die „Amerikanisierung" Deutschlands die letzten Bastionen der bürgerlichen, im 19. Jahrhundert verhafteten nationalen, ethnischen und kulturellen Identität zu bedrohen. Während die deutsche Politik schon vor dem Kriegsende begann, die USA in ein langfristiges außenpolitisches Konzept einzubauen, das den wirtschaftlichen und politischen Wiederaufstieg zu einer Weltmacht sichern sollte, fürchteten viele Deutsche die wirtschaftliche Potenz Amerikas, die Durchdringung Deutschlands mit amerikanischem Kapital und das Eindringen von als „amerikanisch" bezeichneten gesellschaftlichen und politischen Entwicklungen.[48] Theodor Lüddecke, sonst eher ein Autor, der die „Amerikanisierung" Deutschlands für notwendig hielt und damit eine Hinwendung zu mehr Pragmatismus meinte, sah „menschlich-kulturelle Gefahren, die das Vorwärtsbringen der amerikanischen Wirtschaftsmacht unmittelbar für Deutschland" in sich berge, „in der absoluten 'Verwirtschaftlichung' des Menschen, die, individualistisch-liberalistisch orientiert, den Menschen allmählich zum bloßen 'Luxusheloten' macht, dessen höhere Lebensziele sich in Automobilen, Villen, Radio, Kino, Patentkochherden, Eisschränken und 'parties' erschöpft". Ein anderer Autor dieser Zeit brachte die Überfremdungsängste auf den Punkt und nannte Amerikanismus eine, wenn „nicht die folgenschwerste, neue Wirtschafts- und Lebensform, die auf fremden Boden erwachsen uns aufgezwungen wurde".[49]

Die kulturelle und technologische Penetration Deutschlands durch die Vereinigten Staaten erfaßte also alle Bereiche des gesellschaftlichen Lebens

---

48 David Bathrick und Eric Rentschler, "Introduction", New German Critique 51 (Fall 1990): 3. Die Bedeutungsveränderung des Schlagwortes Amerikanismus von einem neutralen Begriff, der im wesentlichen auf die wirtschaftliche Produktion angewandt wurde, zu einem pejorativen Ausdruck mit kulturkritischen Inhalten führt Schwabe auf den großen Erfolg des Buches von Adolf Halfeld, Amerika und der Amerikanismus zurück; Schwabe, „Anti-Americanism within the German Right 1917-1933", 96-97. Zum ökonomisch motivierten, aber kulturpolitisch verkleideten Antiamerikanismus siehe auch Ott, Amerika ist anders, 230.

49 So schreibt Lüddecke beispielsweise 1930: „Entschlossenheit, Großzügigkeit, Tatfreudigkeit und kaltes Rechnen in wirtschaftlichen Dingen, die keine Gefühlsduselei vertragen – das lehrt uns Amerika. Und Deutschland hat diese Lehre bitter nötig!" Lüddecke, „Amerikanismus als Schlagwort und als Tatsache", 221. Otto Basler, „Amerikanismus. Geschichte eines Schlagwortes", Deutsche Rundschau 224 (Juli-August-September 1930): 146.

bis hinein in die Privatsphäre. Doch diese Durchdringung blieb an der Oberfläche des deutschen Volkes als „body politique“.[50] Der Jazz, den deutsche Musiker spielten, war nach deutschem Geschmack verwässert, Taylorismus, zumindest für die Reichswehr, war weniger eine Möglichkeit, die Lebensqualität der Bevölkerung zu steigern als vielmehr eine Gelegenheit, so schnell wie möglich aufrüsten zu können. Der „American way of life“, Produktivität und Liberalität, gesellschaftliche Grundlagen und bürgerliche Freiheiten, fußten auf einem demokratischen System, das alle Bereiche des Lebens durchdrang und tiefe Wurzeln in Gesellschaft und Kultur geschlagen hatte. Die Amerikakritik richtete sich daher zuvörderst gegen den universellen egalitären Anspruch, gegen die Ideologienferne der amerikanischen Gesellschaft, die natürlich selbst inzwischen Ideologie geworden ist. Dies konnte während der Zeit der Weimarer Republik in Deutschland keinen fruchtbaren Boden finden, wurde als Bedrohung der als national definierten Kultur empfunden. Zu wenige Deutsche sahen in einem demokratischen System die Grundlage für eine Bewältigung der sozialen, politischen und ökonomischen Aufgaben des Deutschen Reiches, und zu viele glaubten, daß nur ein starker Führer die Lösung der Probleme Deutschlands finden könne. Zwar wurde amerikanische Technologie auch nach 1933 eingesetzt, und die an den USA immer wieder kritisierte „Vermassung“ wurde in Deutschland auf die Spitze getrieben. Aber dies geschah nun vor dem Hintergrund der Konstruktion einer nationalen Identität, die sich aus einem obskuren Fundus deutscher und germanischer Geschichte bediente. Es mag viele Übertragungen in den verschiedensten Bereichen der Kultur zwischen Deutschland und den Vereinigten Staaten gegeben haben, aber die Essenz der politischen Kultur in den USA, die der jungen deutschen Demokratie hätte förderliches Vorbild sein können, blieb der Weimarer Republik fremd.

---

50 Ernst Fraenkel, Hg., Amerika im Spiegel des deutschen politischen Denkens. Äußerungen deutscher Staatsmänner und Staatsdenker über Staat und Gesellschaft in den Vereinigten Staaten von Amerika. (Köln: Westdeutscher Verlag, 1959) 44.

Philipp Gassert

Nationalsozialismus, Amerikanismus, Technologie: Zur Kritik der amerikanischen Moderne im Dritten Reich

Deutsche Amerikabilder haben im 19. und 20. Jahrhundert dazu gedient, sich des eigenen Standpunktes innerhalb der Moderne zu vergewissern, jener bürgerlichen und kapitalistischen Ordnung, deren Motor ein umfassender gesellschaftlicher Rationalisierungsprozeß gewesen ist – die von Max Weber so genannte „Entzauberung der Welt".[1] Da die Vereinigten Staaten von vielen Deutschen (und Europäern) für *die* moderne Gesellschaft schlechthin gehalten wurden, für *das* exakte Gegenbild einer traditionalen, agrarischen, statischen und hierarchisch organisierten Gesellschaft, waren die Begriffe „Amerika" und „Modernität" weitgehend austauschbar und wurden in Deutschland spätestens seit der Jahrhundertwende fast immer synonym gebraucht.[2] „Amerika", so Detlev Peukert in seiner Geschichte der Weimarer Republik, meinte die „eigene Kultur und ihre Herausforderung durch die Moderne".[3] Die Auseinandersetzung der Deutschen mit Amerika hatte also primär viel weniger mit den USA zu tun als mit Deutschland selbst, auch wenn es natürlich gute Gründe gibt, daß ausgerechnet die Vereinigten

---

1 Max Weber, „Wissenschaft als Beruf", Gesammelte Aufsätze zur Wissenschaftslehre (7. Aufl., Tübingen: J.C.B. Mohr/UTB, 1988) 582-613, hier: 594; zur Kritik Peter Wehling, Die Moderne als Sozialmythos: Zur Kritik sozialwissenschaftlicher Modernisierungstheorien (Frankfurt/M: Campus, 1992).

2 Dies ist ein in der Forschung weitgehend akzeptierter Zusammenhang, siehe etwa Alexander Schmidt, Reisen in die Moderne: Der Amerika-Diskurs des deutschen Bürgertums vor dem Ersten Weltkrieg im europäischen Vergleich (Berlin: Akademie Verlag, 1997); Mary Nolan, Visions of Modernity: American Business and the Modernization of Germany (Oxford: Oxford University Press, 1994); Philipp Gassert, Amerika im Dritten Reich: Ideologie, Propaganda und Volksmeinung 1933-1945 (Stuttgart: Steiner Verlag, 1997); grundlegend noch immer der Aufsatz von Frank Trommler, „The Rise and Fall of Americanism in Germany", America and the Germans: An Assessment of a Three-Hundred-Year-History, Hg. Frank Trommler und Joseph McVeigh (Philadelphia: University of Pennsylvania Press, 1985) 2: 333-42.

3 Detlev J. K. Peukert, Die Weimarer Republik: Krisenjahre der klassischen Moderne (Frankfurt/M.: Suhrkamp, 1987) 179.

Staaten die Rolle der prototypisch modernen Kultur und Gesellschaft spielten.

Der Nationalsozialismus machte keine Ausnahme von dieser Regel. Auch dem Dritten Reich galt Amerika als der natürliche Referenzpunkt technischer Modernität, an dem sich die Erfolge des Regimes würden messen lassen müssen. Doch während in den zwanziger Jahren Amerika und der Amerikanismus – mit letzterem waren „typisch" amerikanische Verhaltensmuster, Normen sowie soziale, technische und ökonomische Organisationsformen gemeint und deren vermeintliche oder tatsächliche Übernahme in Europa[4] – von liberalen Modernisierern als Beispiel hochgehalten und von konservativen Kritikern als Menetekel der Kulturzerfalls bekämpft worden waren, versuchte der Nationalsozialismus das ambivalente deutsche Verhältnis zur Moderne durch eine Versöhnung der Gegensätze in einer „Volksgemeinschaft" zu überwinden. Der amerikanischen Moderne sollte ein eigenständiges, nationalsozialistisches Modell entgegengestellt werden. Dies geschah nicht zuletzt dadurch, daß man die Spuren des Amerikanismus in Deutschland zu beseitigen suchte und bis dahin in Deutschland als „amerikanisch" verstandene Phänomene systematisch „germanisierte".

Obwohl dem Nationalsozialismus die Entkoppelung von Amerikanismus und moderner Technologie in der Praxis nicht völlig gelang und noch im Zweiten Weltkrieg die Rede von den „amerikanischen Methoden" Rüstungsminister Albert Speers in Kreisen der deutschen Industrie umging,[5] ist das Verhältnis des Nationalsozialismus zum Amerikanismus das einer wachsenden Distanzierung gewesen. Im folgenden soll gezeigt werden, daß dies ganz uneingeschränkt gilt, wenn man die ideologische und propagandistische Ebene betrachtet, mit gewissen Abstrichen aber auch für die tatsächlichen Entwicklungen auf dem Technologiesektor. Es würde in eine falsche Richtung führen, Amerika als Vorbild der nationalsozialistischen Ordnung zu sehen oder gar als Beleg für die „modernisierenden" Wirkungen des Nationalsozialismus, wie dies etwa Rainer Zitelmann und Hans-Dieter Schäfer getan haben.[6] Insbesondere auf der Ebene der Ideologie hält dieses

---

4 Für eine ausführliche Definition vgl. Philipp Gassert, "Amerikanismus, Antiamerikanismus, Amerikanisierung. Neue Literatur zur Sozial-, Wirtschafts- und Kulturgeschichte des amerikanischen Einflusses in Deutschland und Europa", Archiv für Sozialgeschichte 39 (1999): 531-61.

5 Albert Speer, Erinnerungen (Berlin: Propyläen, 1969) 224.

6 Hans-Dieter Schäfer, „Amerikanismus im Dritten Reich", Nationalsozialismus und Modernisierung, Hg. Michael Prinz und Rainer Zitelmann (Darmstadt: Wissenschaftliche Buchgesellschaft, 1991) 199-205. Zur Debatte Axel Schildt, „NS-Regime, Modernisierung und Moderne: Anmerkungen zur Hochkonjunktur einer andauern-

Argument einer genaueren Überprüfung nicht stand, obwohl gerade das Amerikabild Adolf Hitlers herangezogen worden ist, um den „Führer“ als einen „Mann der Moderne“ zu zeichnen.[7]

In diesem Beitrag möchte ich zunächst auf den deutschen Amerika- und Technikdiskurs vor 1933 eingehen sowie auf Hitlers Amerikabild und daran zeigen, daß Hitler und die Nationalsozialisten, bei aller Wertschätzung des technologischen Fortschritts, von Anfang an eine sehr selektive und im Kern sich gegen Liberalismus und westlichen technologischen Stil richtende „Amerikanisierung“ befürworteten. Im zweiten Teil untersuche ich am Beispiel der Rationalisierungen amerikanische Einflüsse auf die deutsche Industrie nach 1933. Auch hier zeigt sich, daß es zwar in Einzelbereichen zu einer „Amerikanisierung“ kam, diese sich jedoch aufgrund der unterschiedlichen Rahmenbedingungen von vergleichbaren Entwicklungen in den USA unterschied. Daran anschließend werde ich das Bild der amerikanischen Technik in den Friedensjahren des Dritten Reiches bis 1939 analysieren, während der sich die distanzierte Haltung des Nationalsozialismus zum Amerikanismus herausbildete, zu einer Zeit also, zu der Amerika noch nicht zu einem Problem der deutschen Außenpolitik geworden war und die USA als machtpolitischer Faktor von Hitler weitgehend ignoriert wurden.[8] Antiamerikanische Feindbilder und taktische Elemente übten einen geringeren Einfluß auf den deutschen Amerikadiskurs aus als in der Phase nach 1939 beziehungsweise nach 1941. Der vierte Abschnitt beschäftigt sich mit dem Zweiten Weltkrieg, als sich das Dritte Reich in einen militärischen, wirtschaftlichen und weltanschaulichen Kampf mit den Vereinigten Staaten verstrickt sah und sich das Scheitern der “nationalsozialistischen Alternative“ immer deutlicher abzeichnete. Es bestand ein starkes propagandistisches Interesse, auch gegenüber der eigenen Bevölkerung, Kritik an der amerikanischen Moderne zu üben und die Überlegenheit des nationalsozialistischen

---

den Diskussion“, Tel Aviver Jahrbuch für Deutsche Geschichte 23 (1994): 3-22; Michael Schneider, „‘Volkspädagogik’ von rechts: Ernst Nolte, die Bemühungen um die ‘Historisierung’ des Nationalsozialismus und die ‘selbstbewußte Nation’“, Archiv für Sozialgeschichte 35 (1995): 532-581, hier: 558ff.

7 Rainer Zitelmann, Hitler: Selbstverständnis eines Revolutionärs (1987; Darmstadt: Wissenschaftliche Buchgesellschaft, 1990) 355ff.

8 Zu der sehr umfangreichen Forschung zu den diplomatischen Beziehungen Michaela Hönicke, „Das nationalsozialistische Deutschland und die Vereinigten Staaten von Amerika (1933-1945)“, Deutschland und die USA im 20. Jahrhundert: Geschichte der politischen Beziehungen, Hg. Klaus Larres und Torsten Oppelland (Darmstadt: Wissenschaftliche Buchgesellschaft, 1997) 62-94; zur älteren Literatur Detlef Junker, Kampf um die Weltmacht: Die USA und das Dritte Reich 1933-1945 (Düsseldorf: Pädagogischer Verlag Schwann-Bagel, 1988) 173ff.

Modells hervorzukehren. In gewissem Sinne kehrte die NS-Propaganda in diesen Jahren zum Ausgangspunkt der Weimarer Zeit zurück: Amerika war erneut zu einem Problem der deutschen Gegenwart geworden; der überragenden ökonomischen und militärischen Macht der USA konnte man nur noch mit Ressentiments begegnen, während sich Teile der Bevölkerung einmal mehr an Amerika orientierten.

Hitler, der Nationalsozialismus und die amerikanische Technologie vor 1933

Die „goldenen" Jahre der Weimarer Republik zwischen 1924 und 1929 waren von einem intensiven gesellschaftlichen, kulturellen, wirtschaftlichen, politischen und auch militärischen Austausch zwischen Deutschland und den Vereinigten Staaten geprägt.[9] Der Dawes-Plan hatte die Schleusen für den Einstrom amerikanischen Kapitals geöffnet, die rasch wachsenden Investitionen der Amerikaner in Deutschland und der Erfolg des amerikanischen Kapitalismus bei der Lösung der „sozialen Frage" empfahlen vielen Deutschen das amerikanische Modell zur Nachahmung. Während liberale Intellektuelle im Fordismus und Amerikanismus nicht nur ein Vorbild technologischen Fortschritts erblickten, sondern auch eine Möglichkeit zur Demokratisierung der deutschen Gesellschaft, sahen reaktionär-modernistische Intellektuelle im Fordismus das Potential, modernste Technologie mit nationaler Identität und traditionell deutschen Wertvorstellungen in Einklang zu bringen.[10]

Innerhalb der noch sehr kleinen Randgruppe der Nationalsozialisten beschäftigte sich Mitte der zwanziger Jahre kaum jemand intensiv mit den Vereinigten Staaten oder gar mit der amerikanischen Technologie. Adolf Hitlers Reden und seine bekannten Ausführungen in seinem nie zur Publi-

---

9 Manfred Berg, Gustav Stresemann und die Vereinigten Staaten von Amerika: Weltwirtschaftliche Verflechtung und Revisionspolitik 1907-1929 (Baden-Baden: Nomos, 1990); Michael Wala, „Weimar und Amerika: Elemente der politischen, wirtschaftlichen und militärischen Beziehungen zwischen den Vereinigten Staaten von Amerika und dem Deutschen Reich zur Amtszeit Botschafters Friedrich von Prittwitz und Gaffron, 1927 bis 1933", Habilitationsschrift, Universität Erlangen-Nürnberg, 1995.

10 Philipp Gassert, „'Without Concessions to Marxist or Communist Thought': Fordism in Germany, 1923-1939", Transatlantic Images and Perceptions: Germany and America since 1776, Hg. David E. Barclay und Elisabeth Glaser-Schmidt (Cambridge: Cambridge University Press, 1997): 217-42; ich folge hier dem Ansatz von Jeffrey Herf, Reactionary Modernism: Technology, Culture, and Politics in Weimar and the Third Reich (Cambridge: Cambridge University Press, 1984).

kation gelangten „Zweiten Buch“ waren insofern eine bemerkenswerte Ausnahme.[11] Der Parteipolitiker Hitler, in dessen bündnispolitischer Projektion die USA keine nennenswerte Rolle spielten, verwendete Amerika als Metapher, um seine Vision eines großgermanischen Weltreichs der Zukunft zu illustrieren. In diesem Gebrauch Amerikas als Exempel unterschied er sich nicht von anderen Teilnehmern der großen deutschen Amerikanismusdebatte der zwanziger Jahre. Für Hitler besaßen die USA, in einem ganz äußerlichen Sinne, als kontinentale Macht und prototypischer Großraum der Erde zwar durchaus Vorbildcharakter, vor allem imponierte ihm jedoch das daraus resultierende Produktionsvolumen der amerikanischen Wirtschaft. Doch damit erschöpften sich schon die Parallelen.[12]

Im Unterschied zu den übrigen Anhängern des Fordismus und der technischen Rationalisierung in Deutschland, die den Erfolg der amerikanischen Wirtschaft primär mit Verbesserungen in der Produktion, der tayloristischen Gestaltung des Arbeitsablaufes und mit der Einführung neuer Technologien erklärten, führte Hitler die höhere Produktivität der amerikanischen Wirtschaft kausal auf den größeren „Lebensraum“ zurück, erst in zweiter Linie auf arbeitsorganisatorische und technische Innovationen. Hitler war also gerade nicht Vertreter eines liberalen Modells eines sich selbst regulierenden Wachstums, sondern ein Anhänger des Malthusianismus, das heißt eines statischen, von der absoluten Begrenztheit der Ressourcen ausgehenden Systems.[13] Daher gab es für ihn in letzter Konsequenz auch keine Alternative zur außenpolitischen Expansion. Letztere war für Hitler vielmehr Vorbedingung eines „deutschen Fordismus“, während sowohl die liberalen als auch die konservativ-revolutionären Anhänger des Fordismus Deutschlands Amerikanisierung als ersten Schritt oder gar als Voraussetzung zu neuer deutscher „Weltgeltung“ propagierten.[14]

Hitlers Äußerungen, die einerseits quer zur allgemeinen deutschen Amerikadebatte der zwanziger Jahre liegen, andererseits Anknüpfungspunkte zur konservativen Amerikakritik bieten, verweisen sehr früh auf den Unterschied zwischen dem nationalsozialistischen und dem amerikanischen Modell einer modernen Industriegesellschaft. Auch der Technik- und Amerika-

11 Hitlers Zweites Buch: Ein Dokument aus dem Jahr 1928, Hg. Gerhard L. Weinberg (Stuttgart: Deutsche Verlags-Anstalt, 1961) 50f.; 58ff.; 110; 117; 120-125; 140; 173; 218.

12 Zur Debatte um Hitlers Amerikabild Detlef Junker, „Hitler's Perception of Franklin D. Roosevelt and the United States of America“, Amerikastudien 38 (1993): 25-36.

13 Zu Hitlers Malthusianismus im zeitgenössischen Kontext siehe Albrecht Ritschl, „Die NS-Wirtschaftsideologie: Modernisierungsprogramm oder reaktionäre Utopie?“, Nationalsozialismus und Modernisierung, 48-70.

14 Ausführlich Gassert, Amerika im Dritten Reich, 87-103.

diskurs der "Konservativen Revolution" der zwanziger und frühen dreißiger Jahre bereitete die Distanzierung vom "Modell Amerika" in der Zeit des Nationalsozialismus vor. Unter dem Einfluß von Werner Sombart, der schon seit geraumer Zeit die These vertrat, daß der Kapitalismus den Zenit seiner Entwicklung überschritten habe und sich zu gemeinwirtschaftlichen oder staatssozialistischen Formen weiterentwickeln werde, plädierten die Mitarbeiter der in nationalen und bürgerlichen Kreisen hoch angesehenen Zeitschrift *Die Tat* für einen „dritten", deutschen Weg zur Technik, zwischen dem westlichen, kapitalistischen und dem östlichen, bolschewistischen System.[15]

In dieser Situation stellte die Weltwirtschaftskrise einen, vor allem in seinen psychologischen Auswirkungen nicht zu unterschätzenden Einschnitt dar, weil sie dem liberal-kapitalistischen, westlichen Modell seinen Glanz nahm und zur Distanzierung deutscher Ingenieure von amerikanischen Vorbildern beitrug. Der führende Wirtschaftsredakteur der *Tat*, Ferdinand Fried, der frühzeitig Kontakt zu Heinrich Himmler und zur NSDAP aufgenommen hatte, prophezeite die Abkapselung der Staaten in autarken Großwirtschaftsräumen und sah staatliche Planwirtschaft überall auf der Welt im Vormarsch begriffen. Das „Ende des Kapitalismus", so Fried, bedeute jedoch nicht, daß „das Autofahren nun zu Ende ist und wir morgen wieder in der Postkutsche sitzen werden." Im Gegenteil, die neuen Staatswirtschaften würden dafür Sorge tragen, daß „die Menschheit von jetzt ab in den eigentlichen Genuß [der] Errungenschaften menschlichen Geistes treten" werde.[16] Der Ingenieur Joseph Bader, der im VDI eine Abteilung für industrielle Marktbeobachtung leitete, führte die wachsende Arbeitslosigkeit in Deutschland auf eine falsche Anwendung der Technik zurück.[17] Nur unter Einschaltung des Staates, unter „Ausschaltung des kapitalistischen Triebs und des Sacherzeugungs-Fanatismus", könne sich die „Bestgestaltung der Technik" beim „Neubau eines Wirtschaftssystems" durchsetzen.[18]

---

15 Karl-Heinz Ludwig, Technik und Ingenieure im Dritten Reich (1974; Düsseldorf: Droste, 1979) 58ff.; Stefan Breuer, Anatomie der Konservativen Revolution (Darmstadt: Wissenschaftliche Buchgesellschaft, 1993) 65f.; Friedrich Lenger, Werner Sombart 1863-1941: Eine Biographie (München: C. H. Beck, 1994) 332ff.

16 Ferdinand Fried (Pseudonym für Ferdinand Friedrich Zimmermann), Das Ende des Kapitalismus (Jena: Eugen Diederichs Verlag, 1931) 23.

17 Martin Holzer (Pseudonym für Joseph Bader), „Die Tragödie der deutschen Wirtschaft", Die Tat 24 (1932/33): 155-68.

18 Martin Holzer, Technik und Kapitalismus (Jena: Eugen Diederichs Verlag, 1932) 18ff., zit. nach Ludwig, Technik und Ingenieure, 62; dort auch Angaben zu Baders Biographie und zu Fried.

Dieser antikapitalistische Kulturpessimismus, der sich durch die deutsche Technikdebatte in der Zeit vor 1933 zieht, sollte für viele eine Brücke zum Nationalsozialismus werden, auch wenn die Nationalsozialisten bis zur „Machtergreifung" nur wenige Techniker und Ingenieure für die Parteiarbeit rekrutierten. Darin unterschied sich die NSDAP jedoch kaum von den etablierten Parteien, nicht zuletzt weil viele Ingenieure der Weimarer Zeit gesellschaftliches Engagement für unvereinbar mit dem Selbstverständnis der wertfreien, technokratischen Arbeit des Ingenieurs hielten und sich durch ihre apolitische Haltung ausgezeichnet hatten.[19] Allerdings hatte die NSDAP – und dies war eine Novität im parteipolitischen Spektrum der Weimarer Republik – nach ihren ersten größeren Wahlerfolgen im Jahr 1930 mit dem Kampfbund Deutscher Architekten und Ingenieure (KDAI) im Sommer 1931 nicht nur eine nationalsozialistische Standesorganisation für Techniker gegründet, sondern im November 1931 innerhalb der Münchener Reichsleitung eigens eine Ingenieur-Technische Abteilung (ITA) eingerichtet. Die Leitung beider Organisationen lag in den Händen von Gottfried Feder, einem frühen Gefolgsmann Hitlers und dem Verfasser des Parteiprogramms der NSDAP, dessen Einfluß jedoch schon vor 1933 stark zurückgegangen war und der bald nach 1933 seine Partei- und Staatsämter verlieren sollte.[20]

Der offizielle Text der NSDAP zur Technologiepolitik, Peter Schwerbers Broschüre *Nationalsozialismus und Technik: Die Geistigkeit der nationalsozialistischen Bewegung*, die 1930 als Heft 21 in der von Feder herausgegebenen Reihe *Nationalsozialistische Bibliothek* erschien, signalisierte einerseits Übereinstimmung mit den Thesen konservativ-revolutionärer Kritiker des Kapitalismus, ging aber zugleich darüber hinaus. Auch Schwerber sah in der Versöhnung technischen Fortschritts mit der „Volksgemeinschaft" das zentrale Anliegen der Technologiepolitik. Er forderte eine staatliche Organisation der Forschung, um den technischen Fortschritt den Zufälligkeiten kapitalistischer Konkurrenz zu entreißen, um ihn auf eine „rationalere", das hieß geplante Grundlage zu stellen und somit den Zielen der Politik unterzuordnen. Als Beispiel diente Schwerber Henry Ford, wie so vielen, die sich in den zwanziger Jahren mit dem Verhältnis von Wirtschaft, Technologie und Gesellschaft beschäftigten. Ford sei es in seinen Betrieben gelungen, den technischen Fortschritt in den Dienst des Gemeinwohls zu stellen. Schwerber fügte jedoch dem Antikapitalismus Frieds, Hans Zehrers und anderer eine rassenideologische Komponente als einen übergeordneten Erklärungs-

---

19 Stefan Willeke, Die Technokratiebewegung in Nordamerika und Deutschland zwischen den Weltkriegen: Eine vergleichende Analyse (Frankfurt/M.: Peter Lang, 1995) 139ff.

20 Ludwig, Technik und Ingenieure, 73ff., 90ff.

ansatz hinzu, mit einer Deutlichkeit wie dies seit Sombarts Arbeiten über Judentum und Kapitalismus nur selten der Fall gewesen war.[21] Schwerber argumentierte in Übereinstimmung mit dem Weltbild Hitlers und anderer führender Nationalsozialisten, daß die wünschenswerte Verankerung der Technik im „staatlichen und kulturellen Leben des deutschen Volkes" nicht ohne die „Befreiung" der Technik von der „Umklammerung" der „jüdisch-materialistischen Weltanschauung" zu erreichen sei.[22] Dieser Antisemitismus war bis dahin zwar existent, aber kein bestimmendes Element der Weimarer Technologiedebatte gewesen. Nach 1933 sollte er zu einem zentralen Thema der deutschen Amerikapropaganda werden.[23]

Amerikanische Technologie im Dritten Reich

Es steht außer Frage, daß auch nach 1933 amerikanische Technologien im Dritten Reich zum Einsatz kamen oder sogar direkt von dort importiert wurden. Einen nicht unwesentlichen Anteil daran hatten amerikanische Konzerne, die seit der Weimarer Zeit über beträchtliche Kapitalanlagen in Deutschland verfügten und die, zum Teil unfreiwillig, mit Erfolg daran beteiligt waren, die Rationalisierung und Modernisierung der deutschen Wirtschaft voranzutreiben. Die General Motors-Tochter Adam Opel AG, die seit Mitte der zwanziger Jahre eine Vorreiterrolle in der Serienfertigung von Automobilen gespielt hatte, installierte 1936 in der neu aufgebauten Lastwagenfabrik in Brandenburg zum ersten Mal in der Geschichte der deutschen Industrie vollautomatische Transportbänder und Fließfertigung in allen Schritten der Produktion, im Stammsitz der Firma waren bis 1937 insgesamt 96 laufende Bänder mit einer Gesamtlänge von knapp zwölf

---

21 Werner Sombart, Die Juden und das Wirtschaftsleben (Leipzig: Duncker & Humblot, 1911).

22 Peter Schwerber, Nationalsozialismus und Technik: Die Geistigkeit der nationalsozialistischen Bewegung (1930; München: Franz Eher Nachf., 1932) 40ff., 48ff.

23 Der Zusammenhang von Antisemitismus, Antimodernismus und Antiamerikanismus ist von der Forschung bisher kaum beachtet worden. Neben Dan Diner, Verkehrte Welten: Antiamerikanismus in Deutschland. Ein historischer Essay (Frankfurt/M.: Eichborn, 1993), der die strukturellen Gemeinsamkeiten betont, nur Klaus Schwabe, „Anti-Americanism within the German Right, 1917-1933", Amerikastudien 21 (1976): 89-107. Schwabe sieht eine Verbindung allerdings nur bei den Völkischen und bei der NSDAP. Zu Antisemitismus und Kritik an der Moderne Zygmunt Bauman, Modernity and the Holocaust (Ithaca, NY: Cornell University Press, 1989).

Kilometern in Betrieb.[24] Aufgrund von Außenhandelsbestimmungen, die die reine Endmontage erschwerten, war die Ford Motor Co. AG gezwungen, in Köln auf Fabrikation umzustellen, was mit einem Modernisierungsschub und mit nicht unwesentlichen Reinvestitionen von den angesichts der nationalsozialistischen Autarkiepolitik nicht mehr ohne weiteres ins Ausland transferierbaren Gewinnen einherging.[25] In einer ähnlichen Situation sah sich der mittelständische Werkzeugmaschinenhersteller Norton aus Worcester in Massachusetts, der in den zwanziger Jahren in Deutschland investiert hatte, nun aber nicht länger fortschrittlichere Produkte und Vorprodukte von der Muttergesellschaft in den USA beziehen konnte und auch Überschüsse nicht mehr ohne weiteres nach Amerika abführen konnte. Mitte der dreißiger Jahre wurden deshalb die neuesten Technologien in der Norton-Fabrik in Wesseling bei Köln eingeführt, die zuvor nur im Stammhaus in Massachusetts genutzt worden waren.[26]

Auch rein deutsche Unternehmen wurden durch die Autarkiepolitik und schließlich den Krieg zu größeren Umstrukturierungen und Rationalisierungsmaßnahmen gezwungen. Die Daimler-Benz AG, die 1934 noch auf dem Stand der Opelwerke von 1926 gewesen war,[27] zog 1937 mit der Einführung „amerikanischer Methoden“ nach, ein Prozeß, der nicht zuletzt extern durch die 1936/37 einsetzenden Beschränkungen bei den Rohstoff- und Metallzulieferungen erzwungen wurde.[28] In der Elektroindustrie erhielt die Rationalisierung „durch die scharfe Arbeitskräfteknappheit seit 1936/37 erheblichen Auftrieb“.[29] Auch beim Aufbau des Volkswagenwerkes glaubte

---

24 Heinrich Hauser, Opel: Ein deutsches Tor zur Welt (Frankfurt am Main: Hauserpresse, 1937) 192; 201.

25 Simon Reich, The Fruits of Fascism: Postwar Prosperity in Historical Perspective (Ithaca: Cornell University Press, 1990) 116f.

26 Charles Cheape, „Not Politicians but Sound Businessmen: Norton Company and the Third Reich“, Business History Review 62 (1988): 444-66.

27 Vgl. Anita Kugler, „Von der Werkstatt zum Fließband: Etappen der frühen Automobilproduktion in Deutschland“, Geschichte und Gesellschaft 13 (1987): 304-339, hier: 337.

28 Der Begriff „amerikanische Methoden“ wurde von dem zuständigen Vorstandsmitglied so verwendet, vgl. Karl-Heinz Roth, „Der Weg zum guten Stern des „Dritten Reiches“: Schlaglichter auf die Geschichte der Daimler-Benz AG und ihrer Vorläufer“, Das Daimler-Benz Buch: Ein Rüstungskonzern im "Tausendjährigen Reich“, Hg. Hamburger Stiftung für Sozialgeschichte des 20. Jahrhunderts (Nördlingen: Greno, 1988) 27-374, hier: 199.

29 Heidrun Homburg, Rationalisierung und Industriearbeit: Arbeitsmarkt – Management – Arbeiterschaft im Siemens-Konzern Berlin, 1900-1939 (Berlin: Haude & Spener, 1991) 527.

man, vom Vorbild der USA lernen zu können. Der Konstrukteur des Volkswagens, Ferdinand Porsche, reiste gleich zweimal in die Vereinigten Staaten,[30] um bei General Motors praktische Erfahrungen für den Aufbau des vertikal integrierten Volkswagenwerkes in Fallersleben zu sammeln und um deutsch-amerikanische Fachleute und Arbeiter in Detroit abzuwerben und zur Rückkehr nach Deutschland zu bewegen.[31] Nicht unbeträchtliche Devisenbestände wurden aufgewendet, um einen Teil der Werkzeugmaschinen in den USA einzukaufen.[32] Schließlich kam, aktiv gefördert vom Arbeitswissenschaftlichen Institut der Deutschen Arbeitsfront (DAF), in den Betrieben des Dritten Reiches in wachsendem Maße das aus den USA importierte Bedeaux'sche Bewertungssystem zum Zug, das eine Eingruppierung von Arbeitskräften nach tätigkeitsbezogenen Kriterien erlaubte anstatt der bis dahin überwiegend praktizierten Qualifikationsmerkmale.[33]

War das hervorstechende Merkmal der Rationalisierungsanstrengungen in den zwanziger Jahren – so die Einschätzung der Historikerin Heidrun Homburg – „ihr experimenteller Charakter“ gewesen und hatten in dieser Zeit technisch-ökonomische, allgemein wirtschaftliche sowie gesellschaftliche Rahmenbedingungen „eine unreflektierte Übernahme amerikanischer Prinzipien“ verhindert, so wurde die technische und arbeitsorganisatorische Rationalisierung in den dreißiger Jahren „vergleichsweise planvoll“ angegangen. „An die Stelle der Behelfseinrichtungen und Kompromißlösungen“, so Homburg, „die noch unter den Bedingungen der 1920er Jahre unumgänglich waren, trat die konsequente Annäherung an das amerikanische Vorbild der hochgradig mechanisierten, standardisierten Massenfertigung.“[34] Auch in anderen Bereichen, so in der Textilindustrie und der Metallverarbeitung,

---

30 Vgl. Paul Kluke, „Hitler und das Volkswagenprojekt“, Vierteljahrshefte für Zeitgeschichte 8 (1960): 341-83, hier: 363; Hans-Dieter Schäfer, Das Gespaltene Bewußtsein: Deutsche Kultur und Lebenswirklichkeit 1933-1945 (1981; München: Hanser, 1983), 203.

31 Vgl. Cornelia Wilhelm, Bewegung oder Verein? Nationalsozialistische Volkstumspolitik in den USA (Stuttgart: Steiner Verlag, 1998), 254.

32 Vgl. Kluke, „Hitler und das Volkswagenprojekt“, 393.

33 Vgl. Rüdiger Hachtmann, „'Die Begründer der amerikanischen Technik sind fast lauter schwäbisch-alemannische Menschen': Nazi-Deutschland, der Blick auf die USA und die 'Amerikanisierung' der industriellen Produktionsstrukturen im 'Dritten Reich'“, Amerikanisierung: Traum und Alptraum im Deutschland des 20. Jahrhunderts, Hg. Alf Lüdtke, Inge Marßolek und Adelheid von Saldern (Stuttgart: Franz Steiner Verlag, 1996) 37-66, hier: 55; Karsten Linne, „Ein amerikanischer Geschäftsmann und die Nationalsozialisten: Charles Bedaux“, Zeitschrift für Geschichtswissenschaft 44 (1996): 809-826.

34 Homburg, Rationalisierung und Industriearbeit, 526f.

kam es zu wesentlichen Fortschritten in der Erhöhung der Arbeitsproduktivität, die nach Rüdiger Hachtmanns Urteil im wesentlichen auf die Ausweitung der Fließarbeit beziehungsweise auf einen Prozeß der Kapitalakkumulation zurückzuführen waren. Einsamer Spitzenreiter der „Fordisierung" im Dritten Reich war die Keksfabrik Bahlsen in Hannover, die 1936 „mit der vollkontinuierlichen Produktion von Salzstangen und Waffeln [begann]; das endlose Waffelband wurde automatisch gebacken, gefüllt, gedeckt, gekühlt und geschnitten."[35]

Vor allem Hachtmann hat argumentiert, daß sich der Nationalsozialismus durchaus als eine Etappe auf dem Modernisierungspfad der deutschen Industrie verstehen läßt, allerdings unter ganz spezifischen Bedingungen, die der „Amerikanisierung" der deutschen Industrie „eine ganz andere Richtung" gaben als den Entwicklungen in den USA selbst. Der Durchbruch zum Fordismus, so Hachtmann, sei auf breiter Ebene nicht erst nach der Währungsreform 1948 erfolgt, sondern bereits in den dreißiger Jahren.[36] Auch wenn es nicht bestritten werden kann, daß dies für Einzelbereiche gilt – man könnte als ein weiteres Beispiel etwa die Stadtplanung hinzufügen[37] – so ist es für ein abschließendes Urteil in dieser Debatte wohl doch noch zu früh.[38] Es fehlt vor allem an vergleichenden deutsch-amerikanischen Studien, die die Eigenheiten und die Gemeinsamkeiten der Entwicklung besser erkennen lassen und zu einer differenzierten Betrachtung des Modernisierungsparadigmas beitragen könnten.

Es waren die Zwänge des Vierjahresplans und der nationalsozialistischen Autarkiepolitik, die die Rationalisierungen nötig werden ließen. Auch dies unterschied das Dritte Reich ganz wesentlich vom amerikanischen New Deal. Hitler selbst machte in seiner Rede am 30. Januar 1939 darauf aufmerksam, daß der durch die nationalsozialistische Wirtschaftspolitik hervorgerufene Arbeitskräftemangel in steigendem Maße „Rationalisierung und

---

35 Rüdiger Hachtmann, Industriearbeit im „Dritten Reich": Untersuchungen zu den Lohn- und Arbeitsbedingungen in Deutschland 1933-1945 (Göttingen: Vandenhoeck & Ruprecht, 1989) 76.

36 Hachtmann, „Begründer der amerikanischen Technik", 41.

37 Werner Durth, Deutsche Architekten: Biographische Verflechtungen 1900-1970 (München: DTV, 1992).

38 Zu diesem Zwischenergebnis kommen Tilla Siegel und Thomas von Freyberg, Rationalisierung unter dem Nationalsozialismus (Frankfurt: Campus, 1991) 15f.; Alf Lüdtke, Eigen-Sinn: Fabrikalltag, Arbeitererfahrungen und Politik vom Kaiserreich bis in den Faschismus (Hamburg: Ergebnisse-Verlag, 1993) 327, hält eine Bilanz vorläufig für unmöglich. So stagnierte die Entwicklung in der Schwerindustrie, siehe Hachtmann, Industriearbeit, 77, und im Werkzeugmaschinenbau, siehe Siegel und Freyberg, Rationalisierung unter dem Nationalsozialismus, 274ff.

vor allem technisch bessere Organisation" bedingen würde.[39] Angesichts der Zwänge, die der deutschen Wirtschaft durch die Rüstungskonjunktur auferlegt worden waren, blieb den Nationalsozialisten nichts anderes übrig, als die Rationalisierungsbewegung zu forcieren, wie der Nachkriegsherausgeber der *Frankfurter Allgemeinen Zeitung* und damalige Wirtschaftsredakteur der *Frankfurter Zeitung*, Erich Welter, im Jahr 1941 resümierte: Die „nahezu unerschöpflich erscheinende Nachfrage nach Arbeitskräften" habe alle „sozialpolitische[n] und psychologische[n] Hemmungen gegen die vermehrte Anwendung von Maschinen" hinfällig werden lassen, die man früher gehabt habe.[40]

Schließlich muß in diesem Zusammenhang darauf verwiesen werden, daß technische Rationalisierung in Dritten Reich nicht nur der Vorbereitung eines Angriffskrieges diente, sondern daß zum Beispiel die Deutsche Arbeitsfront ein totalitäres und rassistisches Konzept sozialer und betrieblicher Rationalisierung zu verwirklichen suchte,[41] das zum Teil gegen den Widerstand der Unternehmer durchgesetzt werden sollte[42] und das sich inhaltlich weit von den amerikanischen Vorbildern entfernt hatte. Der DAF ging es weder allein darum, innerbetriebliche Leistungssteigerungen mit sozialer Fürsorge zu verbinden und auf diese Weise soziales Konfliktpotential zu entschärfen - dies lag durchaus in der Kontinuität unternehmerischer Rationalisierung in der Weimarer Republik[43] - noch darum, einen umfassenden Sozialstaat einzuführen, die soziale Mobilität zu erhöhen, eine Arbeiterschutzgesetzgebung sowie eine moderne Präventivmedizin einzuführen - in diesem Sinne gab es sicher Berührungspunkte mit späteren Entwicklungen

---

39 Max Domarus, Hg., Hitler: Reden und Proklamationen 1932-1945. Kommentiert von einem deutschen Zeitgenossen (4 Bde., Wiesbaden: Löwit, 1973) 3: 1053, 30. Januar 1939.

40 Erich Welter, „Rationalisieren wie noch nie", Frankfurter Zeitung, 9. November 1941.

41 Dazu vor allem Karl Heinz Roth, Intelligenz und Sozialpolitik im „Dritten Reich": Eine methodisch-historische Studie am Beispiel des Arbeitswissenschaftlichen Instituts der Deutschen Arbeitsfront (München: K.G. Saur, 1992).

42 Vgl. Carola Sachse, Siemens, der Nationalsozialismus und die moderne Familie: Eine Untersuchung zur sozialen Rationalisierung in Deutschland im 20. Jahrhundert (Hamburg: Rasch & Röhring, 1990) 245ff.

43 Tilla Siegel, „Rationalisierung statt Klassenkampf: Zur Rolle der Deutschen Arbeitsfront in der nationalsozialistischen Ordnung der Arbeit", Herrschaftsalltag im Dritten Reich: Studien und Texte, Hg. Hans Mommsen (Düsseldorf: Schwann im Patmos-Verlag, 1988) 97-224, hier: 113f.; 128.

in der Bundesrepublik.[44] Den Reformen lag vielmehr ein Anspruch umfassender Rationalisierung und Kontrolle zugrunde, der sich nur in seiner „rassistischen Einfärbung von Orwells '1984' unterschied".[45] „Amerikanisierung" war daher im Dritten Reich untrennbar mit der Vorbereitung eines Raub-, Eroberungs- und Vernichtungskrieges in Osteuropa verbunden, der den Einsatz von KZ-Sklaven und Kriegsgefangenen in den taylorisierten Betrieben des Dritten Reiches ermöglichte.[46] Die Sozialplanung des Arbeitswissenschaftlichen Instituts der DAF baute letztlich auf einem rassistischen Begriff von „Volksgemeinschaft" auf und wäre ohne einen Sieg im Zweiten Weltkrieg, der den hypertrophierten Sozialplänen des Nationalsozialismus erst die fiskalische und ökonomische Grundlage gegeben hätte, praktisch nicht durchführbar gewesen.[47]

Die Wahrnehmung amerikanischer Technologie in der Vorkriegszeit

Die Unterschiede zwischen dem nationalsozialistischen und dem amerikanischen Modell werden offensichtlich, wenn man das Selbstverständnis der Nationalsozialisten, das heißt die Ebene der Weltanschauung und der Propaganda, stärker in die Analyse miteinbezieht. Es ist richtig, daß auch die nationalsozialistische Publizistik, vor allem die illustrierte Presse, dem Faszinosum der amerikanischen Technologie erlag. In fast allen Zeitungen des Dritten Reiches finden sich Abbildungen von Bahnhöfen, Industrie-

---

44 Vgl. Ronald Smelser, „Die Sozialplanung der Deutschen Arbeitsfront", Nationalsozialismus und Modernisierung, 71-92, hier: 85f.

45 Siegel und Freyberg, Rationalisierung unter dem Nationalsozialismus, 96.

46 Vgl. Götz Aly und Susanne Heim, Vordenker der Vernichtung: Auschwitz und die deutschen Pläne für eine neue europäische Ordnung (1991; Frankfurt am Main: Fischer Taschenbuch Verlag, 1993); Lutz Budraß und Manfred Grieger, „Die Moral der Effizienz: Die Beschäftigung von KZ-Häftlingen am Beispiel des Volkswagenwerks und der Henschel Flugzeugwerke", Jahrbuch für Wirtschaftsgeschichte 2 (1993): 89-136.

47 Vgl. Ludolf Herbst, Der Totale Krieg und die Ordnung der Wirtschaft: Die Kriegswirtschaft im Spannungsfeld von Politik, Ideologie und Propaganda 1939-1945 (Stuttgart: DVA, 1982) 166; Martin Geyer, „Soziale Sicherheit und wirtschaftlicher Fortschritt: Überlegungen zum Verhältnis von Arbeitsideologie und Sozialpolitik im 'Dritten Reich'", Geschichte und Gesellschaft 15 (1989): 382-406, hier: 392ff.; Karsten Linne, „Die 'innere Front': Deutsche Arbeitsfront und staatliche Sozialpolitik", Zeitschrift für Geschichtswissenschaft 43 (1995): 15-26, hier: 24 (mit Bezug auf die geplante Altersversorgung).

anlagen, Brückenbauwerken und Wolkenkratzern – den Ikonen des technologischen Fortschritts in Deutschland und den USA seit der Jahrhundertwende.[48] Auch die nach 1933 erschienenen Schulbücher operierten mit dem klassischen Vokabular, mit dem die Städte und Landschaften der USA schon im 19. Jahrhundert beschrieben worden waren. Sie unterschieden sich in dieser Hinsicht kaum von ihren Vorgängern in der Weimarer Zeit: Riesengroß, gewaltig, gigantisch und überwältigend waren die Attribute für das wirtschaftliche Herz der amerikanischen Nation, New York City, von dessen Hafeneinfahrt mit der imposanten Wolkenkratzerkulisse in keinem Geographie- oder Englischlehrbuch ein Bild fehlen durfte.[49]

Was sich nach 1933 änderte, war jedoch die Art und Weise, *wie* über diese Großtaten amerikanischer Technologie berichtet wurde. Hatte vor 1933 Amerika als der im Produktionsbereich und in der technologischen Entwicklung scheinbar uneinholbar davongeeilte Vorläufer gegolten oder als die nicht mehr abzuwendende Gefahr, vergleichbar den Berichten über Japan in den 80er Jahren, so schien es nun möglich, den amerikanischen Konkurrenten zu übertreffen, der in Einzelbereichen sogar schon ins Hintertreffen geraten zu sein schien, so etwa im Bau von Stromlinienlokomotiven, wie ein Bildbericht der *Berliner Illustrirten Zeitung* graphisch anschaulich verdeutlichte.[50] Angesichts der Faszination, die Amerika in den zwanziger Jahren ausgestrahlt hatte und die man in Deutschland noch nicht vergessen hatte, schien nichts die Erfolge des Nationalsozialismus besser zu illustrieren als die Gleichwertigkeit oder gar Überlegenheit deutscher über amerikanische Methoden. Amerika wurde auch hier zum Argument einer innerdeutschen Debatte, diesmal jedoch mit negativem Vorzeichen. So berichtete die Zeitschrift *Deutsche Technik*, das offizielle Organ des Nationalsozialistischen Bund Deutscher Technik (NSBDT), im Februar 1935

---

48 Siehe zum Beispiel Berliner Illustrirte Zeitung Nr. 32, 1933, „Eine Autobrücke zwischen zwei Städten" (Brücke zwischen New Jersey und New York, im Hintergrund die Silhouette von Manhattan); Völkischer Beobachter, 2./3. Januar 1937, Abbildung mit Bildunterschrift „Die neuesten amerikanischen Stromlinienlokomotiven."

49 Vgl. etwa Leonhard Röttenbacher und Siegmund Speyerer, Englisches Lehrbuch. Teil II. 2. Aufl. (Bamberg und München: C.C. Bucher und J. Lindauer, 1938); E. von Seydlitzsche Erdkunde. Im Auftrag eines Arbeitskreises hg. von Walther Jantzen. 4. Teil: Die Westfeste (Breslau: Ferdinand Hirt, 1939) 16ff.

50 Abgebildet sind eine amerikanische Stromlinienlokomotive, die *Commodore Vanderbilt* der New York Central beim Verlassen der Grand Central Station, vor dem Hintergrund von Wolkenkratzern, und eine von Borsig erbaute Stromlinienlokomotive der Reichsbahn: Berliner Illustrirte Zeitung Nr. 11 (1935), unter der Überschrift „Amerika: 150 km – Deutschland: 175 km".

über Fortschritte der Stadtplanung in New York, die im wesentlichen auf einer Übernahme des Modells der Hamburger Altstadtsanierung beruhten. Auch in diesem Bericht wurden neue Tunnel-, Brücken- und Hochhausbauten in New York der Leserschaft vorgestellt. Die Schlußfolgerung lautete jedoch, daß man selbst in Amerika zu planwirtschaftlichen Konzepten gelange, die „unverkennbar" auf Anregungen zurückgehen würden, „die man hierfür aus Deutschland" entnommen habe.[51]

Dieser Wandel des deutschen Amerikabildes spiegelt sich nicht zuletzt auch im Rationalisierungs*diskurs* des Dritten Reichs wider. Auch hier distanzierte man sich zunehmend von den amerikanischen Vorbildern, obwohl sich die Rationalisierung ab 1935/36 sogar beschleunigte. War im ersten Jahr der nationalsozialistischen Herrschaft in der deutschen Presse in legitimatorischer Absicht der New Deal mit dem gleichen Vokabular bedacht worden, das auch zur Charakterisierung der innenpolitischen „Machtergreifung" Hitlers diente,[52] so setzten im Dritten Reich jedoch bald - und sehr viel früher, als von der Forschung herkömmlicherweise angenommen - Bestrebungen ein, die Unterschiede der wirtschaftlichen und technologischen Entwicklung in den USA und Deutschlands zu thematisieren.[53] Gerade auch im Bereich der Wirtschaftspolitik galt, daß Gemeinsamkeiten fast immer mit der erklärten Absicht hervorgehoben wurden, die Überlegenheit der nationalsozialistischen Politik zu illustrieren oder gar die Tatsache, daß man in Amerika Deutschland kopiere. Roosevelts New Deal wurde daher nicht selten die Nachahmung „nationalsozialistischer Wirtschaftsmethoden" unterstellt, als planwirtschaftlicher Versuch zur Ankurbelung der Konjunktur mittels Arbeitsbeschaffungsmaßnahmen.[54]

Deutsche Ingenieure und Technikphilosophen argumentierten daher, daß nicht Rationalisierung und Standardisierung die Ursachen der Weltwirtschaftskrise gewesen seien, sondern das liberalistische Spiel der freien Kräfte,

---

51 Dr.-Ing. Bruno Wehner, „Gegenwartsaufgaben der New Yorker Stadtplanung: Das Vorbild der Hamburger Altstadtsanierung", Deutsche Technik 3 (1935): 53-55.

52 Siehe zum Beispiel die Besprechung der deutschen Ausgabe von Roosevelts Buch Looking Forward in Dr. Bernhard Franke, „Franklin Roosevelt über die Ursachen der Weltwirtschaftskrise", Völkischer Beobachter, 8. Juni 1933.

53 Dagegen Hans-Jürgen Schröder, Deutschland und die Vereinigten Staaten 1933-1939: Wirtschaft und Politik in der Entwicklung des deutsch-amerikanischen Gegensatzes (Wiesbaden: Franz Steiner Verlag, 1970), 95ff.; Junker, „Hitler's Perception", 29.

54 „Nationalsozialistische Wirtschaftsmethoden im Ausland", Völkischer Beobachter, 19. Juli 1933; siehe Gassert, Amerika im Dritten Reich, 209ff. sowie die detaillierte Analyse von Kiran Patel, „Amerika als Argument: Die Wahrnehmungen des New Deal am Anfang des 'Dritten Reichs'", Magisterarbeit, Humboldt-Universität zu Berlin, 1997, 111f.

das der Rationalisierung eine falsche Richtung gegeben habe, wie gerade das Beispiel der Weimarer Republik und der USA zeige. Erst der Nationalsozialismus habe die Technik ihrer eigentlichen Bestimmung zugeführt, die Menschen „entsprechend ihrer Geistigkeit kulturell zu heben“ anstatt sie durch „unsoziale Handhabung“ in die Arbeitslosigkeit zu stürzen und damit zu „proletarisieren“.[55] In Anknüpfung an konservativ-revolutionäres Gedankengut betonten fast alle Autoren, die das Verhältnis von Weltanschauung, Kultur und Technik näher zu bestimmen suchten, die ideologischen Unterschiede zwischen dem nationalsozialistischen und dem liberalen Gebrauch der Technik.

Joseph Bader, der sich im Dritten Reich verstärkt für eine staatliche Lenkung der Technik einsetzte, forderte eine philosophische Begründung der Technik *gegen* die westliche, auf Calvin und die Prädestinationslehre zurückgehende, „in England, Amerika, Holland, Frankreich ihre Triumphe“ feiernde Auffassung, daß der Wert der Technik allein nach dem ökonomischen Erfolg zu bemessen sei.[56] Ähnlich argumentierte Fritz Giese, der in den zwanziger Jahren die „Girl-Kultur“ zum Paradigma einer durchrationalisierten Gesellschaft erklärt und in exakten Formationen des Varietés eine Metapher der totalen Beherrschbarkeit der Massen sowie der eugenischen Höherbildung der Rasse gesehen hatte. Damals hatte Giese aus der Überlegenheit Amerikas die Lehre gezogen, von den USA zu „lernen, um tüchtiger, erfolgreicher zu werden.“[57] Nun, 1934, warf er den deutschen Ingenieuren vor, in den zwanziger Jahren einer „Amerikapsychose“ erlegen zu sein, „um in rührender Selbststerilisierung ... nach amerikanischem Modell deutsche Betriebe aufzuziehen, anzukurbeln oder zu rationalisieren, wenn wir die Sprache der damaligen Zeit in Erinnerung rufen wollen.“[58]

Ein wichtiger Aufsatz über „Die echte Rationalisierung“, der 1936 im *Jahrbuch* des Arbeitswissenschaftlichen Instituts der DAF erschien, faßte

---

55 Fritz Lautenbacher, „Neuland der Technik“, Deutsche Technik 1 (1933): 99-101, hier: 99.

56 Martin Holzer, „Die Philosophie der Technik und das Recht auf Arbeit“, ibid., 161-63, hier: 162.

57 Fritz Giese, Girlkultur: Vergleiche zwischen amerikanischem und europäischem Rhythmus und Lebensgefühl (München: Delphin-Verlag, 1925) 12. Zu Giese, der in Stuttgart Arbeitswissenschaft und Psychologie unterrichtete, Isolde Dietrich, „Massenproduktion und Massenkultur: Bürgerliche Arbeitswissenschaft als Kulturwissenschaft“, Mitteilungen aus der kulturwissenschaftlichen Forschung 22 (1987): 49-59; Peter Jelavich, Berlin Cabaret (Cambridge, Mass.: Harvard University Press, 1993) 177ff.

58 Fritz Giese, „Arbeitswissenschaft im neuen Reich“, Deutsche Technik 2 (1934): 593-96, hier: 594.

diese Argumentation noch einmal zusammen. Die Autoren kritisierten die Unternehmer der Weimarer Republik, daß diese in die Vereinigten Staaten „gepilgert" seien, um „an Ort und Stelle, in den neuzeitlich ausgerüsteten Betrieben alle betriebswirtschaftlichen Neuerungen in technischer und organisatorischer Hinsicht kennenzulernen." Dabei sei man weit über das Ziel hinausgeschossen. Man habe „nach amerikanischem Vorbild riesenhafte technische Anlagen" errichtet, obwohl „die Absatzverhältnisse Deutschlands" nicht die gleiche „Ausweitung der Erzeugung" gestattet hätten wie in den USA, wo es keinen „Überfluß an Arbeitskräften" gegeben habe. Im „Staate Adolf Hitlers" seien die Voraussetzungen einer „echten Rationalisierung" geschaffen worden, die „den Menschen in den Mittelpunkt" gestellt habe und die dem „Wohl der Gesamtheit" diene.[59] Der Abbau der Arbeitslosigkeit, so Georg Seebauer, der Leiter des Amtes für Technik bei der Reichsleitung der NSDAP, Leiter des Reichskuratoriums für Wirtschaftlichkeit und stellvertretender Leiter der Reichsgruppe Energiewirtschaft, habe Rationalisierung zu einer „wirtschaftspolitischen Notwendigkeit" gemacht und sie „aus dem Krampf eines entarteten Kapitalismus gelöst".[60]

Allenthalben suchte man im Dritten Reich nach einer „deutschen Antwort" auf die Amerikanisierung der industriellen Produktion. Eine Institution, die sich prominent mit dieser Aufgabe beschäftigte, war das Deutsche Institut für Arbeitsschulung. Es wurde 1933 von der DAF beauftragt, Konzepte der Produktivitätssteigerung zu entwickeln, die sich gerade nicht an amerikanische Vorbilder anlehnen sollten.[61] Die „deutsche Rationalisierung" sollte nach Ansicht der Nationalsozialisten in Abgrenzung von „liberalistisch-amerikanischem" Egoismus verwirklicht werden.[62] In aller Deutlichkeit wurden die Unterschiede zwischen dem deutschen und dem amerikanischen Weg zum Fordismus herausgearbeitet. Selbst dann, wenn von den Amerikanern im Einzelfall etwas „Nützliches" zu lernen sei, müsse man die „amerikanischen Methoden" entsprechend ergänzen. Das zeigt das Beispiel der Klöckner-Humboldt-Deutz AG, die Verbesserungen im Betriebsklima

---

59 „Die echte Rationalisierung", Jahrbuch 1936, Hg. Arbeitswissenschaftliches Institut der DAF, 189-222; ausführliche Analyse dieses Schlüsseldokuments bei Siegel und Freyberg, Rationalisierung unter dem Nationalsozialismus, 77ff.

60 Georg Seebauer, „Rationalisierung: Eine kapitalistische Angelegenheit oder eine volkswirtschaftliche Forderung?" RKW-Nachrichten 11 (1937): 161, zit. nach Siegel und Freyberg, Rationalisierung unter dem Nationalsozialismus, 319.

61 Vgl. Matthias Frese, Betriebspolitik im „Dritten Reich": Deutsche Arbeitsfront, Unternehmer und Staatsbürokratie in der westdeutschen Großindustrie 1933-1939 (Paderborn: Schöningh, 1991) 254.

62 „Drei Jahre Rationalisierung", Völkischer Beobachter, 3. Januar 1939.

zwar durch die Übernahme von „sechs Grundsätzen“ einer General Motors-Fabrik in Dayton in Ohio erreichen wollte, aber nicht ohne diese an „unsere deutschen Verhältnisse“ anzupassen, das hieß an das Führerprinzip und an die Vorstellung von der „Werksgemeinschaft als einer Schicksalsgemeinschaft.“[63]

Es überrascht daher nicht, daß der Begriff „Amerikanismus“ im Dritten Reich zunehmend zur Abgrenzung der „wahren,“ nationalsozialistischen Rationalisierung vom westlichen, „liberalistischen“ Modell industrieller Entwicklung verwendet wurde. Die bis dahin aufrecht erhaltene, aus der Weimarer Zeit stammende, Differenzierung zwischen einem „guten“, sprich industriellen und wirtschaftlichen, sowie einem „schlechten“, das heißt kulturellen, Amerikanismus war schon Mitte der dreißiger Jahre fast völlig aufgegeben worden. Der Amerikanist Hans Effelberger meinte 1936, daß man sich in Deutschland zurecht gegen das wehre, „was man als den Amerikanismus der Nachkriegszeit“ bezeichnen könne, der sich „infolge der zunehmenden Technisierung des Lebens als Vergötzung des Überdimensionalen und der größtmöglichen Zahl mehr oder weniger durch alle modernen Völker“ hindurchziehe.[64] Der *Neue Brockhaus* definierte den Amerikanismus in der Ausgabe von 1939 als die „kulturelle Eigenart des nordamerikanischen Volkes im Gegensatz zur Kultur Europas und Asiens, besonders die Vorherrschaft des Massenwillens in den täglichen Lebensformen, die Massenerzeugung von entbehrlichen Gütern, die Übersteigerung des technischen Denkens, die Vorliebe für die große Zahl, den Hang zum Aufsehenerregenden.“[65] Selbst im Bereich der Motorisierung – dem klassischen Fall des technologischen Amerikanismus – setzte eine ideologisch motivierte De-Amerikanisierung ein. Henry Ford durfte nicht länger als „Vater des Volkswagens“ bezeichnet werden, dieser Ehrentitel blieb Hitler vorbehalten.[66] Nur im Nationalsozialismus könne es einen „Volkswagen“ geben, nur dort sei „die klassenmäßige Bindung des Automobils“ überwunden worden.[67]

---

63 Vgl. Martin Rüther, „Zur Sozialpolitik bei Klöckner-Humboldt-Deutz während des Nationalsozialismus: ‘Die Masse der Arbeiterschaft muß aufgespalten werden’“, Zeitschrift für Unternehmensgeschichte 33 (1988): 81-117, hier: 89f.

64 Hans Effelberger, „Die Gegenwartsbedeutung der amerikanischen Philosophie“, Die neueren Sprachen 44 (1936): 487-96, hier: 496.

65 Der Neue Brockhaus: Allbuch in vier Bänden und einem Atlas (Leipzig: Brockhaus, 1939).

66 Presseanweisung vom 4. Mai 1936, Bundesarchiv, Sammlung Brammer, ZSg 101/7/287, Nr. 400.

67 Wilfried Bade, Das Auto erobert die Welt: Biographie des Kraftwagens (Berlin: Andermann, 1938) 352f.

1939 schloß der *Völkische Beobachter* die Diskussion ein und für alle Mal mit der Feststellung ab, daß man in Zukunft von „einem amerikanischen und einem deutschen Weg" zur Motorisierung sprechen müsse.[68]

Viele deutsche Amerikareisende der dreißiger Jahre entdeckten daher nur wenig, was sie der Nachahmung für wert gehalten hätten. Sicher, noch immer waren die Fordwerke in Detroit ein Anziehungspunkt für die beträchtliche Anzahl deutscher Besucher, die in der Vorkriegszeit in die Vereinigten Staaten fuhren.[69] Der Tenor vieler Reiseberichte war jedoch, daß sich Amerika politisch, wirtschaftlich und gesellschaftlich in der Defensive befinde und daß von einer „Amerikanisierung der Welt nicht mehr die Rede" sein könne, wie es „Hitlers Amerikaexperte", Colin Ross, formulierte.[70] Aus der Beobachtung der relativen Schwäche der USA sprach die Genugtuung vieler Deutscher über die Bewältigung der Wirtschaftskrise im Dritten Reich - mittels „amerikanischer Methoden". Aufgeschlossenheit für technische und arbeitsorganisatorische Neuerungen in den USA war daher keineswegs identisch mit einem Interesse an den demokratisierenden Folgen des Modernisierungsprozesses. Im Gegenteil, der ausbleibende Erfolg des New Deal wurde als der Beweis dafür gesehen, daß der amerikanische Weg in eine Sackgasse geführt habe.[71] Das Dritte Reich hingegen habe sich modernster Methoden bemächtigt, sie in den konsequenten Dienst der „Volksgemeinschaft" gestellt und mit dem „überholten Freiheitsbegriff" der „liberalistischen Epoche" gebrochen. Amerika, „das Land der Technik", sei an seine Grenzen gestoßen, wie Conrad Matschoß, der Vorsitzende des Verbands deutscher Ingenieure, im Anschluß an eine Studienreise in die USA berichtete: „Hier liegt der Grund für die großen geistigen Kämpfe um den Freiheitsbegriff, der sich im Laufe der letzten Jahre in den Vereinigten

---

68 „Der deutsche Weg zum Volkswagen", Völkischer Beobachter, 18. Februar 1939 (Sonderbeilage „Die Großdeutsche Kraftfahrt" zur Berliner Automobilaustellung 1939).

69 Zu Amerikareisen im Dritten Reich siehe Rennie W. Brantz, „German-American Friendship: The Carl Schurz Vereinigung, 1926-1941", International History Review 11 (1989): 228-251; Gassert, Amerika im Dritten Reich, 136-47.

70 Colin Ross, Amerikas Schicksalsstunde: Die Vereinigten Staaten zwischen Demokratie und Diktatur (Leipzig: Brockhaus, 1935) 5; zu Ross siehe Gassert, Amerika im Dritten Reich, 108ff.

71 „Roosevelt lenkt ab", Völkischer Beobachter, 20. September 1937; Josef Engert, Wohin geht Amerika? Kulturphilosophische Reisenotizen (Paderborn: Ferdinand Schöningh, 1937) 25f.

Staaten entwickelt hat und der mit den Erfordernissen der heutigen Zeit in Einklang gebracht werden muß."[72]

Das Ende der nationalsozialistischen Alternative im Zweiten Weltkrieg

In der Vorkriegszeit hatten nationalsozialistische Techniker und Ideologen die These etabliert, die zwischen einem amerikanischen und einem deutschen Weg der Technik unterschied. Frank Trommler und andere haben nun argumentiert, daß während des Zweiten Weltkriegs aufgrund der Erfordernisse der Rüstungsproduktion diese vor allem weltanschaulich motivierte Differenzierung in der Praxis wieder rückgängig gemacht worden sei. In der Konfrontation mit den „großen Technokratien" der USA und der UdSSR habe man sich gar nicht mehr den Luxus „einer der Kultur, ... den Handwerksgepflogenheiten, der Individualfabrikation, den ästhetischen Traditionen und der Naturnähe verpflichteten Produktionstechnik" leisten können.[73] Hitler selbst habe das Einschwenken auf in Amerika entwickelte Konzepte der Massenproduktion sanktioniert, als er 1942 in seinen „Monologen im Führerhauptquartier" die „deutsche Werkmannsarbeit" als der rationelleren und moderneren amerikanischen Produktion unterlegen bezeichnete.[74]

Tatsächlich war die deutsche Wirtschaft im Jahr 1941 an ihre Grenzen gestoßen, vor allem weil man bestehende Potentiale zur Rationalisierung nicht ausgenutzt hatte. Beträchtliche Ressourcen wurden durch Investitionen in kapitalintensive Projekte wie die Herstellung von synthetischem Benzin und Kautschuk gebunden; der Waffenstolz der Teilstreitkräfte, die sich gegen die Einführung einer effektiven Massenproduktion sträubten, sowie der generelle Mangel an Planung und Koordination drohten die deutsche Kriegführung an der Heimatfront zu unterminieren.[75] Noch im Jahr 1941, also vor Albert Speers Ernennung zum Rüstungsminister, wur-

---

72 „Die Technik im Werden der Vereinigten Staaten: Vortrag von Professor Dr. Matschoß", Mitteilungen der Vereinigung Carl Schurz e.V. Nr. 18 (Mai 1937) 5; zu Matschoß siehe Ludwig, Technik und Ingenieure, 28ff.

73 Frank Trommler, „Amerikas Rolle im Technikverständnis der Diktaturen", Der Technikdiskurs in der Hitler-Stalin-Ära, Hg. Wolfgang Emmerich und Carl Wege (Stuttgart: Metzler, 1995) 159-74, hier: 170.

74 Zitelmann, Hitler, 357; das Zitat vom 2. Februar 1942 aus den „Monologen", ibid.

75 Richard J. Overy, War and Economy in the Third Reich (Oxford: Oxford University Press, 1994) 346ff.

den erste Anstrengungen unternommen, die deutsche Kriegswirtschaft auf eine rationalere, geplante Basis zu stellen: „Rationalisierung und Konzentration" hieß die im April 1942 von Reichswirtschaftsminister Walther Funk ausgegebene Parole, die schließlich von Speer mit nicht unbeträchtlichem Erfolg in die Tat umgesetzt wurde.[76] Das danach einsetzende „Produktionswunder" der deutschen Rüstungswirtschaft, die erst gegen Ende des Krieges ihre volle Kapazität erreichte, war demnach nicht unwesentlich auf rationellere, sprich „amerikanische", Methoden zurückzuführen.

Die Ausweitung industrieller Massenproduktion wurde von nationalsozialistischen Ideologen und Technikern durchaus als ein Problem für ein nationalsozialistisches Deutschland der Nachkriegszeit gesehen und ganz offen in der NS-Presse thematisiert.[77] Dies sollte jedoch nicht zu dem Schluß verleiten, daß sich der Nationalsozialismus nun plötzlich aus purer Notwendigkeit dem amerikanischen Modell angeschlossen hätte. Selbst wenn man über die nationalsozialistische Variante „rassistischer Amerikanisierung" (Hachtmann) einmal hinwegsieht - die sich im übrigen nur vorübergehend unter dem Aspekt des extremen Arbeitskräftemangels des Zweiten Weltkriegs rechtfertigen ließ, da die Kosten für die Überwachung den potentiellen Gewinn bald überstiegen[78] - so war man im Dritten Reich noch immer bestrebt, dem amerikanischen einen nationalsozialistischen Weg entgegenzustellen. Dies zeigen die Pläne für eine „neue", nationalsozialistische Ordnung in Europa, die als ein der amerikanisch dominierten „Weltwirtschaft" entgegengesetzter Kontinentalblock verstanden wurde und die, soweit die deutschen Armeen reichten, auch schon in Ansätzen verwirklicht worden war. Weder auf die Art und Weise, mit der die Deutschen diese neue Ordnung in Ost- und Westeuropa aufrichteten, noch auf die deutsche Nachkriegsplanung trifft jedoch der Begriff einer „Amerikanisierung" der nationalsozialistischen Wirtschaft in der zweiten Hälfte des Krieges im entferntesten zu.[79]

---

76 Willi A. Boelcke, Die deutsche Wirtschaft 1930-1945: Interna des Reichswirtschaftsministeriums (Düsseldorf: Droste, 1983) 281.

77 Siehe etwa Josef Winschuh, „Moloch Serie?" Deutsche Allgemeine Zeitung, 28. Mai 1944.

78 Hachtmann, „Begründer der amerikanischen Technik", 65; siehe Ulrich Herbert, Hg., Europa und der „Reichseinsatz": Ausländische Zivilarbeiter, Kriegsgefangene und KZ-Häftlinge in Deutschland 1938-1945 (Essen: Klartext-Verlag, 1991).

79 Siehe Volker R. Berghahn, The Americanisation of West German Industry, 1945-1973 (Cambridge: Cambridge University Press, 1986) 26ff.; Gassert, Amerika im Dritten Reich, 296ff.

Auch in anderer Hinsicht folgte man gerade nicht dem amerikanischen Modell, obwohl dies dem Kalkül einer rationalen Kriegführung entsprochen hätte. „Europas Rang in der Technik" wurde mittels der Entwicklung von Waffen kultiviert, mit denen die Armeen der 50er Jahre bestückt werden sollten, die sich im Zweiten Weltkrieg jedoch noch als entbehrlich erwiesen. Adolf Hitler und seine Generäle hielten bis zuletzt an ihren „Lieblingsprojekten" fest, Armee und Luftwaffe waren trotz der schwierigen wirtschaftlichen Situation und der begrenzten Ressourcen des Dritten Reiches nicht bereit, ihre Skepsis gegenüber effektiven, einfachen, technisch wenig anspruchsvollen, aber in „fordistischer" Massenproduktion zu fertigenden Produkten aufzugeben. Die Beispiele hochgezüchteter, für die Kriegführung untauglicher Waffen, wie der von Hitler favorisierte, übergroße und übertechnisierte Tiger-Panzer, sind Legion und trugen nicht unwesentlich zur Unterlegenheit des Dritten Reichs auf den Schlachtfeldern des Zweiten Weltkriegs bei. Dies gilt auch für die Besessenheit, mit der die Produktion von „Wunder-„ und „Vergeltungswaffen" forciert wurde, die kurzzeitig einen starken psychologischen Eindruck bei Deutschlands Gegnern hinterließen, jedoch kaum etwas zum militärischen Endergebnis des Zweiten Weltkrieges beitragen konnten.[80] Diese Fehlentwicklungen sind nur durch den spezifischen Charakter des Nationalsozialismus zu erklären, als eine direkte Folge der „charismatischen Herrschaft" Adolf Hitlers und der daraus resultierenden Dysfunktionalitäten des nationalsozialistischen Systems.[81] Aus der eigenartigen Zwitterstellung des Dritten Reichs zwischen Kapitalismus und Kommunismus folgte, daß Deutschland weder Gewinn aus der Eigeninitiatve des liberal-kapitalistischen Systems ziehen konnte – diese wurde durch das immer wieder erfolgte Hineinregieren in die nach wie vor privatkapitalistisch organisierte deutsche Industrie erstickt – noch die Vorteile einer nach einem strikten Schema von Über- und Unterordnung ausgerichteten „command economy" genoß, wie sie die Sowjetunion war.[82]

Ein weiterer, grundsätzlicher Einwand ist, daß der „Drang zur Serie", d.h. zur modernen Massenfertigung nach amerikanischem Vorbild, ja weder vor noch nach 1941 mit dem Nationalsozialismus für unvereinbar gehalten wurde. Daß ökonomische Faktoren und technologischer Fortschritt in der modernen Kriegführung eine entscheidende Rolle spielten, hatten die Na-

---

80 Heinz Dieter Hölsken, Die V-Waffen: Entstehung – Propaganda – Kriegseinsatz (Stuttgart: DVA, 1984)

81 Zur Interpretation des Nationalsozialismus als „charismatischer Herrschaft" Ian Kershaw, Hitler 1889-1936 (Stuttgart: DVA, 1997).

82 Richard J. Overy, Why the Allies Won (New York: W.W.Norton, 1996) Kapitel 6 und 7.

tionalsozialisten aus der Niederlage des Kaiserreiches im Ersten Weltkrieg gelernt.[83] Die in der Vorkriegszeit etablierte Argumentation, daß der Nationalsozialismus die Lösung für die wirtschaftlichen und sozialen Probleme der Moderne gefunden habe, wurde von der NS-Rüstungspropaganda des Zweiten Weltkrieges nahtlos fortgesetzt. In diesem „Krieg der Techniker" (Hitler) würden Deutschland und seine Verbündeten die Oberhand behalten, weil ihnen die größten Rüstungsfabriken „mit jahrhundertealter Tradition" zur Verfügung stünden, während es den Amerikanern an Maschinen und Facharbeitern mangele und sie mit „sonstigen schwersten organisatorischen Mängeln" zu kämpfen hätten.[84] Nach wie vor kultivierte man einen eigenständigen, „deutschen Stil" der Massenproduktion.[85] Nicht die „jüdische" und bolschewistische „Anbetung der großen Zahl", sondern die Einbettung der Technik „in einen höheren Sinnzusammenhang" werde sich als kriegsentscheidend erweisen.[86] Rüstungsminister Speer machte aus der Not eine Tugend, als er im Juni 1943 noch einmal dem deutschen Volk zu versichern suchte, daß die „Masse durch bessere Qualität nicht nur ausgeglichen, sondern besiegt werden kann."[87]

Es ist aufschlußreich, daß gerade in der deutschen Bevölkerung diese Versuche auf wenig Zustimmung stießen, das amerikanische Potential als minderwertig herabzusetzen. Schon Anfang 1942, dies zeigen die vom Sicherheitsdienst der SS (SD) zusammengestellten *Meldungen aus dem Reich*, hielten viele Deutsche die Propaganda gegen den amerikanischen „Rüstungsbluff" für deplaziert. Die Berichterstattung über die Rohstoff- und Versorgungslage in den USA wurde allgemein als „günstig gefärbt" empfunden. „Bei den Volksgenossen", so der SD, „halte sich noch vielfach die Vorstellung, daß uns England und die USA in der Erzeugung weit überlegen seien." Zeitungsartikel wie „Die USA bekommen den Krieg zu spüren" seien nicht wirklich überzeugend, „da man nicht verstehe, wieso es in den USA nach kaum einem Monat Krieg keine Bratpfannen, Heftklammern, Papier u.

---

83 Georg Seebauer, „Leistungssteigerung erhöht unser Kriegspotential", Deusche Technik 8 (1940): 2-5.

84 „Amerikapropaganda: 10 Thesen für die Propaganda gegenüber den Vereinigten Staaten (zur allgemeinen Verwendung)", Politisches Archiv des Auswärtigen Amtes, R 30.005/ 14.583ff. (von Ribbentrop im März 1942 angeordnet).

85 Von einem „deutschen Stil der Serienproduktion" spricht Winschuh, „Moloch Serie"; zu nationalen technologischen Stilen siehe Thomas Hughes, Die Erfindung Amerikas: Der technologische Aufstieg der USA seit 1870 (München: Beck, 1991).

86 Hg. Reichsführer SS, SS-Hauptamt, Amerikanismus: Eine Weltgefahr (o.O: o.V., o.J. [Berlin, 1943] 45.

87 Rede Speers am 5. Juni 1943 im Berliner Sportpalast, Bundesarchiv, R3/1547.

dergl. mehr geben solle".[88] Im Oktober 1942 glaubte Propagandaminister Goebbels daher feststellen zu müssen, daß Deutschland „in der Rüstungspropaganda gegenüber den USA vollständig in die Defensive geraten" sei.[89]

Alle Versuche der nationalsozialistischen Propaganda, die „Schwindeleien der USA über die großen Produktionen an Kriegsgerät" zu widerlegen,[90] liefen den Erfahrungen der Deutschen aus dem Ersten Weltkrieg zuwider und der traditionellen Perzeption der Vereinigten Staaten als einem wirtschaftlich sehr mächtigen Land mit nahezu unbegrenzten natürlichen und menschlichen Hilfsmitteln. Aufgrund der „Lehren von 1917" waren viele „Volksgenossen" nicht bereit, die These der NS-Propaganda zu akzeptieren, daß der Nationalsozialismus dem Amerikanismus aufgrund qualitativer Merkmale überlegen sei.[91] Der Propaganda unterlaufe durch „die Unterschätzung des Gegners ein großer Fehler", meinte ein Berichterstatter des SD, weil sie die Knappheit in England und den USA betone, während angeblich „das Kriegspotential auf unserer Seite immer größer würde".[92] Dabei war es nicht selten die Propaganda selbst, die die Tendenz vieler Deutscher bestärkte, in den USA einen unüberwindlichen Gegner zu sehen. An einem Rundfunkvortrag über „Milliardenschulden der USA", zum Beispiel, interessierten die wenigsten Hörer die Ausführungen des Redners über die Schwierigkeiten der amerikanischen Kriegsfinanzierung, sondern die Tatsache, daß die Produktion von Panzern und Flugzeugen in Detroit einen größeren Umfang eingenommen habe „als die gesamte Automobilproduktion in ihren besten Zeiten".[93]

Die nationalsozialistische Propaganda war damit an einem Punkt angelangt, an dem schon die reaktionär-modernistische Amerikakritik der zwanziger Jahre angesetzt hatte. Weder war es dem Nationalsozialismus

---

88 Meldungen aus dem Reich: Die geheimen Lageberichte des Sicherheitsdienstes der SS, Hg. Heinz Boberach, 17 Bde. (Herrsching: Pawlak Verlag, 1984) Nr. 250, 12. Januar 1942, 3154.

89 Wollt Ihr den totalen Krieg: Die geheimen Goebbels-Konferenzen 1939-1943, Hg. Willi A. Boelcke (München: DTV, 1969) Ministerkonferenz vom 24. Oktober 1942, 387.

90 „Aufzeichnung des Gesandten Krümmer", 10. Januar 1942, Politisches Archiv des Auswärtigen Amtes, R 27.512; einschlägige Beispiele: Johann Paul Hütter, „Nordamerikanische Transportsorgen", Zeitschrift für Politik 32 (1942): 834-42; Kurt Peterson, USA-Rüstung: Illusion und Wirklichkeit (Berlin: Franz Eher Nachf., 1943).

91 Ausführlich Gassert, Amerika im Dritten Reich, 336-52.

92 Hans Kleiber, „Jahrespolitische Berichte für den SD in Lahr/Baden", Institut für Zeitgeschichte, München, Fa 714/44, 28. November 1942.

93 Aktennotiz aus dem Reichssicherheitshauptamt (Dr. Mk., III C 3 c), 24. November 1942, Bundesarchiv R 58/1092/203.

gelungen, seine eigene Ordnung *gegen* Amerika aufzurichten, noch hatte sich die Kritik an der amerikanischen Moderne und die These von der technologischen und militärischen Überlegenheit des Nationalsozialismus bewahrheitet. Wieder einmal schien Amerika die Zukunft zu gehören. In Kreisen der deutschen Industrie begann man, sich mit einer Option für den Westen anzufreunden. Das unklare Verhältnis von unternehmerischer Selbstverantwortung und staatlicher Planung im Dritten Reich, die Überzeugung, daß die USA nach einem Sieg das privatkapitalistische Wirtschaftssystem wiederaufrichten würden, sowie die offensichtliche materielle und militärische Unterlegenheit des Dritten Reiches verliehen dem amerikanischen Modell wachsende Attraktivität unter deutschen „Wirtschaftsführern“.[94] Eine Artikelserie über die amerikanische Kriegswirtschaft, die Ende 1943 in den *Nachrichten für den Außenhandel* erschien, erregte großes Interesse in der Industrie, da der Autor nicht nur eine zutreffende Schilderung der amerikanischen Kriegswirtschaft gab, sondern auch keinen Zweifel ließ, daß die Vereinigten Staaten unbeachtlich des Kriegsausgangs zukünftig der Weltwirtschaftsordnung ihren Stempel aufdrücken würden.[95] Bei zahlreichen Unternehmern verstärkten die Informationen „die ohnehin schon vorhandene Disposition ..., in einem Sieg der Westalliierten nicht das größte der möglichen Übel zu erblicken“.[96]

Ähnlich verhielt es sich mit vielen einfachen Deutschen, denen der Luftkrieg die technologische Überlegenheit der Amerikaner tagtäglich vor Augen führte. Angesichts der „russischen Gefahr“ im Osten setzten viele ihre Hoffnungen auf einen möglichst schnellen Vormarsch der amerikanischen Truppen, deren Verhalten zum „humanitären Gegenbild des bolschewistischen Terrors“ wurde, wie die Historikerin Marlis Steinert gemeint hat.[97] So mancher wähnte sich gar als kommender Nutznießer des „Dollarimperialismus“. Einige Bauern hatten es schon im Spätsommer 1944 mit der Getreideablieferung nicht mehr sehr eilig, sondern hielten ihre Ernte zurück, um „dann auch gegen Dollar verkaufen zu können“.[98] Auch ein Arbei-

---

94 Ich folge hier Herbst, Totaler Krieg, 330ff.

95 Herbert Gross, „Die amerikanische Kriegswirtschaft 1943: Gestaltungen und Erörterungen“, Nachrichten für den Außenhandel Nr. 224, 27. September 1943 sowie in den folgenden Ausgaben, zit. nach Herbst, Totaler Krieg, 330.

96 Herbst, Totaler Krieg, 332.

97 Marlis G. Steinert, Hitlers Krieg und die Deutschen: Stimmung und Haltung der deutschen Bevölkerung im Zweiten Weltkrieg (Düsseldorf: Econ, 1970) 592.

98 Bericht der Gauleitung Baden an die Parteikanzlei, 9. September 1944, zit. nach Klaus-Dietmar Henke, Die amerikanische Besetzung Deutschlands (München: Oldenbourg, 1995) 87f.

ter meinte, „wenn Amerika den Frieden diktiert, wird es nicht so schlimm werden, die wollen nur ihre Geschäfte machen und brauchen den Deutschen für ihre Kapitalisten".[99] Während in der älteren Generation noch die Skepsis überwog, richtete sich die Neugier der Jugend auf die Amerikaner, deren militärische, wirtschaftliche und technologische Überlegenheit imponierte.[100] Mit dem Untergang des Dritten Reiches und dem Sieg der USA im Zweiten Weltkrieg war die nationalsozialistische Alternative zur amerikanischen Moderne gescheitert. Obwohl es Jahrzehnte dauern sollte, bis sich diese Erkenntnis in der Bundesrepublik allgemein durchgesetzt hatte – ein nicht unbedeutendes antiwestliches und antiamerikanisches Potential prägte bis in die sechziger Jahre die politische Kultur Westdeutschlands – hatte der deutsche Versuch, eine technologisch fortgeschrittene „Volksgemeinschaft" als ein Gegenmodell zum Westen zu errichten, sich als eine ideologische, wirtschaftliche und militärische Sackgasse erwiesen.[101]

---

99 „SD-Bericht zu Inlandsfragen", 22. November 1943, Meldungen aus dem Reich, 6052.

100 Rolf Schörken, Luftwaffenhelfer und Drittes Reich: Die Entstehung eines politischen Bewußtseins (Stuttgart, Klett-Cotta, 1984) 142f.; zur generationenspezifischen Wahrnehmung auch Kaspar Maase, Bravo Amerika: Erkundungen zur Jugendkultur der Bundesrepublik in den fünfziger Jahren (Hamburg: Junius, 1992) 83ff.

101 Zum Problem der „Verwestlichung" siehe Anselm Doering-Manteuffel, in Verbindung mit Julia Angster, Michael Hochgeschwender, Gudrun Kruip und Thomas Sauer, „Wie westlich sind die Deutschen?" Historisch-Politische Mitteilungen. Archiv für Christlich-Demokratische Politik 3 (1996): 1-38; Axel Schildt, Zwischen Abendland und Amerika. Studien zur Ideenlandschaft der 50er Jahre (München: Oldenbourg, 1999).

Burghard Ciesla

„Tassos Rundbriefe"[1] aus dem „Land der Autos": Auto-mobile Kulturerfahrungen einer deutschen Ingenieurfamilie in der Neuen und Alten Welt

Am 28. Februar 1953 fuhr die deutsche Familie Proppe[2] mit einem amerikanischen Truppentransportschiff von Bremerhaven über den „großen Teich" in die USA. Der Ingenieur Tasso Proppe hatte einen Arbeitsvertrag mit der United States Air Force (USAF) in der Tasche, der ihn zu einer Tätigkeit als Versuchsingenieur[3] verpflichtete. Er gehörte damit zu den Hunderten von deutschen[4] Naturwissenschaftlern und Technikern, die vom amerikanischen Militär im Rahmen des sogenannten „Project Paperclip"[5]

---

1 Tasso Proppe: „Tassos Rundbriefe" 1952–1987 (München, 1990), Hg. Wilfrid Ennenbach. Die Sammlung der Rundbriefe wurde aus Anlaß des 80. Geburtstages von Tasso Proppe in einer kleinen Auflage für den Jubilar, Verwandte, Angehörige, Freunde und Bekannte gedruckt. Ich bin Herrn Wilfrid Ennenbach für die Überlassung eines Exemplares zu großem Dank verpflichtet.

2 Zur Familie gehören die Eheleute Tassilo „Tasso" (geboren 1910) und Antonia „Toni" (geboren 1913) sowie die beiden Kinder Bärbel und Hans (Hansl). Die Kinder sind zum Zeitpunkt der Einwanderung im Jahre 1953 im Alter von 13 (Bärbel) und 10 Jahren (Hans).

3 Konkrete Angaben über die Projekte bzw. Arbeitsaufgaben, an denen Tasso Proppe während seiner Zeit bei der Air Force gearbeitet hat, werden in den Rundbriefen nicht gemacht. Für kurze Zeit (März/ April 1953) befaßte er sich mit theoretischen Forschungsfragen. Danach war Proppe vorrangig mit der Organisatoion und Durchführung von Versuchen für die Raketen- und Flugzeugentwicklung beschäftigt.

4 Es wurden auch aus Österreich stammende Fachleute in die USA gebracht. Deren Anteil lag am Ende der vierziger Jahre bei etwa 4 Prozent. Auf eine getrennte Nennung ist aus Platzgründen verzichtet worden.

5 Die ersten deutschen Spezialistengruppen wurden 1945/46 im Rahmen der Geheimdienstoperation „Overcast" und ab März 1946 unter dem Nachfolgeprogramm „Project Paperclip", das am 3. September 1946 noch einmal eine Modifizierung erfuhr, nach Übersee geholt. Die Bezeichnung „Paperclip" („Büroklammer") kam durch die Kennzeichnung der Personalakten der ausgewählten deutschen Naturwissenschaftler und Techniker mit einer Büroklammer zustande. Ausführlicher zur Entstehung und Durchführung dieser Programme und zu weiteren Hintergründen u. a. Clarence G. Lasby, Project Paperclip: German Scientists and the Cold War (New York: Atheneum, 1975); Tom Bower, Verschwörung Paperclip. NS-Wissenschaftler

nach dem Ende des Zweiten Weltkrieges in die USA geholt wurden. Sie waren hochqualifizierte Fachleute, die von den Amerikanern in ihrem jeweiligen Spezialgebiet als „leading authority" eingestuft wurden und deren Können als hervorragend bzw. hervorstechend („outstanding") galt. Bis 1948 kamen mit „Paperclip" etwa 500 dieser Spitzenkräfte mit ihren Familien in das Land. Dieser zahlenmäßige Umfang blieb bis 1950 weitgehend konstant.[6] Anfang der fünfziger Jahre begann jedoch die Zahl der deutschen

---

im Dienste der Siegermächte (München: Paul List Verlag, 1987); John Gimbel, Science, Technology, and Reparations. Exploitation and Plunder in Postwar Germany (Stanford: Stanford University Press, 1990); Linda Hunt, Secret Agenda. The United States Government, Nazi Scientists, and Project Paperclip, 1945 to 1990 (New York: St. Martin's Press, 1991); Burghard Ciesla, „Das 'Project Paperclip' - deutsche Naturwissenschaftler und Techniker in den USA (1946 bis 1952)", Historische DDR-Forschung. Aufsätze und Studien, Hg. Jürgen Kocka (Berlin: Akademie Verlag, 1993), 287-301; derselbe, „'Intellektuelle Reparationen' der SBZ an die alliierten Siegermächte?", Wirtschaftliche Folgelasten des Krieges in der SBZ/DDR, Hg. Christoph Buchheim (Baden-Baden: Nomos Verlag, 1995), 97-109; Matthias Judt und Burghard Ciesla, Hg. Technology Transfer out of Germany after 1945 (Amsterdam: Harwood Academic Publishers, 1996).

6 Bis zum 31. Januar 1946 kamen unter „Overcast" 129 Spezialisten in die USA. Von diesen gehörten etwa 80 Prozent zu den Raketenleuten um Wernher von Braun, die von der U.S. Army betreut wurden. Zwei Jahre später hatte sich das Strukturbild deutlich verschoben. Von den 500 Spezialisten arbeiteten etwa 40 Prozent bei der Air Force, 34 Prozent bei der Army, 16 Prozent bei der Navy und 10 Prozent befanden sich unter der Schirmherrschaft des Department of Commerce. Zu diesem Zeitpunkt wurde aber auch in den verantwortlichen Stellen darüber diskutiert, die Deutschen wieder nach Hause zu schicken, da ihr Wissen über neuartige Waffentechnologien aus der Kriegszeit weitgehend „abgeschöpft" worden war. Zudem hielten sich die Deutschen lediglich als „Gäste" des amerikanischen Militärs unter Umgehung der Einwanderungsgesetze in den USA auf. Gegen die Zurückschickung sprach jedoch, daß die Deutschen sensible Einblicke in die amerikanischen Verhältnisse erhalten hatten. Es bestand die Furcht, daß sie bei ihrer Rückkehr über die Erfahrungen mit der „anderen Seite" berichten könnten. Im Jahre 1948 wurde deshalb entschieden, die annähernd 500 deutschen Spezialisten und ihre rund 1.200 Angehörigen zu amerikanischen Staatsbürgern zu machen. In einem Bericht der Joint Intelligence Objective Agency (JIOA) heißt es hierzu: „The only way to prevent this experience and information from falling into the wrong hands is to encourage these Germans to become American citizens and to remain here the rest of their lives. Their supervisors feel they are learning to like America and the American way of life." Bis 1950 hatten von den 500 Fachleuten schließlich ca. 90 Prozent den offiziellen „Resident Alien Status" erhalten, der es ihnen ermöglichte, nach fünf Jahren amerikanische Staatsbürger zu werden. Memorandum Joint Chiefs of Staff (JCS) for Director, JIOA, Subject: „The Kochel Wind Tunnel", 4 May 1948, File Nr. 1001, Record Group 319, Army-Intel-

Fachleute wieder anzusteigen, und im Sommer 1953 wurden in den „Paperclip"-Listen mehr als 700 Spezialisten mit fast 1.500 Angehörigen erfaßt.[7] Diese zweite „Welle" von Know-how-Einwanderern brachte auch die Proppes in die Vereinigten Staaten.

Daß das Interesse an der Nutzung der wissenschaftlich-technischen Fähigkeiten der Deutschen zu Beginn der fünfziger Jahre wieder aufflammte, hing maßgeblich mit dem Kalten Krieg zusammen, der seit der „Berlin-Blockade" (1948/49) auf Hochtouren lief. Zudem hatte die Sowjetunion im August 1949 ihre erste Atombombe gezündet und damit das Atombombenmonopol der Amerikaner überraschend schnell gebrochen und beim atomaren Wettrüsten gleichgezogen. In amerikanischen Militär- und Geheimdienstkreisen wurde nun aufgeregt darüber diskutiert, wie das so schnell passieren konnte. Man erinnerte sich daran, daß die Sowjets bei Kriegsende deutsche Atomspezialisten angeworben hatten. Die Vermutung lag nahe, daß diese beim Bau der Bombe eine wichtige Rolle gespielt hatten.[8] Ein weiteres böses Erwachen gab es im Korea-Krieg, wo sowjetische Waffensysteme zum Einsatz kamen, an deren Entwicklung – ähnlich wie in den USA – wiederum deutsche Fachleute mitgewirkt hatten. Die von Anfang an bei den Amerikanern vorhandene Furcht, daß die „andere Seite" das deutsche Know-how erfolgreich genutzt hatte, bestätigte sich anschaulich bei den Luftkämpfen sowjetischer und amerikanischer Düsenjäger am koreanischen Himmel.

Eine Reihe neuer Rüstungsprogramme wurden bei U.S. Army, Navy und Air Force initiiert, die einen Mehrbedarf an qualifiziertem Personal

---

ligence, National Archives, Washington, D.C.; Ciesla, „Paperclip", 296-99.

7 „Statistical Report of aliens brought to the United States as „Paperclip", „Project 63" and „National Interest Cases", JCS, JIOA, 1 July 1953. Das Dokument stammt aus den National Archives in Washington, D.C., und wurde dem Verfasser als Kopie freundlicherweise von Jürgen Ast, Regisseur und Autor der Fernseh-Dokumentation „Aus der Hölle zu den Sternen" (Mitteldeutscher Rundfunk 1993) über die Raketenleute von Peenemünde, überlassen.

8 Der Anteil der Deutschen am Bau der Bombe beschränkte sich jedoch weitgehend auf die Zuarbeit bei der Lösung von Einzelproblemen bzw. Fragen im Bereich der Grundlagenforschung. Ein große Rolle spielte dagegen die Atomspionage in Los Alamos. Zum tatsächlichen Anteil der deutschen Atomspezialisten und der Atomspionage bei Ulrich Albrecht, Andreas Heinemann-Grüder undArnd Wellmann, Die Spezialisten. Deutsche Naturwissenschaftler und Techniker in der Sowjetunion (Berlin: Dietz Verlag, 1992) 48-82; Wladimir Tschikow und Gary Kern, Perseus: Spionage in Los Alamos (Berlin: Volk und Welt, 1996); David Holloway, Stalin and the Bomb. The Soviet Union and Atomic Energy 1939-1956 (New Haven/London: Yale University Press, 1994).

erzeugten.[9] Die „Paperclip"-Fachleute kamen unweigerlich mit diesen neuen Programmen in Berührung, und sie empfahlen ihren Arbeitgebern bei Personalproblemen häufig bekannte Kollegen aus Deutschland. Einer solchen Empfehlung verdankte auch Tasso Proppe, daß sich die Amerikaner für ihn interessierten.[10] „Paperclip" erlebte eine Renaissance, und im November 1950 wurde unter der Bezeichnung „Project 63" noch ein weiteres militärisches Nutzungsprogramm gestartet. Darüber hinaus versuchte man mit der Aktion „National Interest Cases" deutsche Fachleute für die amerikanische Industrie in Westdeutschland ausfindig zu machen. Letztere sollten den Vereinigten Staaten im rüstungsindustriellen Bereich bei der „defense of the Western world" helfen.[11] Insgesamt gelangten im Rahmen dieser drei Programme bis Mitte der fünfziger Jahre rund 1.000 deutsche Spezialisten mit schätzungsweise 2.000 Angehörigen in die Vereinigten Staaten.[12]

Proppe dürfte zuerst ein „National Interest Case" gewesen sein, da Anfang 1951 ein Mann der Personalabteilung des Luftfahrtunternehmens Lockheed bei der Familie Proppe in Braunschweig anklopfte. Der Lockheed-Mitarbeiter nahm den Ingenieur mit der Maßgabe unter Vertrag, daß er seine jetzige Tätigkeit in Deutschland noch nicht aufgeben sollte, bis alle „Formalitäten" geklärt waren. Die Proppes ließen sich impfen und ärztlich untersuchen, sie beantragten einen „Denazifizierungsschein" und bekamen Formulare von Lockheed, die ausgefüllt werden mußten. Hin und wieder erhielten sie auch lokale Zeitungen aus Burbank im sonnigen Kalifornien, wo das Unternehmen seinen Sitz hatte. Die Annoncen über Lebensmittelpreise, Wohnungen und gebrauchte Autos sollten die Familie auf die neue Heimat einstimmen. Doch 1952 saßen die Proppes immer noch in Braunschweig, und ein anderer „Gesandter aus Amerika" machte seine Aufwartung. Dieser kam im Auftrag der U.S Air Force und klärte die Proppes darüber auf, daß Lockheed an bürokratischen Hürden gescheitert

---

9 Hierzu stellvertretend Stuart W. Leslie, The Cold War and American Science. The Military-Industrial-Academic Complex at MIT and Stanford (New York: Columbia University Press, 1993).

10 „Tassos Rundbriefe", i.

11 Schreiben des amerikanischen Botschafters in der Bundesrepublik James Conant an den Secretary of State John Foster Dulles, American Embassy Bonn/Bad Godesberg, 13 July 1956. Die Kopie des Dokumentes stammt von Jürgen Ast (vgl. Anm. 7). Aus diesem Dokument zitiert auch Hunt, Secret Agenda, 1 und 270.

12 Die meisten kamen jedoch mit dem „Project Paperclip" in die USA. Im Juli 1953 betrug beispielsweise der Anteil der „Paperclip"-Fachleute an den insgesamt unter „Paperclip", „Project 63" und „National Interest Cases" ins Land geholten Deutschen mehr als 80 Prozent. Nach Statistical Report, 1 July 1953; Schreiben von James Conant, 13 July 1956.

sei und es nicht schaffen werde, sie in die USA zu holen. Das Militär, so der Abgesandte der Air Force, habe hingegen mehr Erfahrung (er nannte „Paperclip") und mit dem Pentagon im Rücken einen längeren Arm als Lockheed. Das Programm „National Interest Cases" scheint also gewisse Anlaufschwierigkeiten gehabt zu haben. Doch auch bei der Air Force verging noch einmal mehr als ein Jahr, bis die Proppes ihre Sachen packen und auf die eingangs erwähnte große Schiffsreise gehen konnten. Nach einer stürmischen Überfahrt erreichten sie schließlich am 11. März 1953 die Neue Welt.[13]

„Tassos Rundbriefe"

Bis auf eine Ausnahme war Proppe der Verfasser der Briefe, er fungierte als „Schriftführer", als „offizieller Berichterstatter" der Familie. Die Briefsammlung ist vor allem eine Familiengeschichte, die facettenreich schildert, wie sich die vier Proppes in Amerika „durchgeschlagen" haben, und sie reflektiert die subjektiven Ansichten der Proppes über die verlassene und die neue Heimat. Dadurch wird zugleich erkennbar, wie sehr sich die USA und die Bundesrepublik in einem Zeitraum von mehr als dreißig Jahren wandelten.[14]

Die Aufzeichnungen über die Eindrücke und Erfahrungen der Proppes im „Land der Autos"[15] setzten mit dem Datum ihres Eintreffens in Amerika ein. Der erste Brief vom 11. März 1953 war aber kein „normaler" Brief, sondern die Vorlage für einen Rundbrief, der in Deutschland vervielfältigt[16] und dann an Verwandte, Freunde, Bekannte und Kollegen verschickt wurde. Vor ihrer Abreise waren sie von verschiedenen Seiten darum gebeten worden zu schreiben, wie es ihnen ergeht und was sie alles erleben. Die Proppes versprachen sich durch die Rundbriefe einen engen Kontakt mit der alten

---

13 „Tassos Rundbriefe", i-k. Bei allen Zitaten aus den Rundbriefen wurden – bis auf wenige ganz offensichtliche Fehler – keine Korrekturen vorgenommen.

14 Der Rundbrief Nr. 18 vom Oktober 1960 wurde von der Tochter Bärbel nach ihrem Besuch in Deutschland und zu den Olympischen Spielen in Italien verfaßt. Die Briefe entstanden mit Unterstützung der Ehefrau Toni. Der Rundbrief Nr. 16 vom November 1958 handelt beispielsweise von der ersten Reise der Ehefrau nach Deutschland. Proppe schrieb im Auftrag seiner Frau ihre Ansichten über Deutschland auf. Generell flossen auch die Ansichten und Meinungen der beiden Kinder, solange sie sich bei ihren Eltern aufhielten, in die Rundschreiben ein.

15 „Tassos Rundbriefe" Nr. 2, 16. März 1953, 13.

16 Bis Anfang der sechziger Jahre wurden die Briefe zuerst von Braunschweig und später von der Gesellschaft für Luftfahrtforschung verschickt. Ab 1963 vervielfältigten die Proppes die Briefe selbst und schicken sie von den USA aus.

Heimat, und bis 1987 folgten noch weitere 42 Rundschreiben nach Deutschland. Zuerst schrieb Proppe in Abständen von zwei Monaten, dann zweimal und später einmal im Jahr. Am Anfang gingen die Briefe an 60 und am Ende immer noch an etwa 30 Empfänger.[17] Die Rundschreiben weisen insgesamt drei verschiedene Anschriften der Proppes in den USA auf. Zuerst kamen die Briefe aus dem Küstenstädtchen Cocoa am Atlantik in Florida, wo Proppe bis Ende 1953 auf der nahegelegenen Patrick Air Force Base arbeitete. Im Dezember 1953 wurde der Ingenieur zur Holloman Air Force Base nach New Mexico versetzt, und für etwa zweieinhalb Jahre kam die Post aus Alamogordo, einem Ort 80 Meilen nördlich von El Paso, TX. Im Mai 1956 wechselte Proppe schließlich von der Air Force zur Industrie. Er nahm eine Stelle beim Luftfahrtunternehmen Convair in San Diego an. Dort, am Südzipfel Kaliforniens, wurden die Proppes seßhaft und bauten sich ein neues Zuhause auf. Die Erfahrungen und Eindrücke beziehen sich damit fast ausschließlich auf den Süden der Vereinigten Staaten, „wo", wie Proppe treffend bemerkte, „nicht nur das Klima anders ist, sondern auch der Geist sich in anderen Bahnen bewegt."[18]

Im Laufe der Jahre veränderte sich die Ausrichtung der Rundbriefe. Im ersten Jahr berichteten die Proppes noch ausführlich über die ihnen auffallenden Unterschiede zwischen alter und neuer Heimat. Sie betrachteten die amerikanischen Verhältnisse stark aus deutscher Perspektive. Doch gleich zu Anfang machten sie selbst auf eine verzerrende Komponente in ihrer Berichterstattung aufmerksam:

> Wir erzählen hier immer von den Dingen, die uns besonders auffallen, dabei vergißt man allzu leicht, daß unser Dasein hier zu 80 oder 90% genau so verläuft, wie es überall zu Hause auch sein könnte. Es sind eigentlich nur Kleinigkeiten, die wir hier als 'anders' oder 'besonders' empfinden und demzufolge berichten und hervorheben. Aber wie würden unsere Briefe aussehen, wenn wir berichteten, daß man einen normalen Haarschnitt trägt, Schuhe, und daß man sich morgens außer mit 'Hay' auch mit 'Guten Morgen' begrüßt?[19]

Aber auch an die als anders empfundenen Kleinigkeiten gewöhnten sich die Proppes sehr schnell. Das „Amerikanische" erschien ihnen schon nach einem Jahr alltäglich und „normal". Tasso Proppe brachte es deshalb im September 1954 noch einmal auf den Punkt, als er feststellte, „daß hier, alles in allem genommen, genau das gleiche Leben abläuft" wie in Deutschland.[20]

---

17 Über die Empfänger erfährt der Leser aus den Rundbriefen jedoch nur sehr wenig.
18 „Tassos Rundbriefe", b.
19 „Tassos Rundbriefe", Nr. 4, 1. Mai 1953, 25-26.
20 „Tassos Rundbriefe", Nr. 9, Anfang September 1954, 80.

Die Berichterstattung auf der Basis eines Vergleiches wurde deshalb schwieriger, da sie sich erst wieder in die alten Verhältnisse zu Hause zurückdenken mußten, um überhaupt zu bemerken, daß manches in den USA anders war oder anders betrachtet werden konnte. Doch trotz der immer stärker werdenden „amerikanischen Brille" versuchte Proppe weiter, die amerikanische Umwelt mit dem Maßstab des einstigen europäischen Lebens zu messen und abzuwägen. Dabei wollte er immer wieder vermeiden, den Anschein zu erwecken, daß sie in Amerika in ein sorgloses Dasein des unbegrenzten Reichtums, der Freiheit und Unbeschwertheit geraten waren. Es ging ihm generell darum herauszustellen, daß es bei ihnen einen ganz normalen Alltag gab, also auch Sorgen, Zukunftsängste und auch Sehnsüchte nach gewohnten Dingen aus der Heimat.[21] Als markanten Unterschied zwischen Europa und Amerika sah Proppe „die Neigung zum krassen Extrem", d.h. die Pendelbewegungen zwischen den gegensätzlichen Polen in der Gesellschaft und Natur:

> In der Politik sind die Russen entweder eine aufstrebende Kulturnation oder, zwei Jahre später, mordgierige Barbaren. In der Technik ist es entweder eine Bastelei aufs Geratewohl, oder es wird alles mathematisch bis ins Kleinste berechnet – und zu Hause lebt man entweder im Kühlschrank, oder die Räume sind, im Winter, irrsinnig überheizt.
>
> Manchmal bestehen solche Gegensätze noch gleichzeitig und nebeneinander. Aus Sittlichkeitsgründen heult abends in Alamogord[o] um neun Uhr die Sirene, dann dürfen keine Kinder mehr auf der Straße sein, aber die gleichen Kinder sitzen nachmittags im Kino bei den wüstesten Sittenschmarren und pfeifen anerkennend durch die Zähne, wenn die schrägen und eindeutigen Szenen hoch kommen.
>
> Dieser Gegensatz herrscht aber auch in der Natur; es ist entweder furchbar trocken, oder es ist feucht, daß man einem Nagel beim Rosten zusehen kann. Es knallt entweder eine unbarmherzige Sonne vom Himmel, oder – wenn es regnet – gießt es in Strömen, und niemand wundert sich, wenn mal einer mit seinem Haus davonschwimmt.[22]

Die Eheleute registrierten, daß sich zwar ihr Lebensstandard, verglichen mit dem in Deutschland, erheblich verbessert hatte. Gemessen an den amerikanischen Verhältnissen fühlten sie sich jedoch als „Flüchtlinge". Sie hatten den Eindruck, daß sie „sich mit verbissener Zähigkeit heranrobben" und auf vieles verzichten mußten, was sich die Amerikaner leisteten und schon hatten. Richtig schätzen konnten sie ihr Glück erst dann, wenn sie sich an

---

21 „Tassos Rundbriefe", Nr. 8, 6. Februar 1954, 66.
22 „Tassos Rundbriefe", Nr. 9, Anfang September 1954, 94.

die Fettmarken, die Benzinpreise, die Autosteuern, die Rübensuppe und andere Erlebnisse aus der Mangelzeit in Deutschland während und nach dem Krieg erinnerten.[23] Besonders die Erinnerung an die Entbehrungen fiel im Überfluß aber immer schwerer. Ihren für europäische Verhältnisse erreichten Wohlstand erkannten sie nicht mehr als solchen. Einige Freunde, Verwandte und Bekannte aus Deutschland berichteten beispielsweise mit Stolz darüber, daß sie nun auch ein Auto besäßen. Sie signalisierten auf diese Weise ihren gesellschaftlichen „Aufstieg" nach Übersee. Die Proppes hatten jedoch längst den Maßstab für diese Art des wirtschaftlichen Wohlstandes verloren. Für die Familie bestand die Notwendigkeit, sich einen fahrbaren Untersatz zu kaufen, ehe sie Betten besaßen, und dabei kamen sich die Proppes 1953 sehr armselig vor. Gerade am Beispiel des Automobils wurde ihnen in Amerika klar, wie schnell sich ihre Wertmaßstäbe für Wohlstand verschoben hatten.[24]

Am Ende der fünfziger Jahre sahen die Proppes ein, daß der Vergleich mit den deutschen Verhältnissen aus der Zeit vor 1953 immer „schiefer" geriet, zumal Toni (1958[25]) und Tasso (1959[26]) inzwischen Deutschland besucht hatten und von den dortigen Veränderungen einigermaßen überrascht gewesen waren. Generell zeigte sich gerade durch die Besuchsreisen, daß die Fähigkeit, mit europäischen Augen zu sehen, bei den Proppes deutlich nachgelassen hatte.[27] Vielmehr begannen sie nun, aufgrund der Distanz zu Europa und der Gewöhnung an Amerika, die europäischen Verhältnisse kritischer zu sehen. Im Dezember 1961 kündigten sie schließlich an:

> Wir wünschen Euch allen, wie immer, ein gutes neues Jahr, mit dem Vermerk, daß dies das letzte unserer Rundschreiben sein wird. Wir haben die Meinung, daß sie einem Zweck gedient haben, daß sie aber langsam an Farbe und Klang verlieren. Es wäre schade, wenn wir den Bogen überspannen würden.[28]

Ein weiterer Grund, warum die Briefe nicht mehr verschickt werden sollten, war auch, daß die Post der Proppes bis 1961 oftmals unbeantwortet blieb. Der ursprünglich erhoffte rege Gedankenaustausch stellte sich nicht ein.[29] Die Ankündigung, die Rundbriefsendungen einzustellen, schreckte jedoch viele der deutschen Empfänger auf, da die Briefe in Deutschland mit großem Interesse gelesen wurden. Schließlich gelang es, die berechtigt Verstimmten

---

23 Ibid., 80-81.

24 „Tassos Rundbriefe", Nr. 17,Dezember 1959, 218-19.

25 „Tassos Rundbriefe", Nr. 16, November 1958, 186-204.

26 „Tassos Rundbriefe", Nr. 17, Dezember 1959, 212-24.

27 Ibid., 205.

28 „Tassos Rundbriefe", Nr. 19, Dezember 1961, 264.

29 Hierzu u.a. „Tassos Rundbriefe", Nr. 8, 6. Februar 1954, 65.

zu erweichen, und ab Juli 1963 traf wieder Post aus Übersee ein. Die Rundschreiben konzentrierten sich nun stärker auf das Familienleben, den Werdegang der Kinder, die berufliche Entwicklung, das persönliche Wohlergehen und die touristischen Aktivitäten. Demgegenüber traten die Innenansichten über Politik, Gesellschaft, Kultur und Bildungswesen in den USA in den Hintergrund. Doch sie verschwanden keinesfalls.

Die in über dreißig Jahren von Proppe geäußerten Ansichten und Gedanken zeigen, daß die amerikanische Gesellschaft für ihn vor allem durch Regionalismus, Lokalismus, religiöse und ethnische Vielfalt geprägt war. Die Proppes lebten jeweils immer auf einer „Nachbarschaftsinsel",[30] wo die nationalen, sprachlichen, kulturellen und religiösen Unterschiede im Hinblick auf andere „Nachbarschaftsinseln" nicht miteinander verschmolzen,

---

30 Exemplarisch hierfür war besonders die Zeit in New Mexiko, wo die Proppes in einer deutschen Community lebten. Proppe schrieb hierzu im Februar 1954: „Die Deutschen, etwa 30 Wissenschaftler, arbeiten fast alle als geschlossene Arbeitsgruppe auf einem Klumpen zusammen. Das macht die Sache nicht erfreulicher, läßt sich aber nicht ändern. Sie sind hochgeachtet, aber mir scheint, nicht sonderlich beliebt, weil sie so vornehm und unnahbar sind. Die Familien haben wenig Kontakt mit der amerikanischen Umwelt". „Tassos Rundbriefe", Nr. 8, 6. Februar 1954, 75. Noch deutlicher beschreibt die 1957 in Alamogordo geborene Tochter des auch auf der Holloman Air Force Base arbeitenden Dr. Harald A. Melkus die Community:

> Alamogordo was a town of barely 17,000 people. It was a typical southwest town with a large Spanish-speaking sector. As those earlier years of my childhood went by, more and more German families moved to the area. These German families were all very close friends and many of which knew one another from previous places that they had lived. With time, there became a very large German community living within a predominantly American-Mexican community. As for the children of these German families, we viewed life in Alamogordo as being almost totally surrounded by other Germans. My best friend throughout my childhood was German, and even though my brother and sister were almost eight and six years older than I; each of their best friends were also German. Each of us had best friends from different families, yet each of those families were German. Therefore, all of us grew up with the same German traditions, customs and values in a very protected environment. This German community seemed to do everything together; we all went to the same church, same German delicatessen, same piano and ballet instructors, and on the same picnics together to White Sands and Cloudcroft. But perhaps what I remember most, were the many parties my parents had for their German friends.

Department of History, Arnold Air Force Base, Dr. Taryn Melkus about the family life; Memorandum for Dr. Parry Jameson from Carol M. Thompson, Department of the Air Force, Directorate of Aerospace Studies (AFSC), Kirtland AFB, New Mexico, 9 June 1989.

sondern nebeneinander existierten.[31] Die „Heimat" war für die Proppes immer der Ort, wo sie oder die „Ableger" der Familie lebten. Dort bestand ihr Bezug zu Amerika. Proppe sah zudem in der starken Ideologisierung der gesellschaftlichen Verhältnisse Amerikas das eigentlich verbindende Element. Die amerikanische Ideologie stellte sich für ihn im wesentlichen als ein sehr weltliches Gemisch aus Politik, demokratischen Ritualen, naivem Nationalismus, oberflächlicher Religiösität und Moralismus dar. „Die so laut und über-eifrig gepriesene Freiheit und Demokratie", schrieb er am Ende der achtziger Jahre rückblickend, „ist bei genauer Betrachtung recht hohl."[32] Diese Meinung vertrat er auch schon Mitte der fünfziger Jahre. Damals beschrieb er ausführlicher, warum ihn die amerikanische Freiheit und Demokratie wenig zu überzeugen vermochte:

> Es ist durchaus nicht alles rosig und wunderbar. Die Superlativen in den Dimensionen Raum, Zeit, Masse, Lebensstandard, sind immer imponierend. Im Verhältnis zu unserer früheren Existenz geben sie auch uns ein Gefühl der unbegrenzten Weite und des Wohlstandes. Das wird oft mit dem Gefühl der Freiheit verwechselt. Die Freiheit jedoch, das haben wir inzwischen herausgefunden, ist ein vollkommen relativer Begriff. Beschränkungen, unter denen man aufgewachsen ist, spürt man nicht, aber an neue Beschränkungen kann man sich nur schlecht gewöhnen.
>
> Wenn man sich mit einem Amerikaner über Freiheit unterhält, so wird er früher oder später in der Unterhaltung sein Musterbeispiel der amerikanischen Freiheit bringen: jeder kann den Präsidenten der Vereinigten Staaten einen Halunken nennen, ohne daß ihm etwas geschehen wird. Wenn man dagegen es wagen würde, das demokratische System in den U.S.A. als korrupt zu bezeichnen – und dafür hätte man manchen Grund – so macht man sich einer Majestätsbeleidigung schuldig, die die gleichen Folgen haben kann, wie das Abhören ausländischer Sender in Deutschland während des Krieges. Es kann durchaus passieren, daß man von einem unbeteiligten Mithörer wegen Verbreitung kommunistischer Propaganda angezeigt wird. Von da an ist man aktenkundig ein 'Security Risk', politisch unzuverlässig, und verliert seine Stellung. Nur wer sehr viel Geld hat, um den langwierigen juristischen Rehabilitierungs-Prozeß zu finanzieren, kann eine Rückkehr in einen wissenschaftlichen Beruf erhoffen. Das ist genau das, was einem Bekannten von uns, übrigens einem Juden, passiert ist. Das Gefühl der Freiheitsberaubung beschleicht uns Europäer schon beim Beginn des Einwanderungs-Prozesses mit den Fingerabdrücken, die man uns zu Hunderten abgenommen hat. Die Amerikaner nehmen das als selbstverständlich hin, dagegen würde es für sie einen untragbaren Eingriff in ihre Freiheit bedeuten, wenn sie

31 Hierzu auch Peter Lösche, Die Vereinigten Staaten. Innenansichten. Ein Versuch, das Land der unbegrenzten Widersprüche zu begreifen (Hannover: Fackelträger-Verlag, 1997) 11-18.

32 „Tassos Rundbriefe", Im Rückblick, 433.

> sich beim (Wohnungswechsel) im Einwohnermeldeamt eintragen müßten; sie schütteln den Kopf darüber, daß wir uns das zu Hause gefallen lassen.[33]

In diesem Zusammenhang muß berücksichtigt werden, daß die Proppes zu einer Zeit in die USA einwanderten und seßhaft wurden, als der Antikommunismus ein zentrales Organisationsprinzip des amerikanischen politischen Systems war. Der Systemgegensatz ließ den „Military-Industrial-Academic-Complex"[34] entstehen, für den auch Proppe arbeitete. Die amerikanische Politik orientierte sich unter diesen Rahmenbedingungen sowohl nach innen als nach außen maßgeblich am Gegner Sowjetunion. Grundsätzlich wurden bis 1989 regionale, kulturelle und gesellschaftliche Prozesse in den USA durch den Kalten Krieg bzw. den „Wettkampf der Systeme" unter Kontrolle gehalten.[35] Dieser Tatsache war sich Proppe frühzeitig bewußt, und er beurteilte seine berufliche Handlungsweise sowohl im „Dritten Reich" als auch in den USA selbstkritisch und illusionslos. Dabei ging er weiter als viele seiner Kollegen, die sich lediglich darauf verlegt hatten zu erklären: „Ich diente nur der Technik".[36] Proppe schrieb Anfang der sechziger Jahre: „Wir Ingenieure, die wir berufen werden, die Werkzeuge des technischen Fortschrittes zu sein, haben uns aus Liebe zum Handwerk den Politikern prostituiert".[37] Beinahe dreißig Jahre später wurde er bei der Einschätzung seiner beruflichen Handlungs- und Verhaltensweisen seit dem Dritten Reich noch deutlicher:

> 5 Jahre nach der Einwanderung habe ich die Staatsbürgerschaft erhalten (auf meinen Antrag, weil der Job das mehr oder weniger erforderte, und weil ich es selbst wollte – in dem Zusammenhang gehörte sich das einfach so). Man muß dabei ein Gebet aufsagen: 'I pledge allegiance to the flag...", etwa „ich verpflichte mich der Fahne...".
>
> In meinem Job in Deutschland bei der Luftfahrt-Forschung gehörte sich das aber auch so, daß man das Horst Wessel Lied sang. Für das Wohl der Luftfahrt-Wissenschaft hat man das genau so getan, wie für die Förderung der Raumfahrt später (in den USA). In beiden Fällen war es ja auch zum Nutzen der Vaterlands-Verteidigung. Der technische Fortschritt war das entscheidende: der ist im Endeffekt für alles gut – hat man sich gesagt.

---

33 „Tassos Rundbriefe", Nr. 11, Oktober 1955, 123-24.

34 Vgl. Leslie, The Cold War and American Science.

35 Lösche, Innenansichten, 13-14.

36 Hierzu vertiefend Monika Renneberg und Mark Walker, Hg., Science, Technology and National Socialism (Cambridge: Cambridge University Press, 1993); Ich diente nur der Technik. Sieben Karrieren zwischen 1940 und 1950, Berliner Beiträge zur Technikgeschichte und Industriekultur, Schriftenreihe des Museums für Verkehr und Technik Berlin, Band 13 (Berlin: Nicolaische Verlagsbuchhandlung, 1995).

37 „Tassos Rundbriefe", Nr. 19, Dezember 1961, 263.

> 'Ich hab' mich ergeben, mit Herz und mit Hand' haben wir schon zu Kaiser's Zeiten gesungen, oder singen müssen. Für *wen*? [F]ür die Politiker? [D]ie sind es nicht wert! [F]ür das Vaterland? [D]as besteht im Grunde aus einer Sammlung von Familien, die sich aus wirtschaftlichen und organisatorischen Gründen zusammen getan haben. Das war schon bei den Höhlenmenschen so. Ich habe dem Verband die Messer geschmiedet, gehärtet und geschliffen, um die erlegten Wildschweine zu tranchieren. Wenn sie anfingen, sich gegenseitig damit umzubringen, habe ich mich still verhalten und unschuldig gefühlt, hier, wie drüben. Man zieht nur den Kragen ein, um möglichst aus der Schußlinie zu bleiben. Auf welcher Seite man zufällig steht, spielt keine große Rolle. Die übrig gebliebenen brauchen nachher doch wieder Leute, die Messer schleifen können.
>
> Der National-Stolz, den Amerika künstlich kultivieren mußte, weil er aus vielen, oft sehr verschiedenen Volks-Teilen zusammen gebraut ist, hat uns nicht mitgerissen. Das hatten wir schon bei den Nazis gelernt, die das, wie so vieles andere amerikanische, nachgemacht haben. ... Die Forderungen, die an die 'Gesinnung' gestellt werden, sind minimal und erträglich. Gesinnung ist nach Bedarf immer auswechselbar.[38]

Das Zitat ist ein Resümee seiner Vorstellungen und Ansichten als Ingenieur in Deutschland und Amerika. Proppe erkennt und stilisiert sich zugleich als Idealisten und Opportunisten. Diese Erfahrung teilte Proppe mit vielen seiner Berufskollegen, die im Deutschland der 20er und 30er Jahre ihre Laufbahn begannen.

Biographisches über Tasso Proppe

Der 1910 geborene Proppe besuchte die höhere Schule in Trier. Sein damaliger Ordinarius am Realgymnasium war Humanist, der „fortwährend" bei dem Versuch, die Griechen, Römer, die Religion und die deutsche Muttersprache dem Schüler Proppe näher zu bringen, mit ihm in Konflikt geriet. Diesen fesselte viel mehr die „Logik der Zweitakt-Motoren", die Funktionsweise von Fahrrad-Rücktrittbremsen, Radioapparaten und Lokomotiven als Platon, die Taten Karls des Großen oder das Regelwerk der deutschen Sprache. Doch schwerwiegende negative Auswirkungen auf die Wissensvermittlung dürfte das „schwierige" Verhältnis zwischen Lehrer und Schüler nicht gehabt haben, da die dem Beitrag zugrunde liegenden Rundbriefe den Schluß zulassen, daß der von technischer Neugier besessene Tasso von der humanistischen Begeisterung seines Ordinarius stark profitiert hat.[39]

---

38 „Tassos Rundbriefe", Im Rückblick, 434-35.

39 „Tassos Rundbriefe", b-c.

Die große Faszination für Naturwissenschaft und Technik teilte Proppe mit vielen seiner Altersgenossen. Von großer Bedeutung war hierbei, daß sich nach dem Ende des Ersten Weltkrieges von den Staatsformen über die Wertbegriffe, die sozialen Netzwerke bis hin zu den Lebensstilen plötzlich alles veränderte bzw. für die Zeitgenossen aufzulösen begann. Die Selbstverständlichkeiten des Lebens aus der Zeit vor 1914 gab es nicht mehr.[40] Der Zusammenbruch des wilhelminischen Wertesystems erzeugte bei vielen lähmende Furcht, den durch Tradition erlangten sozialen Status und die damit verbundene „soziale Ehre" zu verlieren.[41] Tatsächlich wurden der gesellschaftliche Abstieg und die Verelendung breiter Bevölkerungsschichten in den zwanziger Jahren zum deutschen Trauma. Soziale Desillusionierung, politische Radikalisierung und individuelle Resignation prägten den Alltag und bildeten zugleich den geeigneten Nährboden für den aufkommenden Nationalsozialismus. Gerade die junge Generation des Kleinbürgertums und des „Mittelstandes" antwortete mit innerem Aufruhr und der Suche nach Alternativen.[42] Mit schlechter werdender wirtschaftlicher und politischer Lage wurden zudem die politischen Diskussionen in den Schulen immer heftiger geführt.[43] Ein Hinweis findet sich auch in Proppes Rundbriefsammlung, in der er einleitend erklärt, daß er dem Lehrer in Religion mit seiner kritischen Auslegung der Bibel zu schaffen machte und dieser sich meistens seiner Logik nicht verschließen konnte.[44] Der zwei Jahre nach Proppe geborene Flugzeugkonstrukteur Ludwig Bölkow bemerkt in seinen Erinnerungen hierzu noch deutlicher: „Was haben wir damals nicht alles diskutiert! Eine soziale und nationale Sehnsucht nach Gerechtigkeit im Inneren, aber auch nach außen beherrschte uns."[45] Eine Möglichkeit, die ersehnte Gerechtigkeit und Anerkennung zu erfahren, sahen viele in der Begeisterung für die technische Seite des Lebens. Die Technik bot bei der Suche nach Ordnung im eigenen Leben eine solide und einfache Orientierungshilfe. Das angeschlagene nationale Selbstbewußtsein der Deutschen

---

40 Hierzu Henrich Focke, „Mein Lebensweg". Die Memoiren des Bremer Luftfahrt-Pioniers (Bremen: Kurze-Schönholz und Ziesemer Verlagsgesellschaft Bremen, 1996) 21.

41 Zum Begriff „soziale Ehre" siehe Lucie Varga, Zeitenwende. Mentalitätshistorische Studien 1936-1939 (Frankfurt a.M.: Suhrkamp, 1991) 120-21.

42 Zum Charaktermuster der Generation zwischen 1900 und 1914 siehe zum Beispiel David C. Cassidy, Werner Heisenberg. Leben und Werk (Heidelberg[3]: Spektrum Akademischer Verlag, 1995) 30, 60 und 73ff.

43 Ludwig Bölkow, Erinnerungen (München/Berlin: Herbig Verlagsbuchhandlung, 1994) 16.

44 „Tassos Rundbriefe", c.

45 Bölkow, Erinnerungen, 17.

konnte mit Hilfe technischer Leistungen scheinbar wieder aufgewertet werden. Und in der Tat neigten die Deutschen dazu, „sich auf jedes Anzeichen technologischer Überlegenheit oder schneller Erholung von den Demütigungen des Krieges und des Versailler Vertrages zu stürzen. Über die politischen und ideologischen Gräben hinweg herrschte in Deutschland Einigkeit, was die Begeisterung für technischen Fortschritt anging".[46] Diese Faktoren dürften auch bei der Entwicklung der Persönlichkeit Proppes eine wichtige Rolle gespielt haben.

Die technische Begeisterung des jungen Proppe war neben dem Automobil vor allem auf das Flugzeug ausgerichtet. Während des Ingenieurstudiums in den dreißiger Jahren befaßte er sich intensiv mit dem Segelflugzeugbau.[47] Er gehörte der sogenannten „Akademischen Fliegergruppe" an, die nach 1933 unter die Schirmherrschaft der Deutschen Versuchsanstalt für Luftfahrt (DVL) kam. Die DVL war damals die führende Luftfahrtforschungseinrichtung Deutschlands, die zugleich zielgerichtet unter den Mitgliedern der „Akademischen Fliegergruppe" nach geeigneten Kandidaten für eine spätere Testpilotenlaufbahn Ausschau hielt. Diese Testpiloten sollten technisch und naturwissenschaftlich besonders geschult sein, um die praktische Erprobung neuer Flugzeugtypen zu verbessern. Zu den Auserwählten gehörte auch Proppe, der nach dem Abschluß seines Studiums bei der DVL eine dreijährige Ausbildung (1936-1939) zum „Flugbauführer" absolvierte. Am Ende der Studienzeit legte er ein dem „Doktor-Ingenieur" äquivalentes Examen und die Flugbaumeisterprüfung (Mai 1939) ab. Damit gehörte Proppe zur Gruppe der Ingenieurpiloten, die als technisch und naturwissenschaftlich besonders geschulte Piloten eingesetzt wurden. Sie mußten genügend praktische Kenntnisse haben, um in der Lage zu sein, sich in einem breiten Spektrum von Fachgebieten mit Wissenschaftlern, Konstrukteuren und Technikern zu verständigen. Ihre Hauptaufgabe war es einerseits, während des Fluges Daten zu sammeln, das Flugverhalten zu registrieren und fliegerische Extremlagen auszuprobieren. Andererseits sollten sie helfen, die Ergebnisse der Versuchsflüge am Boden auszuwerten. Die Ausbildung mußte deshalb naturgemäß sehr vielfältig sein. Sie umfaßte eine mehrere Monate dauernde Tätigkeit in verschiedenen Firmen der Luftfahrtindustrie zur Erlangung von Industrieerfahrungen sowie Praktika in wissenschaftli-

46 Michael J. Neufeld, Die Rakete und das Reich. Wernher von Braun, Peenemünde und der Beginn des Raketenzeitalters (Berlin: Brandenburgisches Verlagshaus, 1997) 21.

47 Proppe bezeichnet sich selbst aufgrund seines Studiums als „Auto-Ingenieur". „Tassos Rundbriefe", Nr. 17, Dezember 1959, 214.

chen Versuchsanstalten, um weitere Einblicke in die Konstruktion, Fertigung, den Flugbetrieb und die Erprobung zu erhalten.[48]

Gerade die zielgerichtete Zusammenführung von Praxis und Theorie darf als Stärke der deutschen Ingenieurausbildung vor 1939 angesehen werden. In den dreißiger Jahren mußte ein Ingenieur für die Zulassung an einer technischen Universität oder Ingenieurschule in der Regel eine zweijährige Lehrzeit als Maschinenbauer oder Mechaniker vorweisen. Viele absolvierten sogar eine dreijährige Lehrzeit und legten vor ihrem Studium die Gesellenprüfung ab. Dieser Ausbildungsweg wurde auch als „Weg der schmutzigen Fingernägel" bezeichnet. Er führte dazu, daß es in Deutschland eine große Zahl „praktischer" Ingenieure gab, die handwerkliche Fähigkeiten im Umgang mit Material und beim Improvisieren hatten und zugleich über ein solides theoretisches Wissen verfügten. Sie wurden zudem bei ihrem Studium angespornt, technische Produkte zu entwerfen, „die so einfach wie möglich betrieben, gewartet und repariert werden konnten; sie lernten, realistische Entwurfsspielräume als Funktion der erwarteten Verwendung des Produkts zu gebrauchen."[49] Diese Fähigkeiten waren nach 1945 weltweit sehr geschätzt.

Nach dem bestandenen Flugbaumeisterexamen im Mai 1939 arbeitete Proppe selbst als Ausbilder für Ingenieurpiloten und flog nebenher noch als Testpilot für die Luftfahrtforschungsanstalt (LFA) in Braunschweig. Der Krieg führte dazu, daß er nur noch für die LFA Testflüge im Rahmen der dort durchgeführten Programme unternahm. Auf diese Weise kam er in engen Kontakt mit Physikern, Akustikern, Elektronikern, Fachleuten für Raketensteuerung und für Treibstoffe. Nach Kriegsende interessierte sich die britische Militärregierung für das Multitalent und setzte ihn als Verbindungsmann zwischen den deutschen Mitarbeitern der LFA und der technischen Leitung der britischen Seite ein. Als die LFA dann aber Stück für Stück demontiert wurde, wechselte Proppe als Fluglehrer zu einer Segelfliegerschule der Briten. Dort „verbrauchten" die von Proppe ausgebildeten Offiziere und Soldaten zur Freizeitgestaltung die vorgefundenen deutschen Segelflugzeuge. Der Ingenieur verbesserte zwar hier sein Englisch, das einen stark britischen Akzent annahm,[50] doch diese Tätigkeit schien ihm wenig geeignet zu sein, seine Fähigkeiten als Ingenieur weiter zu entwickeln. Er

48 Hierzu die Beiträge bei Wolfgang Späte, Hg., Testpiloten (Planegg: Aviatic Verlag, 1993); „Tassos Rundbriefe", c-d.

49 Gerhard Neumann, China, Jeep und Jetmotoren. Vom Autolehrling zum Topmanager. Die Abenteuer-Story von „Herman the German", eines ungewöhnlichen Deutschen, der in den USA Karriere machte (Planegg: Aviatic Verlag, 1989) 27.

50 „Tassos Rundbriefe", d-f.

wechselte deshalb als Assistent zur Technischen Hochschule nach Braunschweig – ohne Bezahlung. Durchgeschlagen hat sich Proppe als Autoschlosser, Lehrer an einer Abendschule mit Ausrichtung auf den Maschinenbau und als Generalvertreter für Rex Fahrrad-Einbau Motoren. Die Zeiten waren hart, doch es gelang den Proppes, wieder einen gewissen Wohlstand zu erreichen. Immerhin verfügten sie schon 1951 über ein eigenes Auto. Dies war der Zeitpunkt, zu dem sich Vertreter der Firma Lockheed und der Air Force bei den Proppes meldeten und sie zur Auswanderung bewegten.[51]

Proppe verfügte aufgrund seiner Ausbildung als Auto-Ingenieur über umfangreiche Kenntnisse der Kraftfahrzeugmaterie und hatte herausragende praktische Fähigkeiten bei der Autoreparatur. Zugleich hatte der Ingenieur eine Vorliebe für den Volkswagen (VW). Über viele Jahre hinweg trug er sich mit dem Gedanken, eine Volkswagen-Vertretung in den USA zu gründen. Wenn diese Punkte in den Briefen angeschnitten werden, finden sich zugleich Aussagen über die deutsche Ingenieurkultur, die amerikanische und deutsche Automobilindustrie bzw. die „automobile" Gesellschaft der USA und der Bundesrepublik. In den Rundbriefen sind besonders die Berichte nach Reisen der Proppes in Europa bzw. Deutschland interessant, in denen unter anderem Vergleiche zwischen Amerika und Deutschland am Beispiel des Verkehrs gezogen werden, und die wichtige Einblicke in das amerikanische und deutsche Mobilitätsverhalten, die Rolle des Autos als Statussymbol oder das Fahrverhalten amerikanischer und deutscher Autofahrer wiedergeben.

Leben im „Land der Autos" und Beobachtungen über eine im Werden befindliche Autogesellschaft

Auf die Frage, was ihn bei seiner Ankunft in den USA am meisten in Erstaunen versetzt hat, antwortete 1992 ein ehemaliger „Paperclip"-Spezialist in einem Interview knapp: „Ich mußte mir ein Auto kaufen!"[52] Schon Ende der zwanziger Jahre hatte ein deutscher Austauschstudent nach seinem Aufenthalt in Kalifornien geschrieben: „Man ist drüben nur ein halber Mensch ohne einen Wagen."[53] Auch die Proppes mußten diese Erfahrung machen. Der „Mangel an Fahrgelegenheit" gehörte in der Anfangszeit zur

51 „Tassos Rundbriefe", f.

52 Interview des Verfassers mit dem „Paperclip"-Spezialisten Heinrich Ramm im Arnold Engineering Development Center im Juni 1992.

53 Klaus Mehnert, Amerikanische und russische Jugend um 1930. Neudruck zweier Frühwerke (Stuttgart: Deutsche Verlags-Anstalt, 1973) 84.

Hauptsorge der Familie. Bei der Überwindung des Verkehrsproblems half jedoch in uneigennütziger Weise die Nachbarschaft. Dieses Entgegenkommen, die ungeheure Freundlichkeit und Hilfsbereitschaft, machte auf die Familie einen großen Eindruck. „Sorglos und unbeschwert", schrieb Proppe im März 1953, „wird man von allen angesprochen, und ohne Umschweife zugepackt, wo es nötig oder unnötig sein kann."[54] Die freundliche Nachbarschaftshilfe überraschte die Proppes vor allem auch deshalb, weil sie aus einem Land kamen, in dem der Krieg und dessen Folgewirkungen die sozialen Umgangsformen „hartherziger" gemacht hatten.[55]

Das fehlende Auto zwang die Ehefrau Toni dazu, in der Nachbarschaft herumzufragen, „wer wohl zufällig zum Einkaufen fährt".[56] Zugleich dürfte Proppe in den ersten Monaten des Aufenthaltes in Florida eine auffällige Erscheinung gewesen sein, da er in der „autolosen" Zeit der Familie, für die Verhältnisse im ländlichen Florida in völlig ungewohnter Weise, den Weg zu seiner nur wenige Minuten entfernten Arbeitsstelle zu Fuß zurücklegte. Auf die Dauer störte die Familie aber, daß sie ständig auf andere Leute angewiesen war. Vor allem wollten sie im Land der Autos nicht zur „Minderheit" der Fußgänger zählen. Proppe fand in den ersten Jahren außerdem, daß die Amerikaner eine übertriebene Rücksicht gegenüber den Fußgängern an den Tag legten. Im 12. Rundbrief vom Juni 1956, als die Familie kurz zuvor von New Mexiko nach San Diego übergesiedelt war, äußerte er hierzu:

> Auf Autobahn-ähnlichen Straßen fährt man mit 60 Meilen, also 96 km pro Stunde durch die Stadt, zu Dienstbeginn und Feierabend beinahe Stoßstange an Stoßstange, 3 Reihen nebeneinander. Der Fußgänger hat Seltenheitswert und genießt daher die Vorfahrt: Wenn er den Fuß auf die Fahrbahn setzt, stoppt der ganze Verkehr, bis er das andere Ufer erreicht hat. Das ist für europäische Nerven auch nach drei Jahren Amerika noch immer ein ungewohnter Anblick.[57]

Doch wieder zurück zu den „autolosen" ersten Monaten in Florida. Proppe mußte im Mai 1953 leicht resignierend berichten: „Ohne Auto ist man aber hier in der Wüste. Vernünftige Verkehrsmittel gibt es kaum – sie werden zu wenig benützt(,) um verläßlich zu sein. Dadurch sind wir noch immer von

54 „Tassos Rundbriefe", Nr. 3, 29. März 1953, 12.

55 Hierzu u. a. Paul Erker, Ernährungskrise und Nachkriegsgesellschaft. Bauern und Arbeiterschaft in Bayern 1943-1953 (Stuttgart: Klett-Cotta, 1990); Rainer Gries, Die Rationen-Gesellschaft. Versorgungskampf und Vergleichsmentalität: Leipzig, München und Köln nach dem Kriege (Münster: Westfälisches Dampfboot, 1991).

56 „Tassos Rundbriefe", Nr. 3, 29. März 1953, 14.

57 „Tassos Rundbriefe", Nr. 12, Juni 1956, 137.

der Welt abgeschnitten."[58] Es war jedoch nicht eine Frage des Geldes, daß sich die Familie noch keinen fahrbaren Untersatz angeschafft hatte. Die Anzahlung für einen Wagen hatte die Familie „durch vorausschauende Maßnahmen schon längst beieinander".[59] Der Grund für das Zögern hing damit zusammen, daß Proppe sich in den Kopf gesetzt hatte, einen VW in Amerika zu fahren, zumal er dessen Vor- und Nachteile genau kannte. Generell erschien ihm der VW im Vergleich zu amerikanischen Wagen solider zu sein. Jedoch machte der hohe Preis einen solchen Kauf vorerst zunichte, und Versuche, gar eine Vertretung für Volkswagen in Florida aufzumachen, scheiterten am Desinteresse des Unternehmens.[60] Im Juni 1953 schrieb er verärgert darüber:

> Meine Idee, hier für den Volkswagen Reklame zu machen, hat sich vorläufig nicht verwirklichen lassen, die Wolfsburger sind zu korrekt, zu schwerfällig und damit zu stur. Wenn denen an Export gelegen wäre (die kleinen [e]nglischen Firmen haben guten Erfolg), müßten sie eigentlich alles Erdenkliche tun, um mir alle Wege zu [ebnen] - nach dem mangelhaften Interesse, das sie an den Tag gelegt haben, zweifle ich jetzt aber dran, ob es wirklich auch für *mich* gut wäre, wenn ich hier einen V.W.[61] führe. Diese Meinung habe ich in meiner Verbitterung ... [Volkswagen] mitgeteilt und mir anschließend einen amerikanischen Wagen gekauft.[62]

In den sechziger Jahren versuchte Proppe noch einmal mit den Leuten von VW ernsthaft ins Gespräch zu kommen. Zu diesem Zeitpunkt wollte er „der Entwicklung von militärischen Maschinen den Rücken ... kehren."[63] In einem früheren Brief schrieb er, daß er davon träume, „mit Raketen nichts mehr zu tun haben zu müssen."[64] Hinzu kamen die großen Unsicherheiten hinsichtlich des Arbeitsplatzes. Proppes Firma (Convair) hatte beim großen Luft- und Raumfahrtgeschäft der sechziger Jahre sehr wenig vom großen Geldregen der Regierung abbekommen. Das Unternehmen mußte deshalb Massenentlassungen vornehmen, und die Stimmung war sowohl im Unternehmen als auch bei den Proppes zu Hause gedrückt und von Zukunftsängsten geprägt. Tasso schrieb hierüber im Januar 1966:

> Die Firma hofft immer noch, mal wieder einen größeren Auftrag zu kriegen und versucht daher, wenigsten solche Leute zu halten, die für den erhofften Anlauf

---

58 „Tassos Rundbriefe", Nr. 4, 1. Mai 1953, 25.

59 Ibid., 24.

60 Ibid.

61 Proppe gebraucht in den Rundbriefen diese Schreibweise. Im folgenden wird statt V.W. die Schreibweise VW verwendet.

62 „Tassos Rundbriefe", Nr. 5, 10. Juni 1953, 38.

63 Ibid.

64 „Tassos Rundbriefe", Nr. 22, Dezember 1964, 284.

> eines neuen Programmes gebraucht werden; von 35.000 Angestellten (1962/63) sind wir auf etwa 8.000 zusammengeschmolzen. Wir sitzen keineswegs untätig herum, sondern arbeiten intensiver als vor 3 Jahren; aber über dem ganzen liegt eine Stimmung der Resignation, die mich an die letzten Tage des Dritten Reiches erinnert, wo wir noch an weitreichenden Versuchen gearbeitet haben, als die amerikanische Artillerie schon anfing über unsere Anstalt hin in die Stadt reinzuschießen. Die großen (Milliarden)-Aufträge sind anderswohin gegeben worden, und ich könnte wahrscheinlich noch ohne viel Schwierigkeiten einen guten Job finden, wenn wir bereit wären, umzuziehen. Wir haben aber keine Lust.[65]

Eine VW-Vertretung schien also durchaus eine günstige Alternative zu sein. Der Besuch in Wolfsburg im Mai 1966 war jedoch wieder eine Enttäuschung. Im Gespräch mit VW-Mitarbeitern klärte Proppe diese darüber auf, was das Unternehmen in Amerika mit und an dem VW aus seiner Sicht alles falsch machen würde. Doch bei VW wollte man davon nichts wissen, da die gesamte Verkaufsorganisation in den USA über eine separate Firma lief und die Wolfsburger sich aus deren Angelegenheiten weitgehend heraushielten. Das Gespräch ergab zumindest, daß die amerikanische Verkaufsfirma von VW einen Mann wie Proppe, der einerseits mit den amerikanischen Verhältnissen vertraut war, und andererseits die deutsche Technik kannte und auf besonderen technischen Gebieten die Verbindung hielt, durchaus gebrauchen konnte. Der Haken war nur, daß die Proppes dann von San Diego in die Nähe von New York hätten ziehen müssen, „und ein Umzug nach dort", so Proppe, „kommt einer Auswanderung gleich."[66]

Trotz der gescheiterten Versuche mit der VW-Vertretung blieb unter den Autos der Proppes der Volkswagen bis zuletzt die Nummer 1. Zwar hatte sich die Familie aufgrund der erwähnten Verärgerung über das Wolfsburger Unternehmen zuerst einen amerikanischen Wagen gekauft, aber mit amerikanischen Autotypen konnte sich der Autoingenieur nie richtig anfreunden. Besonders störten ihn die riesigen „Blechkisten" mit aufgemalten, vernickelten und unnützen Stromlinien sowie die oftmals mangelhafte Verarbeitung. Generell stand er mit den amerikanischen Autos und dem damit verbundenen Technikstil zeitlebens auf Kriegsfuß.

Für die Ehefrau Toni dagegen symbolisierten die amerikanischen Autos anfänglich einen gehobenen Lebensstandard und ein modernes Leben. Doch diese Ansicht änderte sich bei ihr – wie schon erwähnt – nach einiger Zeit, als sie erkannte, das im Land der „Auto-Überbevölkerung"[67] die Autos zu den überlebensnotwendigen Dingen zählten. Als sich die Familie nun ihr

---

65 Ibid., 290.
66 „Tassos Rundbriefe", Nr. 24, Juli 1966, 304-305.
67 „Tassos Rundbriefe", Nr. 10, Januar 1955, 108.

erstes amerikanisches Auto – einen Chevrolet – auf Abzahlung kaufte, beschrieb Proppe das Fahrzeug im Rundbrief vom Juni 1953 gleich zweimal. Einmal aus der Sicht seiner Frau und dann aus seiner eigenen Sicht:

> Toni sieht ihn etwa so:
>
> Ein elfenbeinfarbenes Luxus-Kabriolet mit schwarzem Dach, riesigen, verchromten Stoßdämpfern, grün-schwarz karierten, abwaschbaren Nylonpolstern, weitausladenden Kotflügeln, die teilweise nochmal mit verchromten Verkleidungen geschmückt sind, einen 115 pferdigen 6 Zylinder Motor (etwa 3,6 ltr [Liter]), der uns geräuschlos über die Straße schleicht oder mit einer Spitzengeschwindigkeit von 90 Meilen (... 144 km) über die Highway pfeift (die erlaubte Geschwindigkeit ist aber nur 60 Meilen). Man sitzt vollkommen bequem zu dritt nebeneinander hinter der Windschutzscheibe, die während der Fahrt auf Druckknopf vom trockenen Straßenstaub gewaschen werden kann; eine schlanke Antenne, die dem Wagen noch ein besonders schneidiges Aussehen verleiht, speist das Radio, an dem man sich die 6 wichtigsten Stationen durch dreifaches Drükken je eines Knopfes wählen kann.
>
> Für mich [Tasso Proppe] sieht der Wagen anders aus:
>
> Er ist zweieinhalb Jahre alt, hat 62.000 Meilen gelaufen, das Reserverad ist schlecht, der Wagenheber geht nicht, die Steuerung hat zuviel Spiel, (die ganzen amerikanischen Wagen sind überhaupt in der Steuerung ekelhaft weich), der Motor verbraucht 20 (Liter) auf 100 km und etwa 1,5 (Liter) Öl, das hauptsächlich zur undichten Ölwanne rausläuft, und die elektrisch getriebene Hydraulik-Pumpe für das Verdeck ruiniert den Akkumulator. Die Leistung des Motor verlockt zu hohen Geschwindigkeiten, die man nicht fahren darf .... Der Radio, der nur der Repräsentation dient[,] stört beim Fahren enorm, denn es versucht dauernd jemand aus dem Lautsprecher einem Hühneraugensalbe, Staubsauger, Rasierklingen oder Abführpillen aufzuschwätzen. Am schlimmsten ist aber das viele Chrom-Zeugs. In unserem Klima erfordert das eine geduldige Pflege. Ich habe mich immer über die praktische Einstellung im amerikanischen Haushalt begeistert – nun sehe ich, daß sich alles nur verschoben hat: Was die schwäbische Hausfrau zur Politur ihres Treppenhauses an Zeit verschwendet, das verbringt der Amerikaner beim Wachsen und Bohnern seines Chroms. Tut man es nicht, dann ist im Nu der Rost durch, und mit fotografieren ist es vorbei.[68]

Die Freude am ersten amerikanischen Wagen war also geteilt, und in der Tat, das Auto bot in den folgenden Monaten viele Enttäuschungen. Proppe war ständig mit Reparaturen beschäftigt. Zuerst leckte das hydraulische Bremssystem, dann gab es Probleme mit einem Pleuellager im Motor und am Ende mußte der ganze Motorblock ausgetauscht werden. „Das wäre mir

---

68 „Tassos Rundbriefe“, Nr. 5, 10. Juni 1953, 38-40.

mit dem Volkswagen nicht passiert", stellte der Autoingenieur verärgert fest. Aber auch nach dieser Generalreparatur verbrachte Proppe noch viel Zeit unter dem Wagen. Aufgrund dieser Erfahrungen bemerkte der Ingenieur über den amerikanischen Technikstil im Automobilbau der fünfziger Jahre:

> [E]s ist unvorstellbar, wie verbaut diese Konstruktionen sein können. In diesem 'Lande des vernickelten Schunds', wie einer meiner Kollegen es prägte, ist alles auf Wegwerfen gebaut, der Büchsenöffner, so raffiniert (die Vorrichtung) auch sein mag, nach wenigen Wochen geht es nicht mehr ordentlich, und so sieht auch ein Auto von unten und hinter den Verkleidungsblechen aus. Es ist alles zusammen genagelt, und wenn es nicht mehr geht, wirft man es weg. Wenn schon mal eine Verbindung nicht genietet oder punktgeschweißt ist, so sind die Schrauben selten so angebracht, daß man sie später wieder lösen kann. Um einen Bremszylinder auszubauen, muß ich Löcher in die Karosserie bohren, sonst hätte ich die Schrauben nicht los gekriegt.[69]

Seine Sympathie für den Volkswagen wurde nach dieser Erfahrung natürlich noch größer. Doch der Kauf eines VW in den USA mußte in den fünfziger Jahren immer wieder aufgeschoben werden, da wie schon erwähnt den Proppes der Preis zu hoch war. Trotzdem glaubte Proppe nach der ersten Bekanntschaft mit der amerikanischen Autotechnik fest daran, daß gerade der VW in Amerika eine Zukunft hat, „denn hier kommt erst alles das, was wir schon hinter uns haben: Knappheit, Sparen und Einschränkungen."[70] Damit prophezeite der Ingenieur in gewisser Weise zwei künftige Entwicklungen; erstens wurde der VW-Käfer zum Kultsymbol in den USA; und zweitens schlitterte die amerikanische Autoindustrie in der Folge der Energiekrise von 1973 in ihre tiefste Krise.[71] Für den Kauf eines preiswerten VW fanden die Proppes schließlich eine Lösung. Der erste VW (Cabriolet-„Käfer") der Proppes wurde während des Urlaubs direkt in Wolfsburg gekauft und 1958 dann per Schiff in die USA eingeführt. Im Frühjahr 1964 überlegte sich die Familie den Kauf eines weiteren VW. In diesem Zusammenhang machte Proppe folgende Rechnung auf:

> Leider ist der VW 1500 aber noch nicht offiziell in Amerika eingeführt; man kann ihn sozusagen auf dem schwarzen Markt (über Canada z.B.) für $2800 (=DM

69 „Tassos Rundbriefe", Nr. 6, 16. August 1953, 48.

70 Ibid., 49.

71 Hierzu näher Jörg Krichbaum, Made in Germany. Tempo, Tesa, Teefix und 97 andere deutsche Markenprodukte (München: dtv, 1997) 194-95; David Halberstam, Die Abrechnung. Die faszinierende Geschichte vom Aufstieg des japanischen und vom Niedergang des amerikanischen Industrieimperiums (Frankfurt/New York: Campus Verlag, 1988); James P. Womack/Daniel T. Jones/Danial Roos, Die zweite Revolution in der Automobilindustrie. Konsequenzen aus der weltweiten Studie des Massachusetts Institute of Technology (München: Econ, 1997).

> 11.200) kaufen – und das ist dann doch zuviel. Es liegt also sehr nahe, daß Toni mal wieder nach Deutschland kommt, und bei der Gelegenheit das Auto kauft, fährt und mitbringt. Wir kämen dann mit Anschaffung ($1.600), Verschiffung ($250) und Zoll ($120) noch unter $2.000 weg; für den Preis hat der VW 1.500 eine Menge mehr Qualität zu bieten, als ein amerikanischer Wagen für $2.500 (zum Beispiel der Corvair).[72]

Der erste Volkswagen von 1958 wurde zugleich zum „Liebling der ganzen Familie“, und auf gewisse Weise trugen die Proppes ihren kleinen Teil dazu bei, daß sich der VW in den USA zu einem Botschafter „Made in Germany“ entwickelte.[73] Über den 1958 eingeführten Käfer schrieb Proppe:

> Gleich am ersten Tag mußten wir aber nach Los Angeles fahren, um den Volkswagen abzuholen, den Toni in Wolfsburg gekauft und wegen Zoll-Ermäßigung als Reisegepäck erklärt hat und daher selbst auslösen mußte. Seitdem ist das winzige Bißchen von einem Auto der Liebling der ganzen Familie geworden: Hansl möchte damit zur Schule gefahren werden, weil er dann von seinen Schulkameraden beneidet wird, Bärbel möchte ihn gerne zum College mitnehmen, weil das Parken dann leichter ist, und Toni möchte gerne damit zum Einkaufen herumkutschieren, weil man so leicht herummanövrieren kann – aber vorläufig fahre ich damit jeden Tag zum Dienst und komme 15 Minuten früher nach Hause, weil ich in dem verstopften Feierabend-Verkehr auf Feldwegen fahre, auf denen die Blech-Dampfer auseinanderfallen würden. In den 2 Monaten habe ich 4000 km zusammen gebracht, und es ist nicht abzusehen, daß das in Zukunft weniger würde.[74]

Abgesehen von den Ansichten Proppes über amerikanische und deutsche Autos oder den Bemühungen um eine VW-Vertretung in den USA, geben die Rundbriefe auch Einblicke in die Verkehrsentwicklung und -mentalitäten auf beiden Seiten des Ozeans, wobei sich an dem Thema „Auto“ immer wieder kulturelle und gesellschaftliche Unterschiede zwischen den USA und Deutschland festmachen. Die Deutschlandbesuche seit Ende der fünfziger Jahre wurden in den Rundbriefen bis in die siebziger Jahre hinein ausgewertet und dabei zeigte sich, daß die Proppes auf markante Unterschiede im Verkehrsverhalten stießen bzw. wiederum Veränderungen im Vergleich zu früheren Besuchen feststellten. Bereits zum Zeitpunkt der ersten Besuche am Ende der fünfziger Jahre waren die Proppes sowohl im Fahrverhalten als auch im Umgang mit den Fußgängern schon weitgehend „amerikanisiert“. Die in Deutschland beobachtete Verkehrsmentalitäten auf den Straßen empfanden die Besucher deshalb als sehr befremdlich und mitunter abschreckend. Zumindest kamen während ihrer Besuche in den fünfziger und

72 „Tassos Rundbriefe“, Nr. 21, März 1964, 274.
73 Krichbaum, Made in Germany, 194-95.
74 „Tassos Rundbriefe“, Nr. 16, November 1958, 188.

sechziger Jahren daher bei der Bewältigung des Straßenverkehrs „keine wehmütigen Erinnerungen" auf. Nach der ersten Reise der Ehefrau Toni im Jahre 1958 schilderte Proppe folgende Eindrücke seiner Frau über die westdeutschen Verkehrsverhältnisse:

> Der Straßenverkehr dagegen hat keine wehmütigen Erinnerungen ausgelöst, er hat sich zu sehr geändert. Toni beschreibt ihn nur mit Grausen. Ihr hervorstechendster Eindruck ist die Rücksichtslosigkeit, mit der die Autos zwischen den Rollern, Radfahrern und Fußgängern auf den engen Straßen ihr Recht fordern, wie überhaupt die allgemeine Hetze ein Kennzeichen auch des übrigen Lebens zu sein scheint.
>
> Wenn auch bei uns der Verkehr ein ganz anderes Ausmaß hat, so läuft er doch unter wesentlich friedlicheren Umständen ab. Allein die Höflichkeit dem Fußgänger gegenüber gibt dem Straßenbild ein ganz anderes Aussehen. Daß sie dem Omnibus und der Straßenbahn keine Romantik abgewinnen konnte, ist selbstverständlich für jemand, der gewohnt ist, von der Haustür weg in den eigenen Wagen zu steigen, um zum Briefkasten oder zum Milchmann zu fahren.
>
> In diesen Verkehr scheint aber noch eine neue Note gekommen zu sein, zu der wir nicht das richtige Verhältnis haben, vielleicht, weil wir nie in dieser Sphäre gelebt haben, vielleicht aber auch, weil das hier bei weitem nicht die Rolle spielt: Es kommt darauf an, was man fährt. Toni's Eindruck war, daß man ein wenig darauf achtet, ob einer einen 'popeligen' Volkswagen hat, oder ob er einen Opel oder sogar einen Mercedes fährt. Es ist schwer, hier zu verallgemeinern. Auch hier gibt es gesellschaftliche Differentationen; aber in der Gesellschaft, in der ich mich bewege, werden die Buicks und Cadillacs als 'Nigger-Autos' bezeichnet. Ein Volkswagen erhebt den Besitzer in die Kategorie der 'Connaisseurs', der Feinschmecker und gibt einem den Nimbus des Adels.[75]

Ähnlich wie seiner Frau fiel auch Proppe bei seinen Besuchen in der Bundesrepublik auf, daß Autos bzw. Autotypen zum massenhaften Statussymbol und überragenden sozialen Unterscheidungsmerkmal geworden waren. Mit Bedauern mußte der Ingenieur der „alten Technikschule" nun erkennen, daß der „Gebrauchswert" hinter den „Genußwert" trat:

> Mit dem Wirtschaftswunder fängt auch das Auto erkennbar an, über das bloße Transportmittel hinaus Genußmittel zu werden. Man genießt den Chrom und kauft sich unnütze Verzierungen. Man wäscht es auf der Fahrt ins Grüne draußen an einem Bach, man poliert es am Sonntag morgen auf der Straße oder dem Parkplatz. Aber es muß auch *größer* sein. Die fahrbaren Untersätze tun es nicht mehr. Der praktische Gebrauchswagen kommt außer Kurs. Es muß schon was sein, mit dem man auch das Fahren und die Überlegenheit gegenüber dem anderen *genießen* kann. Als Ausländer spürt man den extremen Fall, den rücksichtslosen Protzen, der sich einen teuren Rechtsanwalt leisten kann, wenn er durch seine Rücksichtslosigkeit mal Unheil angerichtet hat. ...

---

75 „Tassos Rundbriefe", Nr. 16, November 1958, 197-98.

> Der dicke Wagen (für den man sich die Haftpflicht nicht leisten kann) ist das erstrebenswerte Ziel aller Wünsche. Immerhin: Was bei uns ein Teil des Rasse-Problems geworden ist, der reiche 'Nigger' mit dem Cadillac, der sich auf der Straße 'vorbei benimmt', ist bei Euch der neureiche Metzger mit dem dicken Mercedes.[76]

Tatsächlich zeigte das westdeutsche „Wirtschaftswunder" gerade bei der „Schlacht um die freie Fahrt für den freien Bürger"[77] sein häßliches Gesicht. Die Zahl der Verkehrstoten in der Bundesrepublik verdoppelte sich 1960 (13.815 Unfalltote) im Vergleich zu 1950 (7.300 Unfalltote).[78] Generell begann sich damit im Westen Deutschlands in den fünfziger Jahren eine Massenmotorisierung abzuzeichnen, die in den USA zwischen den Weltkriegen schon längst Realität geworden war. Dort gab es 1913 mehr als 1,2 Millionen registrierte Kraftfahrzeuge, im Jahre 1930 betrug die Zahl rund 26,5 Millionen, und acht Jahre später waren es fast 30 Millionen. In Deutschland lag diese Zahl dagegen im Jahre 1913 bei 93.000, 1930 aufgrund der Folgewirkungen des Ersten Weltkrieges bei nur 679.000 und 1938, beeinflußt durch die nationalsozialistische Motorisierungspolitik, bei rund 1,8 Millionen Kraftfahrzeugen.[79]

Proppe sah in der Massenmotorisierung in den amerikanischen Großstädten eine „beängstigende" Entwicklung. Im Jahre 1954 besuchten die Proppes beispielsweise Los Angeles und Tasso beschrieb den Lesern der Rundbriefe den dortigen Verkehr wie eine Schreckensvision:

> Der Eindruck der Auto-Überbevölkerung wird zum Alpdruck in Los Angeles und überschattet alles andere, was diese Stadt zu bieten hat. Das Stadtgebiet hat einen Durchmesser von 160 km, und wo man auch arbeitet: von den verschiedenen Wohngebieten bis zu den Industrie-Zentren sind es fast immer 30 bis 50 km, die mit aller Konzentration gefahren werden müssen. Es gibt nur ganz wenige öffentliche Verkehrsmittel, Omnibuslinien und ein paar Straßenbahnen, die viel zu langsam vorankommen. Es gibt keine Hoch- und Untergrundbahn, dagegen gibt es eine echte Autobahn mit einer Kleeblatt-Kreuzung quer durch das Zentrum, nur mit doppelt so breiter Fahrbahn, auf der man sein Leben nur retten kann, wenn man fährt wie die Feuerwehr.
>
> Will man zum Wochenende irgendwohin, so schleicht man zwei Stunden Kühler an Rücklicht, und kommt dann entweder an den überfüllten Strand und

---

76 „Tassos Rundbriefe", Nr. 24, Juli 1966, 300-301.

77 Dietmar Klenke, „Freier Stau für freie Bürger". Die Geschichte der bundesdeutschen Verkehrspolitik 1949-1994 (Darmstadt: Wissenschaftliche Buchgesellschaft, 1995).

78 Dietmar Klenke, Bundesdeutsche Verkehrspolitik und Motorisierung. Konflikträchtige Weichenstellungen in den Jahren des Wiederaufstiegs, Zeitschrift für Unternehmensgeschichte, Beihefte 79 (Stuttgart: Franz Steiner Verlag, 1993) 356.

79 Hans-Joachim Braun und Walter Kaiser, Energiewirtschaft, Automatisierung, Information: seit 1914, Propyläen Technikgeschichte, Band 5 (Berlin: Propyläen, 1992) 109.

> findet keinen Parkplatz, oder man kommt in die Berge, die schon kaum noch eine Vegetation besitzen.[80]

Aber auch Effekte der Massenmotorisierung in der Bundesrepublik werden in den Rundbriefen geschildert. Besonders deutlich wird dabei, daß die von Politikern und Verkehrsexperten gewünschten „sozialintegrativen Wirkungen“ buchstäblich auf der Straße liegen blieben. Proppe beurteilte den Verkehr in der alten Heimat schlicht als „brutal“, und im Verhalten seiner Landsleute entdeckte er äußerst aggressive Züge. In Amerika, so Proppe, „ist mehr Verkehr, aber es ist mehr Platz“.[81] Das Gefühl der amerikanischen Großräumigkeit bewirkte in der Tat bei Proppe, daß ihm der Straßenverkehr in der alten Heimat „eng“ und dadurch auch „rücksichtslos“ erschien. Doch diese Einschränkung entkräftet nicht die Feststellung über die Rücksichtslosigkeit im Verkehr auf deutschen Straßen. Seine Beobachtung über die Fahrweise auf den deutschen Autobahnen aus dem Jahre 1966 dürfte beispielsweise noch heute weitgehend Gültigkeit besitzen:

> Früher ist man rechts gefahren. Heute fährt man (auf der Autobahn) links, um zu verhindern, daß jemand anderes schneller fährt. Überhaupt hat man den Eindruck, daß jeder Verkehrsteilnehmer darauf bedacht ist, zu verhindern, daß ein anderer einen Vorteil haben oder ausnutzen könnte. Dadurch entstehen (für uns Amerikaner) manchmal befremdende Situationen: Bei der Einfahrt in die Autobahn heißt bei uns die polizeiliche Vorschrift: beschleunigen und sich eingliedern in den fließenden Verkehr. In Deutschland hat der fließende Verkehr Vorfahrt. Man hat den Eindruck, daß die Linksfahr-Regel nur unterbrochen wird, um dieses Vorfahrtsrecht in Anspruch zu nehmen und zu verhindern, daß sich jemand reibungslos eingliedert; dadurch entstehen an der Einfahrt immer Stockungen, die bei uns Ketten-Unfälle verursachen würden.[82]

Proppe, der 1955 den rücksichtsvollen Umgang der amerikanischen Autofahrer mit den Fußgängern noch als „ungewohnt“ für europäische Nerven umschrieben hatte, war 1966 in Deutschland über das Verhalten der Fahrer gegenüber den „schwächeren“ Verkehrsteilnehmern schockiert. Nun waren es nicht mehr seine europäischen, sondern seine amerikanischen Nerven, die diesen Umgang als ungewohnt und rücksichtslos empfanden:

> Ich habe als Passagier in einem Wagen gesessen, wo der jugendliche Fahrer mit Hupe und Vollgas richtig Jagd gemacht hat auf eine alte Frau, die an der falschen Stelle über die Straße wollte. Sie flatterte wie ein aufgeschrecktes Huhn wieder zurück in Sicherheit, aber ich hatte das beklemmende Gefühl, daß uns das Publi-

---

80 „Tassos Rundbriefe“, Nr. 10, Januar 1955, 108.
81 „Tassos Rundbriefe“, Nr. 24, Juli 1966, 296.
82 Ibid.

kum lynchen würde – es ist aber nichts passiert. Man akzeptiert die Brutalität offenbar immer noch als etwas Lebensnotwendiges.[83]

In den siebziger Jahren kam der Deutschlandbesucher Proppe jedoch nicht umhin festzustellen, daß der Verkehr in Deutschland „erstaunlich höflicher geworden ist." Seine Überlegung, diesmal ein Schild mit der Aufschrift „Spätheimkehrer, nimm Rücksicht" in das Rückfenster seines Autos zu hängen, war nicht mehr notwendig. „Selbst die dicken Lastwagen", lobte der Besucher, „von denen es unvorstellbar viele zu geben scheint (außer sonntags), haben mir mit meinem kleinen VW Platz eingeräumt."[84]

Trotzdem empfand Proppe, mehr als zwanzig Jahre nach der Auswanderung der Familie, die Enge im Verkehr und in den Städten der alten Heimat so stark, daß er glaubte, sich daran wohl nicht mehr gewöhnen zu können. Darüber hinaus stellte er 1975 fest:

Die Deutschen sind *reich* geworden. An Wohnkomfort, Lebens-Standard (und Ansprüchen) haben sie die Amerikaner überholt. In den neuen Häusern und Wohnungen haben wir eine ... Kultur festgestellt, die unser eigenes Heim ... ärmlich erscheinen läßt. Die Hobby-Ausrüstung, Kameras, Boote, Stereo-Radio, fernbedientes Farb-Fernsehen, übertrifft an Qualität und Reichhaltigkeit unsere veralteten Vorstellungen. Auf der Autobahn sieht man nur noch vereinzelt ein paar Volkswagen zwischen all den BMW's und Mercedessen.

Aber das hat auch seine Probleme. Das Parken in den Städten auf dem Bürgersteig erschien uns grauenhaft, ebenso wie die dauernden Stockungen auf den Fernstraßen. Man kann keine zuverlässige Navigation machen.[85]

An den Autos merkte Proppes zugleich, daß eine neue Generation Ingenieure mit einem anderen Technikverständnis nachgerückt war. Doch die neue Technik machte dem Ingenieur aufgrund der zunehmenden „Kompliziertheit" und den damit abnehmenden Möglichkeiten für die Improvisation nur wenig Freude. Für ihn waren nun sowohl die deutschen als auch die amerikanischen Wagen nicht nur immer komplizierter geworden, „sondern auch einfach *schlechter*, weil", so Proppe, „die Konstruktion mehr und mehr vom Reklame Bureau geleitet wird."[86] Und ausgerechnet bei einem VW mußte der Ingenieur feststellen, daß die Technik für eine seiner Stärken – das Improvisieren – kaum noch Spielräume bot. Im letzten Familienbericht vom Dezember 1987 schilderte er eine Episode, die zugleich die für Proppe maßgebliche Veränderung in der Technikentwicklung der letzten dreißig Jahre veranschaulicht:

---

83 Ibid.
84 „Tassos Rundbriefe", Nr. 32, Oktober 1975, 355.
85 Ibid., 354-55.
86 „Tassos Rundbriefe", Nr. 38, Dezember 1982, 395.

> In Colorado haben wir 10 Tage lang Haus gehütet und von da aus die üblichen Wanderungen im Gebirge gemacht. Diesmal sind wir nicht mit dem Transporter gefahren, da wir ja nicht campen brauchten. Der kleine Wagen (VW Golf) hat uns aber bösartig im Stich gelassen: er hat auf der Fahrt mitten in der Wüste bei 40° C einfach Schluß gemacht. Mit der fortgeschrittenen Technik (Brennstoff-Einspritz-System) werden die Wagen immer weniger zugänglich für die Improvisationen, mit denen wir früher die Apparate in Gang gehalten haben. Nach gutem Zureden und einer Kalt-Wasser-Dusche auf den Motor haben wir uns aber doch noch bis in eine zivilisierte Gegend geschleppt, wo uns ein VW Laden weiter geholfen hat.[87]

Abschließende Bemerkungen

Die hier ausgewählten Beispiele über die Rolle des Automobils und des Verkehrs werfen ein Schlaglicht auf die gravierenden Veränderungen sowohl in den USA als auch im Westen Deutschlands zwischen 1953 und 1987. Die Rundbriefe verdeutlichen aus dieser Perspektive, wie sich eine deutsche Einwandererfamilie in den USA zurechtfand, wie sie Wurzeln geschlagen hat und wie sie zu „Amerikanern" wurden. Die Wahrnehmungen der Proppes lassen exemplarisch und auf einmalige Weise die europäischen Erfahrungen mit der amerikanischen Kultur und Technologie erkennen. Die große Bedeutung der Thematik Auto und Verkehr in den Rundbriefen weist darüber hinaus auf den übermächtigen Einfluß der Massenmotorisierung in diesem Jahrhundert hin, die wiederum die menschliche Lebensqualität, das Zusammenleben und die individuellen Verhaltensweisen nachhaltig beeinflußte. Zugleich zeigen die amerikanisch-deutschen Vergleiche der Proppes in ihren Rundbriefen, daß in Amerika das Auto, anders als in Deutschland, primär kein Symbol für den Wohlstand war, sondern als lebensnotwendiger Alltagsgegenstand galt. Generell weisen die Erlebnisse und Eindrücke der Proppes darauf hin, daß sich ein Leben ohne Auto im „Land der Autos" sehr schwierig gestaltete und über kurz oder lang das gesellschaftliche Abseits drohte. Doch die über das Auto mögliche „Freiheit" schätzten die Proppes zugleich kritisch als eine „verhältnismäßig teure Freiheit" ein, die sie sich erst erkaufen mußten, damit ihr amerikanisches Leben mit allen seinen Vor- und Nachteilen richtig beginnen konnte.[88] Hinzu kam, daß ein Auto auch einen Führerschein erforderte, und ohne Führerschein im Lande der Autos, so gestand Proppe, „bin ich mir elend minderwertig vorgekom-

---

87 Tassos Rundbriefe", Nr. 43, Dezember 1987, 430.
88 „Tassos Rundbriefe", Nr. 5, 10. Juni 1953, 38.

men".[89] Erst nach der bestandenen Fahrprüfung hatte der Ingenieur das Gefühl der Gleichberechtigung.

Gerade die Äußerungen Tasso Proppes über Amerika bzw. den amerikanischen Technikstil zeigen, wie sehr die deutsche Ingenieurausbildung seine Ansichten über die amerikanische Technikkultur nachhaltig geprägt hatte und daß er sich von den Vereinigten Staaten gleichwohl immer wieder von neuem angezogen als auch abgestoßen fühlte. Gleich in einem seiner ersten Rundbriefe erklärte er zugespitzt:

> Für mich gehört zur 'Kultur' auch ein gewisses Maß von Normung, da wo es praktisch ist und nicht nur zur Unterhaltung eines Norm-Ausschusses dient – wenn aber Wasserhähne mal rechts und mal linksaufgedreht werden, nur damit die Kalt-Warmkombination symmetrisch aussieht, dann wird mir das zuviel. Die Symmetrie ist das Schönheitsempfinden des Primitiven.[90]

Für den Ingenieur Proppe hing es von der persönlichen Veranlagung des einzelnen Technikers oder Ingenieurs ab, ob er sich in Amerika im Paradies oder in die Hölle fühlte. Er fühlte sich anfangs jedenfalls wie in der Hölle. In den ersten Jahren sah er den amerikanischen Technik- und Wirtschaftsstil als eine Variante der gemütlichen wienerischen Schlamperei an.[91] Seinen Ärger schrieb er sich beispielsweise im Oktober 1955 von der Seele:

> Läßt man am Auto, sagen wir, die Ventile nachstellen, so kann man sicher sein, daß der Scheibenwischer nachher nicht mehr geht, weil zu diesem Zweck die Leitung gelöst, aber nicht mehr angeschlossen wurde. Außerdem hat der Monteur sein Werkzeug vorübergehend auf die Batterie gelegt und diese kurz geschlossen. Bestellt man was im Laden, so kriegt man es nicht geliefert, weil die Verkäuferin die Adresse unleserlich geschrieben hat und der Bote das Haus nicht findet. Die elektrischen Installationen sind so nachlässig, daß alle Nase lang ein Haus in Flammen aufgeht. Bei uns auf der Base ist die Feuerwehr selbst mitsamt dem modernsten Löschzug abgebrannt. Nach jedem Regen versagt die Stromversorgung und das Telefon, weil nichts ordentlich verlegt ist. Meßflüge gehen in die Hose, weil das Personal nicht informiert war, welche Geräte eingeschaltet werden mußten.[92]

Dabei waren es zu Anfang bei Proppe die Vorstellungen von einem Land „des hemdsärmligen Pragmatismus", die ihn dazu veranlaßten, zu versuchen, mit einer Vertretung für VW-Autos in den USA einen eigenen Weg zu gehen, und den Ausstieg aus der Rüstungstechnik zu wagen. Aber schon am Ende der fünfziger Jahre mußte Proppe resignierend feststellen, daß die Zeiten, „wo man mit einem 'shoestring' (Schnürsenkel) anfangen konnte",

89 Ibid., 41.
90 „Tassos Rundbriefe", Nr. 4, 1. Mai 1953, 27.
91 „Tassos Rundbriefe", Nr. 11, Oktober 1955, 126.
92 Ibid.

vorbei waren.[93] Und noch ein anderes Bild von Amerika im Kopf mußte der Ingenieur in den ersten Jahren in den Vereinigten Staaten löschen. So hatte Proppe Anfang 1953, in Vorbereitung auf die Auswanderung in die USA, das Buch *Die Zukunft hat schon begonnen* des Journalisten und späteren Futurologen Robert Jungk gelesen. Die Lektüre bestärkte ihn vor der Abreise in der Auffassung, daß er in Amerika auf einen hohen Entwicklungsstand der Naturwissenschaft und Technik treffen würde. Der Ingenieur war jedoch über die vorgefundenen Verhältnisse schwer enttäuscht:

> Dem Mann [Robert Jungk] bin ich später sehr böse geworden. Mit seiner journalistischen Schilderung hat er eine Vorstellung geschaffen, von der wir später mit einem Katzenjammer von enttäuschenden Überraschungen erwacht sind. Es kommt immer vor, daß die Journalistik vollkommen falsche Vorstellungen schafft von Land und Leuten, mit denen der Reporter nur oberflächlich in Berührung gekommen ist. Mr. Jungk hat wahrscheinlich im Dauerlauf ein paar ungewöhnliche, verchromte Institute und Laboratorien zu sehen gekriegt, ohne zu *ahnen*, was man in Amerika wirklich tut, und wie. Wir waren erschrocken, wie rückständig nicht nur die Zivilisation, sondern auch der technische Bedarf war. ... Wo *wir* waren, hat offenbar die Zukunft *erhebliche* Verspätung gehabt.[94]

---

93 „Tassos Rundbriefe", Nr. 17, Dezember 1959, 208.
94 „Tassos Rundbriefe", k.

S. Jonathan Wiesen

America, Mass Society, and the Decline of the West: West German Industrialists and Cultural Reconstruction after World War II

Prologue

Over the last ten years, scholars have demonstrated a keen interest in the collective moods and mentalities of early West Germany. Shifting their attention away from the theme of political reconstruction, they have begun to consider how a defeated nation filled the spiritual void created by Nazism. How did West Germans reorient themselves ideologically after twelve years of dictatorship? What traditions and ideals did they invoke in rebuilding their cultural life? In addressing these questions, scholars have been drawn to the influence of the United States on West Germany. They have followed the heated debates over the arrival of American popular culture in its myriad forms – rock and roll, Hollywood movies, and clothing styles and tastes. To an older, more conservative generation, American mass culture threatened unique German and, more broadly, 'Western' values that had already been eroded by National Socialism. To younger West Germans, America represented the hope for a dynamic and liberating post-Hitler democracy.

The debates about culture have revealed a host of important voices from the postwar period, from politicians to theologians to youth leaders.[1] Absent, however, from the discussions have been West Germany's economic leaders. Like their fellow Germans, industrialists wrestled with their country's moral collapse, the legacy of National Socialism, and the challenge of

1 See e.g. Heide Fehrenbach, Cinema in Democratizing Germany: Reconstructing National Identity after Hitler (Chapel Hill, NC: University of North Carolina Press, 1995); Uta G. Poiger, "Taming the Wild West: American Popular Culture and the Cold War Battles over East and West German Identities, 1949-1961", Dissertation, Brown University, 1995; and Robert G. Moeller, Protecting Motherhood: Women and the Family in the Politics of Postwar West Germany (Berkeley, CA: University of California Press, 1993). For a collection of essays on this period, see Moeller, ed., West Germany under Construction: Politics, Society, and Culture in the Adenauer Era (Ann Arbor, MI: University of Michigan, 1997).

rebuilding Germany intellectually and spiritually.[2] For businessmen, the United States served as an important, if decidedly ambiguous, point of orientation. On the one hand, America offered a model of successful democratic-capitalism and the aggressive image-making so essential to promoting business interests. On the other hand, businessmen perceived America as a potential threat to Germany's and Europe's most sacred cultural traditions. In wrestling with the challenge that America posed, German industrialists in the 1950s revealed a deep-seated cultural pessimism – one left over, in part, from the pre-Nazi years, but more reflective of the anxieties accompanying Nazism, defeat, and material reconstruction.

Industry, Art, and Culture

Traditionally, when scholars discuss the relationship between industry and culture, they limit their focus to patronage of the fine arts ('Mäzenatentum'). They invoke images of wealthy entrepreneurs and sculpture-filled villas, of tycoons sitting for family portraits, of merchants distributing money to struggling artists.[3] From the rich benefactor in Renaissance Italy, to the nineteenth century bourgeois gentleman with an increasingly disposable wealth, to the Rockefellers and Krupps, we encounter time and again the businessman who enters the realm of culture primarily as philanthropist or collector. This paternal relationship between industry and art is well documented, and it sheds a revealing light on businessmen's traditionally

2 In this chapter I will be using the term "culture" loosely, mostly as a reflection of industrialists' own broad and imprecise understanding of the concept. "Culture" will appear as an umbrella term for "high culture", "art", "spirit", and intellectual activity more generally. On culture in West Germany, see Hermann Glaser, The Rubble Years: The Cultural Roots of Postwar Germany (New York: Paragon House, 1986); Reiner Pommerin, ed., Culture in the Federal Republic of Germany, 1945-1995 (Oxford: Berg Publishers, 1996); Anselm Doering-Manteuffel, "Die Kultur der 50er Jahre im Spannungsfeld von 'Wiederaufbau' und 'Modernisierung,'" in Axel Schildt and Arnold Sywottek, eds., Modernisierung im Wiederaufbau. Die westdeutsche Gesellschaft der 50er Jahre (Bonn: J. H. W. Dietz: 1993) 533-40; and Gabrielle Clemens, ed., Kulturpolitik im besetzten Deutschland, 1945-1949 (Stuttgart: Steiner Verlag, 1994).

3 See Wilhelm Salewski, "Eisenindustrielle als Förderer der Kunst", in Eisen und Stahl (Art exhibition, Düsseldorf, 1952); and Gustav Stein, Unternehmer als Förderer der Kunst (Bonn: Lutzeyer, 1952).

narrow understanding of culture.[4] It does not, however, reflect the behavior and self-understanding of business and industry in early West Germany. For at a time when all Germans were searching for a post-Nazi orientation, industrialists not only promoted the fine arts as a vehicle for cultural rebirth, but they addressed the *idea* of culture as a key component of the country's rebuilding. The term 'Kultur', in all its emotive vagueness, became a fundamental trope in industrial speeches and writings, as businessmen portrayed themselves as the lone figures capable of presiding over both the economic and the spiritual revival of the country. To a degree unimaginable before 1945, industrialists talked about culture at company meetings, in the economic press, on the radio, and in dozens of local and national business organizations devoted to the support of museums, academies, and arts education. Industrialists aired opinions on everything from the value of abstract art, to the social and philosophical significance of beauty, to the potential for a nationalist aesthetics after Hitler, to the influence of America on West German society.[5]

Before turning to these discussions in greater depth, we must first situate West German industry in its broader historical context. Arguably, one cannot account for industry's dramatic turn to culture in the late 1940s without considering National Socialism and, more particularly, the powerful legacy of business complicity in its crimes. In the late 1940s and '50s, many Germans would not easily forget the actual and reputed assistance that industrialists had lent to the Nazis. Through the 'Aryanization' of Jewish businesses, the plundering of occupied territories, and the employment of forced foreign and concentration camp labor, many German industrialists had compromised themselves considerably during the 'Third Reich'. In response to these lingering images, which became the centerpiece of the Nuremberg industrialist trials in 1947 and 1948, West Germany's industrialists initiated a public relations campaign that has continued, in varying forms, to this day. They composed apologies and so-called 'Verteidigungs-

---

4 For a general introduction to the theme of art and industry, see Richard Eels, The Corporation and the Arts (New York: Macmillan, 1967).

5 On the affinities between art and industry, see Hans Schwippert, "Kunst und Industrie: Unterscheidungen", in Eisen und Stahl. For another contemporary reflection on industry and culture, see Werner Berndt, "Umsturz im Weltbild der Industrie", [unpublished manuscript in NL Hermann Reusch, 40010146/612, Rheinisch-Westfälisches Wirtschaftsarchiv, Cologne (hereafter RWWA)]. For a more exhaustive discussion of industry and culture, see S. Jonathan Wiesen, "Reconstruction and Recollection: West German Industry and the Challenge of the Nazi Past", Dissertation, Brown University, 1998, Chapter 6.

schriften' that meticulously (and often crudely) disputed the claims made against industry with respect to behavior under Hitler.[6] In their attempt to give the industrialist a more human face, business leaders and publicists also unveiled what came to be known in the 1950s as "the new industrialist".[7] This new business type, as envisioned by industrial publicists, was to bear characteristics entirely contrary to those outdated clichés propounded by the political Left. While the old industrialist was seen as perennially hostile to the working class, the new industrialist defended his partisan interests and at the same time held out an olive branch to the worker. He was politically vigilant yet democratically-minded; he was worker-friendly, yet hostile against all forms of collectivism. Finally, the new industrialist was a cultural leader. This last point was, by no means, an afterthought. In order to garner respect in a post-totalitarian society, industrialists infused their economic mission (company profits and national prosperity) with a spiritual dimension: the protection of Germany's, and by extension Europe's, cultural essence. In their attempts to move beyond Nazism, industrialists invested culture with tremendous promise. 'Kultur' bestowed upon industry a new legitimacy, far removed from the older images of industrialists as money-hungry and spiritually vapid opportunists, as strike-breakers, and Nazi collaborators.

Beginning in the late 1940s, a number of publications and organizations reflected this new cultural mission. The *Deutsches Industrieinstitut* (DI), a public relations agency and think-tank founded in 1950 by business representatives, put out several newsletters designed to remind industrialists of their political, civic, and cultural responsibilities.[8] While the DI integrated culture into its wider publicity activities, a number of industrial organizations were more directly engaged with culture. The *Vereinigung der Freunde von Kunst und Kultur in Bergbau*, for example, published a journal called *Der Anschnitt*, which reported specifically on cultural happenings in the Ruhr and attempted to instill an intellectual awareness into Germany's tycoons. Local Chambers of Industry and Commerce (*Industrie- und Handelskammer*) set up cultural branches and sponsored music, theater, and art exhibits. And

---

6 On this theme, see S. Jonathan Wiesen, "Overcoming Nazism: Big Business, Public Relations, and the Politics of Memory, 1945-50", Central European History 29.2 (1996): 201-26.

7 See e.g. Josef Winschuh, Das neue Unternehmerbild: Grundzüge einer Unternehmerpolitik (Baden-Baden: A. Lutzeyer, 1954).

8 Three of the DI's publications were Unternehmerbrief des deutschen Industrieinstituts, Vortragsreihe des deutschen Industrieinstituts, Schnelldienst des deutschen Industrieinstituts.

the *Museumsspende der westdeutschen Industrie* donated hundreds of paintings to museums around the country.[9]

In these various forums, industrialists never engaged in 'culture for culture's sake'. Rather, they readily attributed their artistic turn to the most pressing imperative of the day: combating totalitarianism in all of its manifestations. Not only in West Germany, but throughout postwar Europe and America, industrialists aligned themselves with the mission and rhetoric of the Cold War. They saw themselves as at once the creators of wealth and the trailblazers of an ethic of 'Western' individualism that stood in contrast to collectivism and totalitarianism. In their publications, business leaders depicted themselves as the embodiment of the free personality that capitalism's enemies sought to subdue.[10]

No organization better embodied this belief in the instrumental and ideological power of culture than the *Bundesverband der Deutschen Industrie* (BDI; Federation of German Industry's) *Kulturkreis* (Cultural Circle). Founded in the summer of 1951 by two dozen leading industrialists from throughout Germany, the *Kulturkreis* is one of the most revealing and under-researched sites of industrial self-understanding after the war. The organization was premised on the view that National Socialism had left Germans in a spiritual vacuum and that the responsibility lay with West German industry to guide the country toward a new cultural awareness. Conceived ostensibly as a revival of a tradition of industrial patronage of the arts, the *Kulturkreis* was made up of both 'big businessmen' like the Gutehoffnungshütte's Hermann Reusch, and independent entrepreneurs like BDI managing director Gustav Stein and Bavarian textile industrialist Otto Vogel. The *Kulturkreis*'s preamble reveals the imposing presence of the Nazi past, the sense of unity in adversity, and a faith in the redemptive power of culture:

> The catastrophe that came to Germany has forced our people to spend its entire energy eking out a material existence. An unprecedented impoverishment of its spiritual life has been the result of such a reordering of the will. One of the first endeavors that has fallen victim to this self-limitation is art. If for many people art

---

9 See NL Otto Vogel, Box 177, Industrie-und Handelskammer Augsburg und Schwaben (hereafter IHK-Augsburg).

10 On the theme of culture and totalitarianism, see Stephen J. Whitfield, The Culture of the Cold War (Baltimore, MD: Johns Hopkins University Press, 1991).

is a nice luxury that belongs only to happy times, it becomes, in times of distress, one of life's necessities.[11]

As this passage suggests, German culture had suffered during the time of dictatorship, war, and defeat, and the *Kulturkreis* hoped to reintroduce artistic and intellectual greatness to a demoralized people. With annual contributions from the BDI's member firms, the *Kulturkreis* supported painters, sculptors, architects, musicians, and writers who did not otherwise receive funding from the state or who personified the spirit of individualism that had been under assault by Nazi Germany and now Stalinist Russia. The organization awarded individual scholarships, raised funds for museums, sponsored exhibitions, and provided support for established writers and critics.[12]

During its first decade, the *Kulturkreis* undertook a variety of projects designed to revive an intellectually dormant country: the preservation of decaying books and manuscripts; preventing that cultural artifacts would leave German soil; Christmas painting and sculpture sales; an annual exhibition of abstract art under the name *ars viva*; the restoration of church organs; music competitions (with, on occasion, Carl Orff as judge); prizes in literature; sponsoring of architecture and design exhibitions; and the publication of *Jahresring*, a journal that excerpted poems, short stories, and essays that reflected "artistic currents of the day".[13]

---

11 From the Satzung des Kulturkreises im Bundesverband der deutschen Industrie, e.V. (1951). Hermann Reusch elaborated on these sentiments when he paid homage to the icons of German culture who had brought inner peace to the Germans during their time of need. It gave Reusch a supreme feeling of "inner security during the hours of catastrophe during the last war to gaze upon a painting of Dürer, Grünewald, Philipp Otto Runge or Caspar David Friedrich", or to listen to "a symphony of Beethoven, Schubert, or Richard Strauss". From undated Frankfurter Allgemeine Zeitung article, found in NL Reusch, 40010146/609, RWWA.

12 The only recent scholarly study of the *Kulturkreis* is Werner Bührer, "Der Kulturkreis im Bundesverband der deutschen Industrie und die 'kulturelle Modernisierung' in der Bundesrepublik in den 50er Jahren", in Modernisierung im Wiederaufbau. See also the older BDI publication Dokumentation über die zehnjährige Tätigkeit des Kulturkreises im Bundesverband der Deutschen Industrie" (Köln: BDI, 1961). For a list of the *Kulturkreis*'s original members see "Mitglieder des Kulturkreises...", NL Reusch, 40010146/608, RWWA. The group included the familiar heavy industry names of Theo Goldschmidt, Otto Wolff von Amerongen, Hans Günther Sohl, and Jost Henkel, and a number of other textile and chemical industrialists, such as Erich Konrad from Bayer AG.

13 See Mitteilungen des BDI (10 November 1954).

On the surface, most of the *Kulturkreis*'s projects had little to do with the Nazi past or the Cold War. They seemed, rather, to be pragmatic attempts to refill museums, emptied of their modernist contents by the Nazis, or more time-tested attempts to instill in the public an appreciation of the arts. Yet according to industry's own confession, even these projects were inherently ideological. Their ultimate goal was not only the reconstitution of West German intellectual life, but the flowering of an anti-totalitarian ethic of individualism, exemplified by both the entrepreneur and the artist. If we turn our attention away from the fine arts, we can discover a number of *Kulturkreis* projects that bore in their content this more explicit ideological purpose. One such undertaking was the publication of Eberhard Schulz's, *Das goldene Dach (The Golden Roof)*.[14] Commissioned in 1950 as the first "Book of the Year" by the *Kulturkreis*, *Das goldene Dach* set out to protect German workers against the lure of collectivism. Eberhard Schulz had published widely on architectural and urban design, and in this book he offered a visual and textual celebration of the factory settlements that were sprouting up around the Ruhr factories. Against the backdrop of the trade union's controversial demands for industrial co-determination, industry used Schulz's text and images to pacify the once hostile worker through the promise of owning a home.[15] In the industrial settlement, argued Schulz, the worker family would finally realize its bourgeois dreams of material comfort. During the day, the husband would work around the corner in the steel factory, while the wife protected hearth and home. As "the soul of the house", she would tend to her motherly duties, prepare fruit baskets, tend the garden, visit the local hairdresser, and prepare meals for her husband – all this against the backdrop of the factory smokestack.[16] Through this existence, the worker family would inhale the "perfume of freedom"[17] and would reject the 'collectivist' alternative offered by the trade unions and Soviet-sponsored communism. More importantly, the worker himself would assume a moral status equal to that of the industrialist. The distinction between manager and employee would be erased in this utopian realm. In the struggle against communism, the class boundaries of the West would dissolve as the common enjoyment of private property and the celebration of freedom would amalgamate all West Germans in a pro-capitalist mindset.

---

14 Eberhard Schulz, Das goldene Dach (Munich/Düsseldorf: Wilhelm Steinebach Verlag, 1952).

15 On industrialists' involvement in this book's preparation, see NL Reusch, *Kulturkreis* files, 40010146/612, RWWA.

16 Ibid., 63.

17 Ibid., 73.

Das goldene Dach, like a number of other industry-sponsored projects, reveals the central preoccupations of West German industrialists and other elites during the Cold War: the lingering fear of worker unrest, the celebration of the family, home, and the entrepreneurial spirit, and the use of culture to confront the 'collectivist' enemy. Industrial organizations like the *Kulturkreis* became important players in the country's intellectual life because they combined these timely cultural themes with the practical programs and the money necessary to put ideas into action. During the years of reconstruction, they gave industrialists a fortified base from which to launch an assault against what they saw as the greatest threat to Western values: the 'massification' of German society.

Industry and Mass Society

For the historian of postwar Germany, the obsession with 'the masses' and their effects on West Germany's spiritual well-being is a familiar theme. Throughout the 1950s and 1960s, sociologists, historians, journalists, and novelists – whether on the political Right or the Left – spilled much ink trying to account for the ascendance of mass tastes and behaviors.[18] In the aftermath of Nazism, the most horrifying mass movement to date, many West Germans sought to understand the particular psychological mechanisms and social dynamics that allowed for the rise of crowd mentalities and the surrender of the individualist self.

For businessmen, this theme of mass society had a particular resonance. In the 1940s and '50s, both large firms and small entrepreneurs (such as postwar radio-pioneer and overnight success Max Grundig) were depending increasingly on 'the masses' for their business success. While producer goods such as steel, coal, electronics, and dyes, still represented the backbone of the West German economy, they were diminishing in relative importance. Already in the 1920s, German business had begun studying and applying Fordist and Taylorist mass production techniques in their attempts to modernize.[19] During the affluent years of the 'Economic Miracle', when conspicuous consumption became a defining feature of West German life, compa-

---

18 See Mark Roseman, "Organic Society and the 'Massenmenschen': Integrating Young Labour in the Ruhr Mines, 1945-58", West Germany under Reconstruction, 287-320.

19 See Charles S. Maier, "Between Taylor and Technocracy: European Ideologies and the Vision of Industrial Productivity in the 1920s", Journal of Contemporary History 52 (1970): 27-61; and Mary Nolan, Visions of Modernity: American Business and the Modernization of Germany (Oxford: Oxford University Press, 1994).

nies such as Siemens, Krupp, Bayer, and BASF devoted increasingly greater resources to mass-produced household and luxury goods – from radios, televisions, and ovens, to cars and vinyl records.

While the 'Wirtschaftswunder' provided industrialists with a diversified customer base and increased profits, it also created for them an existential paradox. If industry was now catering to the masses, how would it prevent them from establishing hegemony over the country's spiritual life as well as its material? How could West Germany's manufacturers provide basic goods and luxury items for the consumer, while at the same time protect her from the very anti-individualist, 'collectivist' tendencies that accompanied the redistribution of wealth and the homogenization of tastes and purchasing habits?

In the 1950s, industrialists, through organizations such as the *Kulturkreis*, addressed this issue by looking at their own profession in cultural terms. While they maintained a healthy interest in 'high culture' and the fine arts, they also expanded their notion of culture to include the images and products that they themselves were creating in their factories.[20] In short, the 1950s saw an accelerated turn to consumer or commodity culture as a legitimate object of inquiry among industrialists.[21] The marketplace became the site of both hope and concern, as industrialists came to realize how much power they wielded over the mental – and not just physical – security of the German nation. As Gustav Stein argued, "[l]eading circles in the German economy must take to heart the responsibility for culture and 'Menschenbildung' [human development][22] and, out of this conviction, exercise the duty and courage to influence and steer the market".[23] If they were to maintain their power over the masses, industrialists could not simply *respond* to the shifting desires and whims of the consumer. They would have to adopt proactive manufacturing and marketing techniques that would save the

---

20 The contemporary articles dealing with the relationship between art and industry are too numerous to cite. As an example, see "Die Kunst - Partner des Unternehmers", Unternehmerbrief des DI 30 (20 May 1954).

21 For an introduction to the theme of consumer culture in the 1950s, see Michael Wildt, Am Beginn der 'Konsumgesellschaft'. Mangelerfahrung, Lebenshaltung, Wohlstandshoffnung in Westdeutschland in den fünfziger Jahren (Hamburg: Ergebnisse Verlag, 1994); and Erica Carter, How German is She? Postwar West German Reconstruction and the Consuming Woman (Ann Arbor, MI: University of Michigan Press, 1997).

22 The term "Menschenbildung" made a regular appearance in the speeches of the *Kulturkreis*. See, e.g., Hermann Reusch "Die Formung des Menschenbildes in der Kultur der Gegenwart", NL Reusch, 40010146/612, RWWA.

23 Gustav Stein, "Kultur – Fundament der Wirtschaft", Der Volkswirt 8 (1954), 70-73.

consumers from themselves. For some, the key was to be found in the realm of the visual. In explicit contrast to the industrial art of the Bauhaus, which some industrialists held responsible for promoting a totalitarian ideal through mass production, cultural critics called upon businessmen to create an anti-collectivist industrial aesthetic that would wean the public from 'Massengüter' and kitsch. Wrote the cultural editor of the *Süddeutsche Zeitung*: "From the postage stamp to the police uniform, industry's cooperation will be indispensable if the optics of German life are never again to take on collectivist characteristics". The *Kulturkreis* received proposals and entreaties to forge a united visual "front" – to rebuild Germany's international cultural reputation and to redevelop the "German taste that has so catastrophically disappeared" having been replaced by the "uneducated mass tastes".[24]

Industrialists began to promote the artistic renderings of daily life – from furniture and kitchen appliances, to textiles and packing materials – while at the same time offering alternatives to a homogeneity in product design.[25] There was no agreement about how this difficult feat was to be accomplished. According to one proposal, a group of experts known as the *Bundesverband der Industrieform* would work with museums to sponsor exhibits on non-conformist "building and living". "These exhibitions, if prepared with the correct propagandistic aim, could not only engage the experts at home and abroad, but could exercise an inestimable influence on the public's 'Geschmacksbildung' [aesthetic development]".[26] To further support these aims, an *Akademie für Industrieform* would fill the space once occupied by the Bauhaus and the Werkbund, albeit stripped of the leftist utopianism and the cheery progressivism that characterized these respective organizations. Finally and importantly, these new organizations would be supported by private industry and banks and not the "bureaucratic state".[27]

At first glance these proposals suggest the breakdown of the division between highbrow and consumer culture in industry's estimation. Had industrialists succumbed to the allures of commodity culture? Upon closer reading, however, these ideas reflect the sentiments of individuals who still proudly adhered to a view of German products as quality creations destined for a select group of discriminating consumers. Indeed, the motivation behind groups like the BDI's newly founded *Arbeitskreis für industrielle Formgebung*, was a rather patronizing one – to free the consumer industry

---

24 Sperr to Reusch, 4 November 1951, NL Reusch, 40010146/608, RWWA.

25 For an introduction to the theme of packaging and advertising in the 1950s, see Wildt, Am Beginn der 'Konsumgesellschaft',195-211.

26 Sperr to Reusch, 4 November 1951, NL Reusch, 40010146/608, RWWA.

27 Ibid.

from the "inferior, cultureless, mass-produced goods" and "from dishonest, and 'affektgeladenen' [affected] forms". The organization's goal, Gustav Stein elaborated further, was to replace mass kitsch with "materially true..., 'handwerklich' clean, and in the truest sense beautiful and, simultaneously, useful shapes".[28] These passages make clear that industrialists, even while adapting to the structural changes in the economy and society, were struggling with the concept of consumer culture and economic egalitarianism. Even with the astounding success of companies such as Volkswagen, which sold well-made cars to millions of consumers, many industrialists were slow to abandon their belief that high quality and mass production were, by definition, contradictory. For them, rebuilding West Germany meant not only selling more products but reviving a dying 'bürgerliche' culture, which depended on a disdain and fear of the masses and their cultural and consumption habits.

America and Mass Democracy

If consumer culture challenged the traditional self-perception of industrial elites, this was due, in part, to an ambivalence about the birthplace of the consumer – the United States.[29] In the 1950s not just communism, but also the popular and 'materialist' culture of the United States, served as the counter-models against which West Germans forged their intellectual self-understanding.[30] Recent studies have detailed West German elites' perceptions of America as the homeland of cultural philistinism, aesthetic vulgarity, and base popular tastes. They have looked in particular at West German youths' attraction to rock stars and American films, whose glorification of fast cars and loud music stood in contrast to the more sentimental German notions of *Heimat* and a more refined European taste.[31] In the many organizations devoted to the German concept of 'homeland', such as the *Rheinische Verein für Denkmalspflege und Heimatschutz*, we can see the participation

28 Stein, "Kultur – Fundament der Wirtschaft".

29 On German perceptions of the United States, see David E. Barclay and Elisabeth Glaser-Schmidt, eds., Transatlantic Images and Perceptions: Germany and America since 1776 (Cambridge, MA: Cambridge University Press, 1997); Jeffry M. Diefendorf and Hermann-Josef Rupieper, eds. American Policy and the Reconstruction of West Germany, 1945-1955 (Cambridge, MA: Cambridge University Press, 1993).

30 On this theme, see Maria Mitchell, "Materialism and Secularism: CDU Politicians and National Socialism, 1945-1949", Journal of Modern History 67.2 (June 1995): 278-308.

31 See footnote 1.

of business leaders.[32] By protecting the most basic manifestation of bourgeois life – the home – industrialists hoped to insure the material security of a nation flanked by American consumerism and Soviet collectivism.

Despite this fear of a cultural assault from across the Atlantic, industrial reactions to the United States were not uniformly hostile. Rather, 'America' was a bundle of contradictory symbols from which industry drew selected images and lessons. Certainly, the United States represented an unfettered individuality that business leaders saw as the antidote to the collectivism that had defined Germany's tragic and violent recent history and the current state of Eastern Europe. America was the homeland of economic opportunity and free market ideals which industrialists were learning to accept.[33] Moreover, the United States offered much to German industry in the realm of advertising and image-making; it provided the model of an aggressive public relations that industrialists deemed so necessary to repair their reputations. West German industrialists looked to American PR manuals for the tools to reinvent themselves, to fight their obstreperous critics on the political Left, and to instill a sense of trust in the buying public. With America as the model, the old German practice of 'Öffentlichkeitsarbeit' – tentative, suspicious, and of secondary importance – gave way to a modern 'Public Relations' and 'Human Relations', concepts that came to obsess business leaders in the 1950s.[34]

Most West German industrialists demonstrated a clear faith in the redemptive power of public relations and advertising. But at the same time, they had some serious misgivings about this new attentiveness to image. According to some industrialists, advertising and PR were inherently superficial and manipulative, and this emphasis on marketing was tantamount to an admission that German products could no longer be sold on their own merits. By turning to America for the means of effective marketing, German industrialists were, in a way, admitting that distinctively 'German' business *modus operandi* (based on providing high quality products to a narrow group of discerning buyers) was now an anachronism. To blame was the United States, the very country that, ironically, was also serving as the model of a successful democratic capitalism. As the spiritual home of the market economy, political democracy, and public relations, the United

---

32 See Gustav Stein to Hermann Reusch, 9 February 1954, NL Reusch, 40010146/520, RWWA.

33 See Volker Berghahn, "West German Reconstruction and American Industrial Culture, 1945-1960", The American Impact on Postwar Germany, ed. Reiner Pommerin (Providence, RI: Berghahn Books, 1995) 65-81.

34 See Wiesen, "Reconstruction and Recollection", Chapter 3.

States had much to offer German industry. Yet, as the bastion of popular tastes and crass consumerism America embodied ideals anathema to many older Germans' elevated tastes and elitist sentiments.[35] There was no easy way around this paradox. America contributed essential ingredients to West Germany's political and economic survival; but, many feared, it also threatened to erode German industry's philosophical raison d'être.

Ultimately, this fear of mass culture and consumption was merely the most visible of a host of anxieties that accompanied Germany's transition from fascism to democracy. Indeed, as they searched for a new ideological orientation, West Germany's business leaders revealed a deep-seated suspicion not only of mass society, but of political democracy. While most industrialists after the war recognized the necessity of a democratic alternative to fascism, it would take some time before they could shed their lingering belief that mass consumption, democracy, and totalitarianism were all manifestations of a single phenomenon. In a 1954 publication called *Unternehmer in der Politik,* business leaders Gustav Stein and Herbert Gross expressed these doubts about democracy. In a chapter entitled the "Task of the New Elite", they wrote:

> We live in an age of the 'überforderten' [overtaxed] voter,' in the continual 'Entleerung' [draining] of the economy and society through politics and the state. Democracy, in the conception of Rousseau ... certainly leads man away from absolutism, but does not entirely free him. More often, it re-enslaves him through the new 'peoples' sovereignty', or the voting masses. National Socialism and Bolshevism are the logical consequence of the democratic principle, namely the rule of the majority of the mass. In connection with the principle of equality, democracy leads to a total politicization of life. Democracy, in its Jacobin component, is the flag-bearer for collectivism, socialism, codetermination, or for whatever form enslavement under the state takes. Democracy of this type is essentially the arch enemy of liberalism, which protects the unlimited freedom of humans but holds the power of the state in check.[36]

In this passage we can witness the many hopes and apprehensions that crystallized around the reintroduction of democracy in postwar Germany –

35 On the "systemic transfer" of American democracy to West Germany, see Richard Merritt, Democracy Imposed: U.S. Occupation Policy and the German Public, 1945-1949 (New Haven, CT: Yale University Press, 1995); on German and American views of democracy in the immediate postwar years, see Rebecca Boehling, A Question of Priorities: Democratic Reforms and Economic Recovery in Postwar Germany: Frankfurt, Munich, and Stuttgart under U.S. Occupation, 1945-1949 (Providence, RI: Berghahn Books, 1996).

36 Gustav Stein and Herbert Gross, eds., Unternehmer in der Politik (Düsseldorf: Econ-Verlag, 1954) 165.

fears of the total state, a disdain for the 'masses', an elitist suspicion of politics, and an ambivalent embrace of liberalism and economic individualism.[37] Democracy, in short, became, in ways oddly similar to its opposing philosophy of totalitarianism, the repository for the varied cultural and political ambiguities that defined postwar West Germany. Both systems, conservative elites feared, unleashed a dangerous collective will; they laid the groundwork for a tyranny of the majority; they invited the manipulation of the public, which responded only to ephemeral sensations and charismatic provocations – be they a Nazi party rally, a jazz concert, or a glitzy advertisement – instead of the sober and time-tested ideals of Western humanism.[38]

This skepticism towards democracy emerged not only from a long-standing fear of America's cultural hegemony, but from memories of the fragile Weimar democracy. If the despair generated by the Great Depression had pulled the 'masses' toward the nationalist right, this, industrialists believed, was the result of the flawed experiment in democratic government, which had ceded too much political power to an unruly and unsophisticated voting public. In making this argument, Germany's conservative elites were, of course, conveniently forgetting that it was not democracy *per se* that had allowed for the rise of Nazism, but rather its suspension during the late Weimar years, in favor of rule by emergency presidential decrees. While memories of the 1920s were selective, they did accompany a fear among postwar elites that democracy would again unleash the will of the 'masses', thereby laying the ground for a dictatorship, this time by the communists and the trade unions. In short, while most industrialists ultimately welcomed a democratic form of government and its concomitant philosophies, this was not without reservations and fears that this type of political organization carried within it the seeds of its own destruction.

Industry and Cultural Pessimism

It is important to emphasize that not all industrialists shared these misgivings about democracy, mass culture, and workers' inherent vulnerability to

37 On German elites' view of democracy before Nazism see, e.g. Walter Struve, Elites against Democracy: Leadership Ideals in Bourgeois Political thought in Germany, 1890-1933 (Princeton, NJ: Princeton University Press, 1973).

38 On the theme of elite and mass culture in West Germany, see Jost Hermand, Kultur im Wiederaufbau. Die Bundesrepublik Deutschland, 1945-1965 (Munich: Nymphenburger, 1986); Schildt, Moderne Zeiten; and Schildt and Sywottek, Modernisierung im Wiederaufbau.

communism. In the course of the 1950s and '60s, a younger generation of industrialists more wedded to industrial democracy and 'American' modes of economic organization gradually supplanted the erstwhile representatives of an anti-labor 'Herr im Hause' mentality.[39] Nonetheless, in the early 1950s, organizations such as the BDI and its *Kulturkreis* were still dominated by conservative businessmen who often delivered a gloomy message about the spiritual state of Germany and Europe. One of the most revealing media for these cultural ideals were the discussions and speeches about culture at the *Kulturkreis*'s annual meetings, which were reprinted in journals, pamphlets, and newspapers and distributed widely. Often in the presence of the Federal President Heuss and other illustrious guests, speakers such as poet and art collector Carl Burckhardt, physicist Pascual Jordan, or conservative sociologist Arnold Gehlen offered their readings of mass psychology and diagnosed the crises facing Europe's social and economic elites.[40]

Perhaps the *Kulturkreis*'s most influential visitor was Spanish philosopher José Ortega y Gasset, whose *Revolt of the Masses* remained a best-seller in West Germany twenty years after its initial publication.[41] Ortega was one of the most admired figures in German cultural circles in the 1950s. In 1930, he had presciently foreseen the dangers inherent in mass politics, and his elitist and pessimistic premonitions still resonated with an audience that saw itself perpetually threatened by a social and spiritual 'Verflachung' (leveling or, more accurately, superficialization). In his September 1953 speech to the *Kulturkreis* entitled "Is there a European Cultural Consciousness?" Ortega warned that the West was undergoing a major crisis of confidence and self-definition. A half-century of mass movements and moral weakness had severed Europe from its proud cultural heritage. Even as a post-Hitler Europe was coming together economically and politically, its individual components were drifting apart, lost without a sense of what had made the West uniquely great. In the tradition of political philosopher Saint-Simon, who a century-and-a-half earlier had besought France's industrialists to adopt a European identity,[42] Ortega appealed to an audience of businessmen to

---

39 See Volker Berghahn, The Americanisation of West German Industry, 1945-1973 (Cambridge, MA: Cambridge University Press, 1983).

40 See ibid., and idem, Unternehmer und Politik in der Bundesrepublik (Frankfurt: Suhrkamp, 1985) 236ff. See, e.g. Otto Friedrich, "Der Freiheitsbegriff in der europäischen Wirtschaft und Kultur", excerpted in Mitteilungen des BDI (10 September 1955).

41 José Ortega y Gasset, The Revolt of the Masses (New York: W. W. Norton, 1932).

42 See Claude-Henri de Saint-Simon, "Letter to the Industrialists", The Political Thought of Saint-Simon, Ghita Ionescu, ed., (Oxford: Oxford University Press, 1976) 162-63.

espouse and defend the ideal of 'Europe' (however vague this concept actually was, Ortega conceded). Despite the challenges it faced, Europe, with the help of Germany's educated and industrial elite, could, Ortega felt, survive a crisis born of World War, the dissolution of aristocratic ideas, the penetration of American culture, and the onset of social egalitarianism.[43]

Five years after Ortega's appeal on behalf of Europe, Bundestag President Eugen Gerstenmaier delivered a speech to the *Kulturkreis* that more explicitly linked some familiar cultural worries to the theme of mass democracy. Gerstenmaier's September 1958 speech, entitled "On the Meaning and Fate of the Elite in a Democracy", encapsulated the many currents of industrial self-understanding that had defined the *Kulturkreis* since its founding eight years earlier. Gerstenmaier began by invoking the honor of the military opposition to Hitler, in which he himself had taken an active role. He argued that Colonel Beck, the generals, and the others like him who tried to bring down Hitler were, like the industrialists, the embodiment of the patriotism and individualism under attack by the masses. Gerstenmaier drew upon the words of sociologist Karl Mannheim to declare that "the democratic mass society is 'elitenfeindlich' [anti-elitist]".[44] The challenge for industrialists was to maintain their own rarefied social status while making a place for the working man in the new affluent society. As we will see, the rapprochement with the workers meant promising them a large piece of the pie, instilling them with entrepreneurial thoughts, providing them with a home and garden, and quelling their violent urges.

The speeches at *Kulturkreis* events indicate that more was at stake for West German industry than the cultural renewal of the German nation. Rather, at risk was the survival of industrialists' own 'bürgerliche' milieu in a rapidly changing world. Nazism had already struck a hard blow to industrialists' socially stratified world – indeed it had implicated industry in massive crimes; now the vulgar consumer threatened to drive the final nail into the coffin of the 'Bürgertum'. In the words of one observer, "[t]he horrible catastrophes of the last decades have not only decimated the strata of intellectual leaders in the most unfathomable way. They have also pushed them materially into the proletarian underclass". Surely this was an exaggeration of the economic difficulties that social elites faced in the aftermath of World War II. Yet it is a telling statement of the elitism that underlay the

43 José Ortega y Gasset, "Gibt es ein Europäisches Kulturbewußtsein?" Kulturkreis im BDI, Jahrestagung, München 28.-30. September 1953.

44 Eugen Gerstenmaier, "Vom Sinn und Schicksal der Elite in der Demokratie", delivered on 9 September 1958 to the annual Kulturkreis Mitgliederversammlung. Copy in I-288/006/6, Archiv für Christlich-Demokratische Politik (ACDP), Sankt Augustin.

cultural debates in which West German industrialists engaged. Both economic devastation and the subsequent emergence of mass consumption had led to the irreparable breakdown of social hierarchies. The 'Wohlstandsgesellschaft' had created tremendous opportunities for consumer and producer, for worker and management; but it also challenged the cherished realities of social stratification.

The *Kulturkreis* turned to famous public intellectuals to articulate this embattled elitism. But also in their own speeches and writings, industrialists unveiled their reading of culture through the tropes of mass psychology, social leveling, crisis, and degeneration. Otto Vogel, who was famous among industrial circles for his exaggerated turns-of-phrase and apocalyptic ruminations, characterized in stark terms the crisis that Europe and the West faced:

> Will the culture of the West again be able to overcome the assault of the masses from without and within? Is the West, positioned between the new and the old world, still in and of itself a 'tragende' [sustaining] idea? Indeed is culture still in fact possible? ... Must we fatalistically accept the dread and fear that seek to drive mankind toward the collective as the apocalyptic 'Hufschlag' [hoofbeats] of our culture's decline? These are the questions that spring upon us from the demonic subsoil of our mechanized and depersonalized age.[45]

In the 1950s, Vogel's words, while melodramatic, were rather typical in their invocation of the Spenglerian language of decline. German cultural critics after the war portrayed the present as an epoch of regression, as the virtues of the West ('das Abendland') were quickly withering under the assault of communism, socialism, consumerism, and American popular culture. It was up to the economic elites to prevent this slide into cultural oblivion. In the despairing words of Düsseldorf banker Kurt Forberg, the spokesman for the *Arbeitsgemeinschaft kultureller Organisationen Düsseldorf*: "We must do something to uphold and to save from decline what we understand to be 'bürgerliche' culture".[46]

It was relatively commonplace after the war to invoke the language of cultural decay – 'Verfall', 'Zerfall', 'Niedergang', 'Untergang'[47] – so familiar

45 From Otto Vogel, introduction to pamphlet accompanying the "Fugger und Welser" exhibit, Augsburg, 1950, in NL Vogel, Box 12, Augsburg. Also reprinted in Werner Bührer, ed., Die Adenauer-Ära: Die Bundesrepublik Deutschland, 1949-1963 (Munich: Piper, 1993) 115-16.

46 Forberg to Reusch, 21 August 1951, NL Reusch, 40010146/608, RWWA.

47 See Hermann Reusch's speech "Kulturverlust heißt Untergang," in Kulturkreis paper, NL Reusch, RWWA.

to intellectuals in Western and Central Europe.[48] But did these concepts have any meaning in a post-World War II context? Were industrialists simply rediscovering the same 'problem of modernity' that intellectuals had addressed since the nineteenth century? In one respect, the answer is yes. The language was remarkably similar to the right-wing cultural criticism of Imperial Germany. Like Julius Langbehn or Paul Lagarde half a century earlier, postwar conservative intellectuals were engaging in a familiar "politics of cultural despair".[49] Even men of science and industry could not mask their skepticism about technology and the very process of modernization to which many of them could attribute their business successes and fortunes.[50] This skepticism about modernity was not only limited to the political Right; it also found a voice on the Left through the Frankfurt School's critique of mass culture.[51] Thus Gustav Stein, the secretary of the *Kulturkreis*, spoke for a large group of Germans across the political spectrum when he diagnosed the problems facing West Germany, where the 'working man' was endangered by the culture-sapping forces of modernity and industrialization.

> Mechanization, collectivization, and massification threaten in an ever greater measure to destroy the contact of the working man with the creative substance of art and science. With all the perfection in the technical and productive area comes the threat that the human will atrophy and wither away. The creative achievements of industry and labor that lead us into the future will only be lasting if we maintain contact with the creative elements of our cultural life, which stimulate us and grant us new powers.[52]

Gustav Stein seemed to be echoing a romantic, 'mittelständischen' capitalism embodied in new organizations such as the *Arbeitsgemeinschaft Selbständiger Unternehmer* (Association of Independent Entrepreneurs), which cast a wary glance on the large-scale, modern business. Yet, Stein's words were relics of a cultural criticism that industrialists, shopkeepers, independent entrepre-

---

48 See Arthur Herman, The Idea of Decline in Western History (New York: The Free Press, 1997).

49 Fritz Stern, The Politics of Cultural Despair: A Study in the Rise of the Germanic Ideology (Berkeley, CA: University of California Press, 1961).

50 On postwar cultural pessimism and technology, see Jeffrey Herf, "Belated Pessimism: Technology and Twentieth-Century German Conservative Intellectuals", in Technology, Pessimism, and Postmodernism, Yaron Ezrahi, et al., eds. (Amherst, MA: University of Massachusetts Press, 1994) 115-36.

51 See Max Horkheimer, Dialectic of Enlightenment (New York: Continuum Pub. Co., 1972).

52 Stein, "Unternehmer nach 1945: Verpflichtung und Aufgabe", 5 Jahre BDI: Aufbau und Arbeitsziele des industriellen Spitzenverbandes, ed., BDI (Bergisch Gladbach: Heider-Verlag, 1954).

neurs had all shared since long before 1933. They were a permanent feature of Europe's cultural landscape that transcended the divisions between class and company size.

Despite the similarities between pre- and post-1945 cultural criticism, there were some major differences as well. First, cultural pessimism was now stripped of its trademark communitarian features. For many of these conservatives, cultural renewal was no longer to be found in the community, but in the individual. While like the romantic genius, the 'individual' was still to be grounded in a large community, this entity was no longer a national, biological, or racist one, but one based on international cooperation, 'Atlantic' security, and a shared understanding of Western and European traditions.

Another important difference between pre-1945 and postwar conservative cultural criticism, was the redemptive role now attributed to the economy and its leaders. Nationalism and racism – both publicly discredited since Hitler – were now supplanted by an 'economic' patriotism that inevitably boded well for the standing of the businessman. If the capitalist (often portrayed as the Jewish businessman or banker) was once the anti-hero amongst conservatives – indeed the very symbol of cultural and racial decadence against which they fought – the industrialist after 1945 was to be the very source of Germany's renewal. In their own view, it was up to business leaders to fill a moral space once occupied by the destroyed 'Bildungsbürgertum' (educated bourgeoisie) and the Junkers, who had proven themselves incapable of withstanding National Socialism. Now it was the 'Wirtschaftsbürgertum's' (economic bourgeoisie) turn to fulfill the role it had always been denied. In short, postwar cultural elites and businessmen now had the chance to rid capitalism of its negative connotations and elevate the industrialist to the level of a savior, who would pull the country out of its cultural quagmire and fight the communist enemy. Next to the artist, the intellectual, the poet, and the genius, stood the industrialist, imbued with a spirit of individualism and a sober understanding of wealth and economic prosperity. The new 'Unternehmer' would bring together the realms of the practical and the ideological, the political, and the cultural.

Conclusion

In considering the formative years of West Germany, one cannot help but marvel at the penetration of culture into the realm of business and economics. As I have argued, it was not, in and of itself, rare to see businessmen engaged in artistic and civic patronage. But how often did industrialists in other countries sprinkle their speeches about trade deficits, corporate taxes, and steel capacity with references to existentialism, nihilism, humanism, and Beethoven? How many business leaders in the United States wrote articles about Western decline, moral degeneration, and Protestant individualism? If for the contemporary historian, groups such as the *Kulturkreis* present a unique case study in the affinities between business and culture, contemporary observers were themselves often surprised and amused by West German industrialists' intellectual dilettantism. According to one cynical observer, industrialists, despite their best attempts to prove otherwise, "lived without an inkling of what culture meant, but not in opposition to it".[53] They were cultural boors, whose artistic tastes and cultural sensibilities, leaned "more toward the spectacular".[54] But they were, admittedly, eager to learn.

Organizations such as the *Kulturkreis* were, however, more than just ephemeral and sometimes awkward encounters between the seemingly unrelated realms of big business and culture. Rather, they were about the self-understanding of German business after Nazism. Industrial spokesmen like Gustav Stein, Otto Vogel, and Hermann Reusch readily acknowledged that free enterprise, to compete with and defeat socialist alternatives, would have to expand its mission and its appeal. It would have to demonstrate not only its ability to provide material comforts and economic prosperity, but to safeguard the moral and spiritual fiber of the nation. If this seems a rather instrumentalized understanding of culture, it is one to which industrialists readily subscribed. The 'cultural training' of industrialists was an openly avowed goal of organizations such as the *Deutsches Industrieinstitut* and the *Kulturkreis*, which distributed speeches to businessmen and companies in an attempt to imbue them with a political and intellectual awareness and an appreciation of publicity. Flipping through the pages of the DI's *Unternehmerbrief* and the *Vortragsreihe*, one repeatedly encounters discussions of modernity and rationalization, Kant's categorical imperative, 'Gesellschaft' and 'Gemeinschaft', and, primarily in the 1960s, the blessings and dangers of technology.

Culture had a central role in the business' self-understanding, in part, because industrialists knew how to exploit the validating force that it carried. It bestowed a gentility and refinement upon those who might otherwise be seen only as doing the dirty work of making money. It injected

---

53 Ibid.

54 "Industry as a Patron of Art: The 'Kulturkreis' Paves the Way for Artists", Deutsche Korrespondenz 11 (19 March 1955).

civility and erudition into the ugly world of politics or the dry debates over 'Wirtschaftspolitik'. In short, it was part of the recreation of the industrialist type. Culture, in its multiple forms, made the 'Unternehmerpersönlichkeit' a figure worthy of reverence. Clearly, then, industrialists did not engage with culture only as a means of 'understanding themselves' or saving the West from imminent destruction. These motivations, often in their overstated form, were real. But industrialists turned to the language of culture as part of their quest for positive publicity and political leverage after National Socialism. In discussing industry and culture after Nazism, we must therefore articulate carefully the distinctions between opportunism and charity, between manipulation and ideology, between PR and self-understanding.

Despite this instrumental use of culture, we must be careful not to label all cultural activity as merely a public relations ploy. Those industrialists who devoted countless hours to cultural issues were not simply engaging in a cynical 'Verdrängung' (repression) of industry's behavior under Hitler. Rather, they were demonstrating a genuine belief that West Germany's economic and spiritual revival were constituent of each other, and that industry had the responsibility and the means to move Germany beyond National Socialism. Even as they were expressing some suspicion of democracy and its spiritual homeland – the United States – it was this very process of doubting, discussing, debating, and exaggerating the dangers posed by communism and mass society that ultimately reflected a coming to terms with democracy. Industrialists and other elites, even as they revealed their shop-worn cultural anxieties, were picking up where they left off in Weimar. They were, so to speak, '(re)-learning the ropes' of economic and political democracy, where customer was king, image was as important as quality, and 'the masses' dictated cultural trends and developments.

Ultimately, this learning process was also about coming to terms with America's cultural penetration into Europe. Certainly, the economic help rendered by the United States in the form of the Marshall Plan made an accommodation to American culture a little easier. So did the fact that the US was the paradigm of economic success and the conspicuous enjoyment of its fruits. But the 'Americanization' of West Germany always remained incomplete. Business mentalities, political philosophies, and pop cultural icons from across the Atlantic stood side by side, often uneasily, with a continued faith in a 'Kultur' that, West German elites argued, had originated and could continue to flower only in Europe. Even the West Germans who adopted a more welcoming stance vis-à-vis the United States could not entirely resist the appeals of 'German Culture' and 'European Culture' as highly validating marks of honor. Certainly, a great many industrialists proudly sported these cultural badges as they rebuilt their country and basked in the glow of the postwar 'Economic Miracle'.

Daniel Gossel

„The Brain Drain“: Großbritannien und die technologische Herausforderung Amerikas in Zeiten des „economic decline“

Vor gut dreißig Jahren erschien in Paris ein Buch des Publizisten Jean-Jacques Servan-Schreiber,[1] das in Europa für großes Aufsehen sorgte: *Le défi américain*, die amerikanische Herausforderung.[2] Der Franzose diagnostizierte eine sich beschleunigende Amerikanisierung[3] der europäischen Wirtschaft und prophezeite, daß nach weiteren fünfzehn Jahren nicht Europa, sondern die amerikanische Industrie *in* Europa die, nach den USA und der Sowjetunion, drittgrößte Wirtschaftsmacht der Welt darstellen würde.[4] Die Europäer – Servan-Schreiber dachte hier vor allem an die Mitglieder der Europäischen Wirtschaftsgemeinschaft (EWG) und die Briten – müßten sich entscheiden, ob sie als 51. Bundesstaat in der amerikanischen Union aufgehen oder sich durch Bündelung ihrer technologischen und wirtschaftlichen Ressourcen diesem Trend entgegenstemmen wollten.

Mit diesen Thesen sprach er ein Problem an, dessen man sich zwar seit Jahren bewußt war, aber dessen Konsequenzen bisher niemand so schonungslos offengelegt hatte. Denn der Erfolg der Amerikaner stellte den Europäern zugleich ein Armutszeugnis aus: Defizite in der Aus- und Weiterbildung, im Bereich Forschung und Entwicklung, bei Investitionen und im Management. Ob in den Benelux-Staaten, in der Bundesrepublik oder in Frankreich, die Herausforderung Amerikas wurde in allen westeuropäischen

---

1 Nachdem er in früheren Jahren für Le Monde politische Leitartikel geschrieben hatte, wurde Servan-Schreiber 1953 zum Mitbegründer des Nachrichtenmagazins L'Express, das er fortan herausgab.

2 Paris: Denoël, 1967. Innerhalb weniger Monate wurde alleine in Frankreich fast eine halbe Million Exemplare verkauft.

3 Der Begriff wird je nach Standpunkt neutral-deskriptiv oder (häufiger) negativ-wertend verwendet. Nach Ansicht des anglo-amerikanischen Politologen Richard Rose kam der Gebrauch des Terminus „Americanization“ bereits in den 1830er Jahren in England auf: Richard Rose, „America: Inevitable or Inimitable?“, Lessons from America: An Exploration, Hg. Richard Rose (London: Macmillan, 1974) 10.

4 Servan-Schreiber, Le défi américain, 17.

Industrienationen verspürt,[5] aber mit am stärksten betroffen war das Vereinigte Königreich. Schätzungen zufolge – genaue Statistiken wurden damals hierüber noch nicht geführt – waren 1966 über 1.600 amerikanische Tochterunternehmen und anglo-amerikanische Kooperationen auf den Britischen Inseln tätig. Deren Investitionsvolumen summierte sich auf ein Drittel aller amerikanischen Direktinvestitionen in Europa. Oder, um einen anderen Maßstab anzulegen: Zwei Drittel aller ausländischen Direktinvestitionen in Großbritannien wurden von amerikanischen Unternehmen finanziert.[6] Angesichts dieser Entwicklung war es nicht so überraschend, daß einige Briten in reißerischer Manier das Schreckbild einer „American invasion"[7] oder eines „American take-over"[8] an die Wand malten, doch mutete es schon sonderbar an, daß sogar Premierminister Harold Wilson, anstatt wie üblich die „special relationship" zu den USA zu betonen, in einer Rede am 23. Januar 1967 vor dem Europarat in Strasbourg einen ungewöhnlich scharfen Ton anschlug:

> Let no one here doubt Britain's loyalty to Nato and the Atlantic Alliance. But I have also always said that that loyalty must never mean subservience, still less must it mean an industrial helotry under which we in Europe produce only the conventional apparatus of a modern economy while becoming increasingly dependent on American business for the sophisticated apparatus which will call the industrial tune in the 70s and 80s.[9]

Es ist kaum von der Hand zu weisen, daß diese von Distanz zu den USA geprägte Rhetorik vor allem dazu gedacht war, für eine neue britische Initiative zur Wiederaufnahme der Beitrittsverhandlungen zur EWG eine günstige Atmosphäre zu schaffen; insbesondere der für den nächsten Tag anberaumte Besuch bei dem französischen Staatspräsidenten Charles de

---

5 Welcher Stellenwert dieser Problematik in der Bundesrepublik entgegengebracht wurde, läßt sich z. B. auch daran ablesen, daß Franz-Josef Strauß, der damalige Bundesfinanzminister, für die deutsche Ausgabe von Servan-Schreibers Buch, die 1968 bei Hoffmann & Campe, Hamburg, erschien, ein ausführliches, die Aktualität des Themas betonendes Vorwort schrieb.

6 John H. Dunning, „The Role of American Investment in the British Economy", PEP Broadsheet 507 (February 1969): 119. Ders., US Industry in Britain (London: Financial Times, 1976).

7 Francis Williams, The American Invasion (London: Anthony Blond, 1962).

8 James McMillan und Bernard Harris, The American Take-Over of Britain (London: Leslie Frewin, 1968).

9 Die Rede ist abgedruckt in: The Times, 24. Januar 1967, 8.

Gaulle dürfte hierbei im Mittelpunkt britischen Kalküls gestanden haben.[10] Dennoch beruhten die Äußerungen des britischen Regierungschefs auch auf tieferliegenden Befürchtungen. Denn seit Jahren erlebte man nicht nur eine stark anwachsende Präsenz amerikanischer Unternehmen und Produkte auf den britischen Märkten, sondern zugleich mußten die Briten registrieren, daß ihre klügsten Köpfe zu Hunderten und Tausenden über den Atlantik auswanderten. Diese Auswanderung erschien unter wirtschaftlichen Gesichtspunkten um so problematischer, weil die Kosten der Ausbildung zwar mit britischen Steuern finanziert wurden, aber der aus der Qualifikation zu erwartende Nutzen einer anderen und zudem mit der britischen konkurrierenden Volkswirtschaft zugute kam. In den Worten Lord Bowdens, Rektor des Manchester College of Science & Technology und 1964/65 Staatsminister der Labour-Regierung im Department of Education and Science: „... if we capitalise the value of those who have left England for America since the war, we have very much more than paid back the whole of the Marshall Aid."[11]

Auswanderung war an sich ein typisches Phänomen der britischen Geschichte. Seit dem 17. Jahrhundert hatte es immer wieder große Auswanderungswellen gegeben, und auch nach dem Ende des Zweiten Weltkrieges spielten noch Millionen mit dem Gedanken der Emigration. In recht regelmäßigen Abständen unternahm das von George H. Gallup geleitete American Institute of Public Opinion repräsentative Umfragen in der britischen Bevölkerung hinsichtlich ihrer Bereitschaft auszuwandern. Die Frage „If you were free to do so, would you like to go and settle in another country?" wurde durchschnittlich, mit gelegentlichen Schwankungen zwischen 22% und 41%, von rund einem Drittel der Interviewten bejaht. Besonders aufschlußreich war die Angabe des bevorzugten Ziellandes: Auf den ersten drei Plätzen rangierten immer die Old Dominions Australien, Kanada und Neuseeland; erst an vierter Stelle, zum Teil weit abgeschlagen, kamen die

---

10 Seit de Gaulles Veto gegen einen Beitritt Großbritanniens zur EWG im Januar 1963 arbeitete London, allerdings erfolglos, darauf hin, die Zweifel des Franzosen hinsichtlich der britischen Europapolitik zu zerstreuen. Zum Hintergrund der Strasbourg-Rede siehe auch den Leitartikel: „Unity Pledge by Mr Wilson", The Times, 24. Januar 1967, 1; ferner Philip Ziegler, Wilson: The Authorised Life of Lord Wilson of Rievaulx (London: HarperCollins, 1995) 331-336; Ben Pimlott, Harold Wilson (London: HarperCollins, 1992) 437-41.

11 House of Lords, Parliamentary Debates 278 (20th December 1966): Col. 1976.

USA.[12] Wenngleich von all denjenigen, die von einem Leben in einem anderen Land träumten, auch nur eine kleine Minderheit dies Wirklichkeit werden ließ, so kann man doch feststellen, daß sich zumindest das Präferenzmuster auch weitestgehend in den Auswanderungsstatistiken widerspiegelte. Die verfügbaren Daten sind zwar weder vollständig noch hinreichend aufgeschlüsselt,[13] aber sie belegen eindeutig, daß rund drei Viertel aller Emigranten – allein zwischen 1946 und 1964 gingen z.B. fast 800.000 Briten nach Australien – ihr Glück im Commonwealth suchen sollten.[14] Die USA hatten anscheinend ihre Attraktivität als vorrangiges Ziel britischer Auswanderer verloren – allerdings mit einer bemerkenswerten Ausnahme: Seit dem Ende der fünfziger Jahre strömten vor allem Naturwissenschaftler, Ingenieure und Mediziner[15] in immer größeren Zahlen in die Vereinigten Staaten. Die Abwanderung dieser hochqualifizierten Spezialisten erregte eine derartige Aufmerksamkeit, daß renommierte Institutionen, wie die Royal Society[16], eigens Berichte anfertigen ließen, daß darüber wissenschaftliche Abhandlungen[17] geschrieben und internationale Fachtagungen[18] abgehalten

---

12 George H. Gallup (Hg.), The Gallup International Public Opinion Polls: Great Britain 1937-1975 (London: Random House, 1976) 171, 187, 249, 361, 401, 451, 481, 613, 661, 702, 732, 789, 813, 878, 1036 (2 Bände, durchgehende Seitennumerierung).

13 So wurden z.B. über die meisten Jahre nur diejenigen Emigranten erfaßt, die per Schiff auswanderten. Ferner wurden nur über die Auswanderung in den Commonwealth genauere Informationen erhoben; die Daten für andere Zielländer wurden lediglich in Restgruppen summiert.

14 Zu den Zahlen siehe die verschiedenen, vom Overseas Migration Board verfaßten Jahresberichte des Commonwealth Relations Office. Die Zahl für Australien stammt aus: Commonwealth Relations Office, Overseas Migration Board, Statistics for 1964 (Cmnd. 2861) London: HMSO, 1965, Table 9 b. Andere Berichte finden sich unter: Cmnd. 975, 1243, 1586, 1905, 2217 und 2555.

15 Bei den Medizinern läßt sich eine eindeutige Bevorzugung der USA allerdings nicht feststellen; viele, insbesondere praktische Ärzte, scheinen sich auch in Kanada oder Australien niedergelassen zu haben.

16 Royal Society, Emigration of Scientists from the United Kingdom. Report of a Committee Appointed by the Council of the Royal Society, London, February 1963.

17 Siehe z.B. Frank Musgrove, The Migratory Elite (London: Heinemann, 1963). James A. Wilson, „The Depletion of National Resources of Human Talent in the United Kingdom“, Diss., Queen's University, Belfast, 1964. Ernest Rudd und Stephen Hatch, Graduate Study and After (London: Weidenfeld & Nicolson, 1968).

18 Im Juni 1966 fand unter der Schirmherrschaft des Council on International Educational and Cultural Affairs of the U.S. Government in Washington eine Tagung mit dem Thema „The International Migration of Talent and Skills“ statt. Die (unveröffentlichten) Proceedings sind u.a. im Public Record Office (PRO), Kew, einsehbar; CMR (MIG) (66) 9: PRO, HF 7/3. Eine andere Konferenz fand im August

wurden, daß dieses Thema nicht nur in den einschlägigen Fachjournalen[19], sondern auch in der allgemeinen Tagespresse diskutiert wurde, daß aufgrund des öffentliches Interesses eine interministerielle Arbeitsgruppe[20] eingerichtet werden mußte und sich sogar die beiden Kammern des britischen Parlaments[21] mehrmals damit befaßten.

Schon bald hatte sich in der Diskussion auch ein treffendes Schlagwort festgesetzt: „Brain Drain".[22] So sprachlich gelungen die Wortschöpfung auch klang, so war sie doch nicht frei von negativer Wertung. Der Ausdruck implizierte nicht nur einen Verlust an wertvollen Ressourcen, sondern ein grundsätzlicheres und besorgniserregenderes Problem. Wie es der American Council on Education in einem Positionspapier treffend formulierte: „The problem of the so-called brain drain is in part a consequence of the fact that highly talented persons tend to be internationally mobile. Moreover, the

---

1967 in Lausanne, Schweiz, statt, deren Ergebnisse in einem Sammelband veröffentlicht wurden: Walter Adams, Hg., The Brain Drain (New York: Macmillan, 1968).

19 Lord Bowden, „The Migrant Scientist", New Scientist 21. 381 (5 March 1964): 594-96. Harry G. Johnson, „The Economics of the 'Brain Drain': The Canadian Case", Minerva 3. 3 (Spring 1965): 299-311. H. G. Grubel und A. D. Scott, „The Immigration of Scientists and Engineers to the United States, 1949-1961", The Journal of Political Economy 74. 4 (August 1966): 368-378. William Angus Douglass, „How to Stop the Brain Drain", New Scientist 34. 539 (6 April 1967): 39-41. Stephen Hatch, „Why Scientists Leave Britain", New Scientist 34. 540 (13 April 1967): 98-100. Brinley Thomas, „The International Circulation of Human Capital", Minerva 5. 4 (Summer 1967): 479-506. Herbert G. Grubel, „The Reduction of the Brain Drain: Problems and Policies", Minerva 6. 4 (Summer 1968): 541-58.

20 Committee on Manpower Resources for Science and Technology, The Brain Drain: Report of the Working Group on Migration, (Cmnd. 3417) London: HMSO, October 1967.

21 Siehe vor allem: House of Lords, Parliamentary Debates 247 (27th February 1963): Cols. 86-182 und 278 (20th December 1966): Cols. 1960-2064; House of Commons, Parliamentary Debates 681 (15th July 1963): 35-168 und 741 (13th February 1967): Cols. 121-234.

22 Weder die Studie von Musgrove, The Migratory Elite, noch der Bericht der Royal Society nahmen auf dieses Schlagwort Bezug. Doch dürfte sich der Begriff im Laufe des Jahres 1963 im Sprachgebrauch etabliert haben – bereits in den frühen Debatten im House of Lords und im House of Commons über Wissenschaft wurde er von Politikern beider Lager verwendet. Dem Bericht der oben erwähnten interministeriellen Arbeitsgruppe aus dem Jahr 1967 lieferte er indessen schon den Titel.

stream of intellectual talent flows preponderantly toward advanced societies."[23]

Zwar herrschte im Vereinigten Königreich, im Gegensatz zu den Vereinigten Staaten, schon immer eine Gesellschaft, die das Alte mehr respektierte als das Neue, aber diese Haltung schien sich mit dem Selbstverständnis der Briten als eine der führenden Industrienationen noch so lange vereinbaren zu lassen, als aus ihren Reihen trotzdem noch vielfältige Erfindungen und wegweisende wissenschaftliche Erkenntnisse hervorgebracht wurden. Lief Großbritannien nun etwa Gefahr, schon bald nicht mehr dem Kreis der „advanced societies", der fortschrittlichen Industriegesellschaften, anzugehören? Hier kam für eine Nation, die sich noch immer als Weltmacht verstand, nicht nur die Frage des Prestiges ins Spiel, sondern hier wurden, wie Wilson in seiner Rede betonte, konkrete Entwicklungschancen berührt. Gehörte es damals – und zum Teil noch heute – zu den in Europa weit verbreiteten Amerikabildern, die amerikanische Gesellschaft als eine Art Modell dessen wahrzunehmen, wozu sich die europäischen Staaten, gewollt oder ungewollt, zukünftig entwickeln würden,[24] so schien auf einmal auch die Möglichkeit zu bestehen, daß die Europäer den Anschluß an die amerikanische Entwicklung verlören, daß sich der technologische Vorsprung der USA unaufholbar vergrößern würde.[25]

Im Februar 1963 legte ein von der Royal Society[26] eingesetzter Ausschuß der Öffentlichkeit einen ersten Bericht über Ausmaß und Richtung der befürchteten Auswanderung von Wissenschaftlern vor. An 563 Professoren und Leiter von Forschungseinrichtungen wurden detaillierte Fragebögen verschickt,[27] die Auskunft über diejenigen Nachwuchswissenschaftler geben

---

23 „International Migration of Intellectual Talent: The American Academic Community and the Brain Drain", Bulletin on International Education 4. 10 (November 17, 1966) 1.

24 Rose, „America: Inevitable or Inimitable?", 1.

25 In einer Rede vor den Mitgliedern des Institute for International Education am 6. Dezember 1966 in New York diagnostizierte Vize-Präsident Hubert Humphrey einen „technological gap" zwischen den USA und Westeuropa. Hinsichtlich der Implikationen für die internationalen Beziehungen der siebziger Jahre sprach Humphrey die Befürchtung aus, „it could [...] result in estrangement between Europe and the United States." Ein Abdruck der Rede befindet sich in: PRO, PREM 13/1903.

26 Die Royal Society wurde 1660 gegründet. Bereits zwei Jahre später erhielt sie eine Royal Charter. Als älteste wissenschaftliche Akademie des Vereinigten Königreichs und eine der ältesten in Europa genießt sie höchstes Ansehen; nur renommierte Naturwissenschaftler dürfen auf eine Fellowship hoffen.

27 Die Rücklaufquote der Fragebögen betrug 96%; Royal Society, Emigration of Scientists, 5.

sollten, die seit 1952 in ihren Bereichen[28] promoviert hatten. Das Ergebnis war bedenklich. Von ca. 9.700 Wissenschaftlern, die zwischen 1952 und 1961 in Großbritannien einen Doktortitel erworben hatten, wanderten 1.539 - durchschnittlich jeder Sechste - aus; 670 hiervon, oder knapp die Hälfte, gingen in die USA.[29] Besonders hoch war der Weggang bei Physikern und Chemikern, auf die über 50% der Emigranten entfielen.[30] Geradezu alarmierend war auch die Tatsache, daß sich die Zahlen seit Beginn des zugrundegelegten Zeitraums verdreifacht hatten: Waren 1952 nur 62 Wissenschaftler ins Ausland gegangen, so waren es 1961 bereits 195.[31] Darüber hinaus war zu berücksichtigen, daß die Emigranten nicht nur allein aufgrund ihrer Promotion über den Durchschnitt der Hochschulabsolventen herausragten, sondern auch innerhalb dieser schon exklusiven Gruppe noch zu den Besseren gehörten. Selbst einige Fellows der ehrwürdigen Royal Society hatten bereits feste Positionen in den USA angenommen: „The gaps created by their departure", so der Bericht im nüchternen Understatement, „have caused difficulties in certain important fields of scientific research in this country."[32] Während die Verfasser des Untersuchungsberichts der Ansicht waren, daß die Emigration in den Commonwealth durch Immigranten aus diesen Ländern vermutlich mehr als ausgeglichen wurde,[33] so schlossen sie eine solche Vermutung für die USA aus: Hier verlief die Wanderungsbewegung zweifelsfrei nur in eine Richtung. Als besonders bedenklich, so das Resümee, erschienen „the economic consequences of the loss to this country of the leadership and the creative contributions to science and technology which they would have made in the course of their working lives."[34]

---

28 Anatomie, Bakteriologie, Biochemie, Botanik, Chemie, Genetik, Geologie, Ingenieurswissenschaften, Mathematik, Metallurgie, Pharmakologie, Physik, Physiologie und Zoologie.

29 Royal Society, Emigration of Scientists, 10.

30 Die Zahlen für Ingenieure fielen in dieser Untersuchung überraschend gering aus; dieser Umstand war aber, wie der Bericht selbst einräumte, eher darauf zurückzuführen, daß nur ein Bruchteil der Ingenieure überhaupt eine Promotion anstrebte; ibid., 9.

31 Ibid., 7-11.

32 Ibid., 6.

33 Genaue Daten über die Einwanderung aus dem Commonwealth, insbesondere hinsichtlich der beruflichen Qualifikation der Immigranten, lagen aus rechtlichen und statistischen Gründen damals noch nicht vor.

34 Royal Society, Emigration of Scientists, 13.

Der Bericht der Royal Society rief große Aufmerksamkeit hervor: „Increased Emigration by Best Scientists“[35], „Britain Losing More Leading Scientists“[36], „Loss of Young Scientists“[37], „Scientists Who Emigrate“[38] und „Are Scientists Ever Lost?“[39] lauteten die Schlagzeilen führender britischer Presseorgane. Eine nur wenige Tage später stattfindende, allerdings schon wesentlich früher anberaumte Debatte zur Wissenschaftspolitik zwang die konservative Regierung, Stellung zu beziehen. Viscount Hailsham, der verantwortliche Minister für Wissenschaft, verurteilte zunächst die seiner Meinung nach herrschende „national neurosis of pessimism and self-denigration“[40]. Die Zahl der Nobel-Preisträger widerlege jede Kritik an der Qualität britischer Wissenschaft, und die Tatsache, daß viele Briten einen Arbeitsplatz in den USA angeboten bekämen, sei eher als ein Kompliment für das hohe Ausbildungsniveau in Großbritannien zu sehen. Für Hailsham waren des Übels Wurzeln in den Vereinigten Staaten zu suchen:

> We are in the presence of a recruiting drive systematically and deliberately undertaken by American business, by American universities and, to a lesser extent, American Government agencies, often initiated by talent scouts specially sent over here to buy British brains and to pre-empt them for the service of the United States.[41]

Schuld sei das High School-System der Vereinigten Staaten, das nicht in der Lage wäre, den erforderlichen Bedarf an qualifizierten Schulabgängern zu sichern; ihr System sei so unzulänglich,

> that their university system (which is excellent, and in scale, though not in quality, superior to our own) and their research facilities, which, if I may say so, are quite unrivalled, together with American business, which is most technologically minded, and the American State service, are compelled to live [...] parasitically on the brains of other nations in order to supply their own needs.[42]

Während die konservative Regierung den „Brain Drain“ mit Schuldzuweisungen an die USA zu erklären versuchte, sah die sich in der Opposition befindende Labour Party sogleich eine günstige Gelegenheit, aus dem Interesse der Öffentlichkeit politisches Kapital zu schlagen und die Regierung mit

---

35 „Increased Emigration by Best Scientists“, Daily Telegraph, 21. Februar 1963, Zeitungsausschnitt (ZA) ohne Seitenangabe in PRO, DO 175/110.

36 „Britain Losing More Leading Scientists“, The Guardian, 21. Februar 1963, ZA; ibid.

37 „Loss of Young Scientists“, Financial Times, 21. Februar 1963, ZA; ibid.

38 „Scientists Who Emigrate“, The Times, 23. Februar 1963, ZA; ibid.

39 „Are Scientists Ever Lost?“, The Economist, 23. Februar 1963, 614-15, 629.

40 House of Lords, Parliamentary Debates 247 (27th February 1963): Col. 89.

41 Ibid., Col. 93.

42 Ibid., Cols. 93-94.

parlamentarischen Anfragen unter Druck zu setzen: „Does the Prime Minister", so Eric Fletcher in einer Attacke auf Harold Macmillan, „realise that the emigration, on an increasing scale, of the cream of our highly educated scientists not only has serious economic consequences but also indicates a glaring lack of confidence in the Prime Minister's ability to guide the future of this country?"[43]

Hier hatte Labour ein Reizthema gefunden, mit dem sie hoffte, sich in den Augen der Wählerschaft als diejenige Partei profilieren zu können, die – im Gegensatz zu den Konservativen – sich der Zukunft stellen würde. Nur wenige Monate später, auf ihrer Annual Conference, veröffentlichte Labour ein Positionspapier „Labour and the Scientific Revolution", in dem gefordert wurde, für wissenschaftliche Forschung zusätzliche 100 Millionen Pfund Sterling freizugeben. Harold Wilson, damals noch Führer der Opposition, beschwor in der Eröffnungsrede zur Wissenschaftsdebatte seine Genossen, sich dem technologischen Wandel nicht zu verschließen: „There is no room for Luddites in the Socialist Party. If we try to abstract from the automative age, the only result will be that Britain will become a stagnant backwater, pitied and held in contempt by the rest of the world."[44]

Während seiner Rede kam Wilson immer wieder auf den technologischen Wandel in den USA zu sprechen. Für den Vorsitzenden einer sozialistischen Partei, die aus ideologischen Gründen eher Vorbehalte gegenüber dem amerikanischen System zeigte, war dies schon ein bemerkenswertes Verhalten. Allerdings ging es für Labour darum, „to harness Socialism to science, and science to Socialism"[45] – denn nur wenn die Früchte der wissenschaftlichen Forschung und des technologischen Fortschritts in den Dienst volkswirtschaftlicher Planung gestellt würden, so das Verständnis britischer Sozialisten, ließe sich Massenarbeitslosigkeit verhindern und Wohlstand für alle erzielen:

> Since technological progress left to the mechanism of private industry and private property can lead only to high profits for a few, a high rate of employment for a few, and to mass redundancies for a many, if there had never been a case for Socialism before, automation would have created it.[46]

---

43 House of Commons, Parliamentary Debates 673 (5th March 1963): Col. 204.

44 Harold Wilson, Purpose in Politics. Selected Speeches (London: Weidenfeld & Nicolson, 1964) 16.

45 Ibid.

46 Ibid., 18.

Angesichts der Tatsache, daß die Sowjetunion dreimal so viele Ingenieure ausbildete wie die USA,[47] und diese, wie der Start des Weltraumsatelliten „Sputnik“ im Oktober 1957 augenfällig demonstriert hatte,[48] in einigen Bereichen die technologische Führerschaft der Amerikaner in Frage zu stellen schien, war es aus der Sicht britischer Sozialisten gar nicht so eindeutig, an welchem Vorbild, USA oder Sowjetunion, man sich orientieren sollte.[49] So sprach Wilson, wenngleich er die rücksichtslosen Methoden kommunistischer Planwirtschaft ablehnte, von der „formidable Soviet challenge in the education of scientists and technologists“[50], und Lord Bowden erklärte, sichtlich beeindruckt von einer Rußland-Reise, den Zuhörern der BBC, „we have a great deal to learn from the Russians.“[51] Jedoch konnte Labour nicht ignorieren, daß längst nicht alle Briten ihren ungebrochenen Enthusiasmus für staatliche Wirtschaftsplanung teilten. Der „Brain Drain“ wies nach Amerika, nicht nach Rußland. Dies wußte auch Harold Wilson, als er auf dem Parteitag 1963 die emigrationswilligen Wissenschaftler und die bereits Emigrierten aufforderte, in Großbritannien zu bleiben beziehungsweise zurückzukommen.[52]

---

47 Patrick M. S. Blackett, Universities and the Nation's Crisis. Guildhall Lectures 1963 (London/Manchester: British Association for the Advancement of Science/Granada TV Network, 1963) 16. Blackett war Professor für Physik am renommierten Imperial College of Science and Technology, London. Er zählte seinerzeit zu den bekanntesten Wissenschaftlern Großbritanniens und war für die Wilson-Regierung auch als Berater tätig.

48 Am 4. Oktober 1957 startete die UdSSR den Weltraumsatelliten Sputnik. Die Tatsache, daß der Sowjetunion als erstem Staat diese technische Leistung gelungen war, löste in der westlichen und besonders in der amerikanischen Öffentlichkeit einen Schock aus. Von einem Tag auf den anderen schienen die Amerikaner ihre Rolle als die technologisch führende Nation der Welt eingebüßt zu haben.

49 In diesem Zusammenhang sind die Ergebnisse von Umfragen von Interesse, die Gallup nach dem Sputnik-Start in Großbritannien durchführte. Danach befragt, welcher Staat, USA oder Sowjetunion, im Bereich der Raumfahrt führend sei, nannte die Mehrheit (bis zu 74% der Befragten) immer die Sowjetunion. Dieses Meinungsbild verkehrte sich erst wieder in sein Gegenteil, als den Amerikanern 1969 die Mondlandung gelang. Vgl. hierzu z. B. Gallup, The Gallup International Public Opinion Polls, 484, 492, 596, 694 u. 1119.

50 Wilson, Purpose in Politics, 28.

51 Lord Bowden, „A Trip to Russia“, The Listener (October 22, 1964): 629.

52 „One message I hope this Conference can send out, not only to those who are wondering whether to emigrate or not, but to those who have already emigrated is this. We want you to stay here: we want those of you who have left Britain to think about coming back, because the Britain that is going to be is going to need you.“ Wilson, Purpose in Politics, 22.

Im Hinblick auf die 1964 anstehenden Parlamentswahlen war der Labourführer zu einem richtungspolitischen Balance-Akt gezwungen.[53] Zum einen wollte er sich die Unterstützung der mächtigen, jedoch eher ihren Besitzstand wahrenden Gewerkschaften erhalten sowie ein Ausscheren des radikal linken Parteiflügels verhindern, zum anderen mußte er versuchen, in den Mittelschichten neue Wählergruppen zu mobilisieren. In gewollter, unverkennbarer Anspielung auf John F. Kennedy, dessen tragischer Tod im November 1963 ihn zu einer politischen Ikone des jungen, modernen Amerikas werden ließ, und sein damaliges Wahlkampfmotto „New Frontier" entwickelten die Sozialisten ihre Kampagne für ein „New Britain".[54] Die Labour Party verschrieb sich ganz der Modernisierung Großbritanniens. Der technologische Wandel sollte nicht erlitten oder gar behindert, sondern positiv gestaltet werden. Erziehung, Aus- und Weiterbildung, Wissenschaft, insbesondere anwendungsorientierte Forschung, waren Aufgaben, auf die die Linke zukünftig stärker ihr Augenmerk richten wollte. So gehörte auch die Schaffung eines Ministry of Technology zu den Zielen, die ins Election Manifesto der Sozialisten aufgenommen wurden; ferner sollten die Departments for Education und Science zusammengelegt sowie ein Department for Economic Affairs, zuständig für staatliche Wirtschaftsplanung, eingerichtet werden.

Am 15. Oktober 1964 gewann Labour die Parlamentswahlen.[55] Angesichts des äußerst knappen Ergebnisses war es allerdings fraglich, ob sich die Wähler nicht eher gegen eine Fortdauer der schon dreizehn Jahre währenden konservativen Herrschaft als für einen mit den Sozialisten assoziierten Richtungswechsel ausgesprochen hatten. Traditionalisten und Progressive gab es in beiden Lagern, aber wer würde über den politischen Kurs entscheiden, und welches Verständnis von Zukunft und Fortschritt würde sich letztlich durchsetzen? Die britische Gesellschaft war im Umbruch, und die neu gewählte Labour-Regierung mußte nun zeigen, wie sie die Modernisierung, die „white-hot technical revolution", die vor den Wahlen in Aussicht gestellt worden war,[56] zustandebringen wollte. In den nächsten Jahren setzte das Committee on Manpower Resources for Science and Technology, ein

---

53 D. E. Butler und Anthony King, The British General Election of 1964 (London: Macmillan, 1965) 57-76.

54 Siehe hierzu Tony Benn, Out of the Wilderness: Diaries 1963-1967 (London: Arrow, 1988) 80-84.

55 Zu den britischen Parlamentswahlen 1964 siehe ausführlich: Butler und King, The British General Election of 1964.

56 „Technology: The Revolution That Wasn't", The Economist (March 19, 1966): 1147-49.

neu geschaffener interministerieller Ausschuß des Department for Education and Science und des Ministry of Technology, mehrere Arbeitsgruppen ein, die die Zusammenhänge von wissenschaftlicher Forschung, technologischem Wandel und wirtschaftlicher Entwicklung näher untersuchen sollten. Im Oktober 1966 wurden mit dem *Report of the 1965 Triennial Manpower Survey of Engineers, Technologists, Scientists and Technical Supporting Staff* sowie dem *Interim Report of the Working Group on Manpower Parameters for Scientific Growth* von Regierungsseite erste Erkenntnisse vorgelegt.[57] Beide Berichte waren nur wenig dazu angetan, sich zufrieden zurückzulehnen.[58] Zwar vermerkte der *Triennial Manpower Survey* positiv, daß das britische Hochschulwesen mittlerweile erheblich mehr Wissenschaftler ausbilden würde, als daß noch zehn Jahre zuvor der Fall gewesen sei, aber die Zahlen machten zugleich auch deutlich, daß die meisten – und vor allem die besten – Wissenschaftler es vorzögen, an Hochschulen und in staatlichen Forschungseinrichtungen tätig zu sein, statt in die Industrie zu gehen. Darüber hinaus zeigte sich, daß der „Brain Drain“ nicht nur unvermindert anhielt, sondern an Stärke eher noch zunahm.[59] Die von Wilson beabsichtigte Signalwirkung auf die Wissenschaftler, doch im Lande zu bleiben, hatte offenbar nicht gefruchtet. Noch am selben Tag, als die beiden Berichte der Öffentlichkeit zugänglich gemacht wurden, entschied das Committee on Manpower Resources, eine neue Arbeitsgruppe einzusetzen, die sich ausschließlich mit dem Problem des „Brain Drain“ beschäftigen sollte.[60] Hatte sich die Studie der Royal Society nur auf promovierte Naturwissenschaftler beschränkt, so sollten nun auch zuverlässige Informationen über die Migra-

---

57 Committee on Manpower Resources for Science and Technology. Report of the 1965 Triennial Manpower Survey of Engineers, Technologists, Scientists and Technical Supporting Staff (Cmnd. 3103) London: HMSO, October 1966; dasselbe. Interim Report of the Working Group on Manpower Parameters for Scientific Growth (Cmnd. 3102) London: HMSO, October 1966. Auch in PRO, ED 210/41.

58 Insbesondere in der Fachwelt riefen die Berichte eine breite Resonanz hervor. Siehe hierzu die Artikel und Stellungnahmen führender britischer Wissenschaftler in: „Men in Wrong Places“, Nature (October 15, 1966) 221-22, 227-28; „What to Do About Manpower“, Nature (October 22, 1966) 336-38.

59 Committee on Manpower Resources, Report of the 1965 Triennial Manpower Survey, 36-37. Siehe ferner: CMR (66) 5, „The Migration of British and Commonwealth Scientists and Technologists Between 1958-1963“, Note by the Ministry of Technology, 4th February, 1966: PRO, ED 210/8.

60 Siehe hierzu eine Note des Ministeriums für Technologie vom 8. November 1966: CMR (MIG) (66) 1: PRO, HF 7/3.

tionsbereitschaft von nichtpromovierten Naturwissenschaftlern und Ingenieuren erhoben werden.[61]

Während die Arbeitsgruppe, die sich aus Fachleuten mehrerer Universitäten und Industrieunternehmen zusammensetzte, umgehend damit begann, genauere Unterlagen zusammenzutragen, fand auf Veranlassung der Opposition im Dezember 1966 im House of Lords eine Debatte zum „Brain Drain" statt.[62] War ihnen vor drei Jahren noch die Verantwortung für den „Brain Drain" zugeschoben worden, so konnten die Konservativen nicht ohne Genugtuung nun darauf verweisen, daß sich der Strom von auswanderungswilligen Experten unter der sozialistischen Regierung noch verstärkt hatte. Wenngleich die Debatte auf einem sachlich hohen Niveau geführt wurde, war es doch nicht überraschend, daß Sprecher der Opposition zur Erklärung des „Brain Drain" eher auf britische Ursachen - und damit auf die Verantwortung der Regierung - verwiesen, während die der Labour Party nahestehenden Redner das Problem im internationalen Kontext zu relativieren suchten beziehungsweise die USA als Sündenbock benutzen. So war der Hauptangriffspunkt der Konservativen die Steuerpolitik der Labour-Regierung, die zur massiven Anhebung der Einkommensteuersätze für Besserverdienende geführt hatte. Auf diese Weise würden junge Wissenschaftler geradezu in die Emigration getrieben werden. Seit den Zeiten des Empires seien industrielle und technologische Berufe zwar mit einem geringeren sozialen Status behaftet gewesen,[63] aber, so Lord Eccles, ehemaliger Minister of Education,

---

61 Die in englischen Quellen häufig anzutreffende Unterscheidung zwischen „Engineers" und „Technologists" ist weniger vom Aufgabenfeld her zu begründen, sondern mehr institutionell und begriffsgeschichtlich zu verstehen. Vgl. auch Committee on Manpower Resources, Report of the 1965 Triennial Manpower Survey, 46-48. Der Einfachheit halber wird hier nur von Ingenieuren gesprochen.

62 Das House of Lords bot sich als Forum an, weil sich unter den Mitgliedern zahlreiche zu Life Peers ernannte Wissenschaftler befanden, von denen einige auch die Parteien berieten und im Einzelfall sogar Regierungsämter übernahmen.

63 So auch Sir Denning Pearson, Vorsitzender der Rolls-Royce Ltd.: „It is well known that engineers have a poor public image in Britain compared with men of other professional callings". Sir Denning Pearson, The Present State of Engineering. Bridge between Science and Industry (Twelfth Fawley Foundation Lecture, Southampton, 1965) 6. Zum historischen Hintergrund siehe Martin J. Wiener, English Culture and the Decline of the Industrial Spirit, 1850-1980 (London: Penguin, 1992) 132-37; zur Kritik an Wiener siehe: W. D. Rubinstein, Capitalism, Culture, and Decline in Britain 1750-1990 (London: Routledge, 1994); David Edgerton, Science, Technology and the British Industrial 'Decline', 1870-1970 (Cambridge: Cambridge University Press, 1996).

> I believe that the feeling that production and distribution (and engineering in particular) are inferior to the professions and to merchant banking would have disappeared if the Labour Party had not come on the scene and mounted their attack against profits as something dirty, something to be taxed as heavily as possible.[64]

Wegen ihrer Tätigkeit von den 'besseren' Kreisen mit Herablassung gestraft und wegen ihres Strebens nach Gewinn und Wohlstand von den Sozialisten moralisch geächtet, habe es diese Gruppe besonders schwer, in der britischen Gesellschaft die gewünschte finanzielle und soziale Anerkennung zu finden:

> Contrast that with the newer countries to which these young men are tempted to go. In countries like the U.S.A. or Canada or Australia, business has never been attacked on either flank. There, the businessman, the salesman, the chemist, the engineer, is politically and socially as well regarded as a soldier or a lawyer or a landowner; and to make profits in those countries is as respectable as it was here in the time of Sir Robert Walpole.[65]

Hiermit hatte Lord Eccles einen wichtigen Unterschied zwischen der 'Alten' und der 'Neuen' Welt angesprochen. Zweifellos spielten die in den USA besseren Verdienstmöglichkeiten und der damit einhergehende höhere Lebensstandard eine Rolle – in den lakonischen Worten Lord Snows: „talent goes where the money is"[66] –, aber hinter diesen materiellen Aspekten stand eine Kultur, die nicht das *Sein*, sondern das *Tun* honorierte, die Jugend nicht für Unreife hielt, die Leistung forderte, aber Erfolg auch anerkannte. Während andere Redner, wie Lord Windlesham oder Lord Todd, ebenfalls die attraktiven Chancen und Herausforderungen betonten, die sich einem jungen und ambitionierten Wissenschaftler böten, rückte Lord Bowden das Problem des „Brain Drain" in eine strukturelle Perspektive. Bowden wies darauf hin, daß Wanderung von Intellekt nichts Neues sei, sondern sich bis zur griechischen Antike zurückverfolgen lasse, allerdings hätten sich in jüngster Zeit Art und Ursache des „Brain Drain" gravierend verändert. Verantwortlich für diese Entwicklung wäre die Raumfahrt- und Rüstungsindustrie in den USA, deren Gesamtbudget höher sei als die Hälfte des britischen Bruttosozialprodukts. Für ihn waren die Anstrengungen der Amerikaner, den ersten Menschen auf den Mond zu bringen, nichts anderes als „the most extravagant, highly organised and nonsensical system of out-

---

64 House of Lords, Parliamentary Debates 278 (20th December 1966): Col. 1994.
65 Ibid., Cols. 1994-1995.
66 Ibid., Col. 1999.

door relief ever organised by a great country in peace time."[67] Während andere Redner sich von solchen Stätten wie Cape Kennedy tief beeindruckt zeigten, sah Bowden hinter dieser Entwicklung in erster Linie die unheilvollen Machenschaften des 'militärisch-industriellen Komplexes':

> I think, in fact, it is true to say that the whole pattern of education, of engineering and the development of the whole world is being distorted and perverted by the enormous sums of money which at this moment are being deployed in the United States for purposes which are scientifically trivial and are due to what appears to be the almost inevitable growth of industries which have become all-powerful and irresponsible and are wholly beyond the control of those in Washington who should be responsible for them.[68]

Mit dieser harschen Kritik stand Bowden zwar alleine da, aber ein Gefühl der Ohnmacht und Ratlosigkeit, wie man auf die technologische Herausforderung der Amerikaner reagieren solle, war bei vielen Rednern zu spüren. Und in der Tat hatten die Briten z. B. den finanziellen Möglichkeiten der 1958 – ausgelöst durch den „Sputnik-Schock"[69] – gegründeten National Aeronautics and Space Administration (NASA) nichts entgegenzusetzen. Durch die von der NASA mit Milliardensummen initiierten Forschungsprogramme, die den mutmaßlichen Rückstand in der Rüstungsindustrie und insbesondere in der Luft- und Raumfahrtindustrie aufholen sollten, stieg in den USA der Bedarf an Fachleuten in solch einem Maße, daß er durch amerikanische Wissenschaftler gar nicht gedeckt werden konnte.[70] Während in den Vereinigten Staaten händeringend nach qualifiziertem Personal gesucht wurde, verschlechterten sich auf den Britischen Inseln die Beschäftigungsmöglichkeiten für Spezialisten. Die Zukunftsindustrien der sechziger Jahre – Luft- und Raumfahrtindustrie, atomare Energieerzeugung sowie Computer- und Elektronikindustrie – waren zu einem erheblichen Teil auf

---

67 Ibid., Col. 1979.

68 Ibid., Col. 1980. An anderer Stelle bezog sich Bowden auf die Farewell Address von Eisenhower: „The point I wish to make is that this immense industry, as Mr. Eisenhower forecast, has acquired a momentum and an identity of its own which is quite independent of its purpose, which is almost independent of the operations of the American Government itself" (Col. 1978).

69 Zum Hintergrund siehe Robert A. Divine, The Sputnik Challenge (New York: Oxford University Press, 1993) und James R. Killian, Sputnik, Scientists, and Eisenhower. A Memoir of the First Special Assistant to the President for Science and Technology (Cambridge: MIT Press, 1977).

70 Nach einer Schätzung des American Institute of Physics sollte die Zahl der in den USA benötigten Physiker bis 1970 auf 20.000 anwachsen: „U.S. Brain Drain to Take More Britons", The Times, 1. Februar 1967, 12.

Regierungsaufträge angewiesen; aufgrund der prekären Haushaltslage, aber auch wegen der inkonsequenten Politik der zuständigen Ministerien,[71] stand jedoch die Fortführung einer Reihe von Großprojekten, insbesondere im Bereich der zivilen und militärischen Luftfahrt, auf dem Spiel. Der unterschiedliche finanzielle Spielraum sowie die unterschiedliche Bereitschaft, in Wissenschaft und insbesondere Technologie zu investieren, zeigte sich auch an den Universitäten: So war alleine der Jahresetat des Massachusetts Institute of Technology (MIT) so hoch wie die Budgets aller englischen Universitäten zusammengerechnet.[72]

Nach knapp neun Monaten hatte die interministerielle Arbeitsgruppe ihren Auftrag abgeschlossen. In elf Sitzungen hatte sie mündliche und schriftliche Stellungnahmen zur Kenntnis genommen sowie Gutachten und Statistiken studiert, um daraus ein möglichst kohärentes Bild zu entwikkeln.[73] Schon die Debatte der Lords, obwohl sie überwiegend auf der Basis einzelner Beobachtungen, Einschätzungen und Bewertungen geführt wurde, hatte deutlich gemacht, daß die Zusammenhänge äußerst kompliziert waren, daß auf den potentiellen Emigranten sowohl diesseits als auch jenseits des Atlantiks „Push"- und „Pull"-Faktoren wirkten.[74] Nun konnte ein präziseres Bild gezeichnet werden. Wie viele britische Fachleute verließen ihre Heimat? Wer ging und warum zog es gerade diese Berufsgruppen vornehmlich nach Nordamerika? Waren es wirklich die besseren Verdienstmöglichkeiten in den USA, die den Ausschlag für die Emigration gaben, oder welche Motive spielten noch eine zentrale Rolle?

Tatsächlich hatte sich die Zahl der Emigranten von 1961 bis 1966 von 3.200 auf 6.200 nahezu verdoppelt; die Hälfte hiervon war nach Nordamerika ausgewandert.[75] Geradezu dramatisch war der Anstieg bei Ingenieuren.

---

71 Siehe hierzu: „Technology: The Revolution That Wasn't", The Economist (March 19, 1966): 1147-49; Merton J. Peck, „Science and Technology", Britain's Economic Prospects , Hg. Richard E. Caves (London: George Allen & Unwin, 1968) 448-84.

72 Diesen Vergleich zog James Wilson, Professor an der Graduate School of Business der University of Pittsburgh, auf einer Konferenz zum „Brain Drain" im Juni 1966 in Washington, D.C.: „The International Migration of Talent and Skills." Proceedings of a Workshop and Conference, October 1966, 49, in CMR (MIG) (66) 9: PRO, HF 7/3.

73 Siehe die Sitzungsprotokolle in PRO, HF 7/1 und 2.

74 Zu methodischen Problemen bezüglich der Analyse von Beweggründen siehe: R. C. Taylor, „Migration and Motivation: A study of determinants and types", Migration. Hg. J. A. Jackson (Cambridge: Cambridge Univ. Press, 1969) 99-133.

75 Committee on Manpower Resources, The Brain Drain, 10, Table 2. Unter Nordamerika wurde auch Kanada als Zielland subsumiert, wobei der Bericht darauf hinwies, daß für die meisten Wissenschaftler Kanada nur eine Zwischenstation auf dem Weg in die USA sei. Die übrigen Zielländer waren größtenteils ärmere Mitglie-

Hier hatte sich die Zahl derjenigen, die nach Nordamerika gingen, von 500 auf 2.000 vervierfacht. War der Anteil der emigrierenden Naturwissenschaftler an der Zahl der neu qualifizierten mit durchschnittlich 22% über die Jahre konstant geblieben, so mußte bei den Ingenieuren ein Anstieg von 24% auf besorgniserregende 42% beobachtet werden.[76] Besonders betroffen von dieser Abwanderung war die britische Luftfahrtindustrie, die, nach einer Umfrage der Society of British Aerospace Companies, alleine 1966 einen Verlust von über 1.300 Ingenieuren, technischen Zeichnern und Naturwissenschaftlern zu verkraften hatte; von diesen gingen 520 Fachleute in die USA, während 344 zu ausländischen (meist amerikanischen) Konzernen in Großbritannien wechselten.[77]

Der „typische" Wissenschaftler, der in die USA emigrierte, war männlich, zwischen 25 und 35 Jahre alt und überdurchschnittlich qualifiziert, d.h. er verfügte über einen „first class degree" oder war gar promoviert. Zum Zeitpunkt seiner Emigration hatte er bereits zwei, drei Jahre Berufserfahrung gesammelt, war aber hinsichtlich seiner Karriere noch nicht festgelegt. Mit anderen Worten, aufgrund seines Alters und seiner Qualifikation gehörte er zur „first-rank manpower"[78], am Beginn seiner produktivsten Schaffensphase.

Zwar fehlte der Arbeitsgruppe die Zeit, um genaue soziologische Untersuchungen über die Beweggründe der Emigranten anzustellen, aber auf der Basis anderer, bereits vorhandener Studien ließen sich doch einige sich wiederholende Verhaltensmuster erkennen. So wurde deutlich, daß neben den allgemeinen Rahmenbedingungen, wie z. B. der Tatsache, daß das amerikanische Einkommensniveau zwei- bis dreimal höher lag als das britische, vor allem individuelle Faktoren den Ausschlag für die Auswanderung gaben. Die Emigranten waren, wie ein Forscher feststellte, „active, energyladen, high aspiration people. They're very much like Americans in their desire to work extremely hard."[79] Für diese Einschätzung sprach auch der

der des Commonwealth. Wissenschaftler, die in diese Länder gingen, taten dies häufig, um dort Entwicklungsarbeit zu leisten. Als Emigranten wurden all diejenigen gerechnet, die für mindestens ein Jahr im Ausland einen Arbeitsplatz annahmen.

76 Ibid., 8, Table 1.

77 „Heavy Drain on Air Industry's Talent", The Times, 1. Februar 1967, 12.

78 Committee on Manpower Resources, The Brain Drain, 4.

79 Prof. James A. Wilson in einer Stellungnahme auf einer Konferenz zum „Brain Drain" im Juni 1966 in Washington, DC: „The International Migration of Talent and Skills." Proceedings of a Workshop and Conference, October 1966, 50. Eine Zusammenfassung seiner Untersuchung wurde veröffentlicht in: James A. Wilson, „The Emigration of British Scientists", Minerva 5. 1 (Autumn 1966): 20-29.

Umstand, daß nur ein Viertel der Auswanderungswilligen von Head Huntern angeworben worden war, hingegen die große Mehrheit selbst die Initiative ergriffen und sich um einen neuen Arbeitsplatz gekümmert hatte. Wenngleich auch die Möglichkeit zu reisen, ohne Sprachbarriere ins Ausland zu gehen und eine neue Welt kennen zu lernen, auf viele, insbesondere junge Kandidaten, sicherlich attraktiv wirkte, so waren es in erster Linie berufliche Aspekte, die zur Emigration bewogen: ein größeres Angebot an Arbeitsstellen, interessantere Tätigkeitsfelder, vorteilhaftere Arbeitsplatzbedingungen, ein höheres Einkommen, vielversprechendere Aufstiegschancen usw. Neben solchen eher objektiven Unterschieden spielten aber auch eine ganze Reihe subjektiver Faktoren eine Rolle, wie die individuelle Einschätzung des American beziehungsweise British way of life; die Art und Weise, wie man zu der einen oder anderen Kultur stand, war nicht zuletzt auch ein Spiegelbild der persönlichen Wertvorstellungen. Auch auf der subjektiven Ebene beeinflußten sich „Push"- und „Pull"-Faktoren wechselseitig. Wie der Bericht der Arbeitsgruppe ihre Beobachtungen treffend zusammenfaßte:

> There is the feeling that North America is a 'young man's country', in which ability of young people counts for more than age, experience or seniority. Thus, when ambitious young men come forward with suggestions, whether for research, development, production, or marketing, they are given more encouragement, support and responsibility and promotion than in the United Kingdom [...] In contrast is set the policy, thought to exist in the United Kingdom, of insisting that a young man should prove himself for a substantial period before any real responsibility is given to him, and that men are given responsibility and promotion rather because they fit in with existing ideas than because their innate abilities, while newcomers are generally given little scope to develop their own ideas. This seeming contrast is reflected in the feeling of professional insecurity and frustration, which has developed in Britain, with little apparent prospect of change.[80]

Allerdings ist es wichtig zu betonen, daß sich die Wertschätzung der britischen Wissenschaftler vor allem auf die amerikanische Arbeitswelt bezog. Sie begrüßten die beruflichen Herausforderungen, die ihnen geboten wurden, die insgesamt größere Anerkennung, die ihnen als Naturwissenschaftler und insbesondere als Ingenieure entgegengebracht wurde, aber viele schienen ihr vertrautes sozio-kulturelles Umfeld zu vermissen – ihren Pub, ihre Zeitung und andere Formen britischer, oder vermutlich hier genauer: eng-

80 Committee on Manpower Resources, The Brain Drain, 20. Sehr instruktiv wird dieses Image eingefangen und weiterverbreitet in Bryan Magee, Go West, Young Man (London: Eyre & Spottiswoode, 1958).

lischer Kultur.[81] So versuchten die meisten, z. B. durch regelmäßige Besuche oder den Bezug englischer Zeitungen, den Kontakt zur 'Heimat' aufrechtzuerhalten. Unter den Problemen der Akkulturation schienen insbesondere die Ehefrauen zu leiden, da sie, weil zumeist nicht berufstätig, in größerer Isolation lebten. Zudem entging ihnen die persönliche Befriedigung, die ihre Ehemänner aus der neuen beruflichen Herausforderung ziehen konnten.[82] Für viele Emigranten - nach einer Studie immerhin 47,7%[83] - blieben die alten sozialen und gefühlsmäßigen Bande fester als die Beziehungen, die die Neue Welt mit sich brachte. Die Working Group on Migration erhielt während ihrer Arbeit eine Reihe von Briefen britischer Wissenschaftler, in denen diese zu ihrer Auswanderung Stellung bezogen. Die Zahl war im Vergleich zur Gesamtzahl britischer Emigranten zwar so gering, daß die Aussagen kaum als repräsentativ angesehen werden können, aber ihre Subjektivität schmälert nicht den illustrativen Wert. „I am one of many aeronautical engineers working in the Pacific North West of America - at Boeing", schrieb ein 26jähriger Engländer an Dr. Jones, den Vorsitzenden der Arbeitsgruppe,

> Why are we here? ... I know perhaps thirty English engineers working here - there are many more. We did not leave England without trepidation or thought. Almost without doubt all would prefer to live in England. This is a cultural wilderness. Deep down we all prefer England, its way of life, its people. To be an engineer in England is to live on the edge of existence. An engineer in England, is, in the popular image, a man at the factory bench - to people with degrees this is somewhat of a rough thing to fight. In America we (the engineers) are on more equal terms with the other professions. ... The poor image of the engineer in England results in poor pay. ... If I could expect to earn a reasonable wage I would live in England ...[84]

Solche oder ähnliche Aussagen konnte man in den Briefen öfter lesen. Während die Relevanz materieller Faktoren insbesondere bei jüngeren Emigranten kaum zu leugnen war, schienen bei älteren Wissenschaftlern, die bereits in ihrem Mutterland fraglos über einen gewissen Lebenstandard und Status verfügt hatten, eher die berufliche Aufgabe und die damit verbundenen, vorteilhaften Arbeitsbedingungen im Vordergrund zu stehen.[85] Aus welchen Gründen es den einzelnen auch in die USA ziehen mochte, auf-

---

81 Siehe hierzu Wilson, „The Emigration of British Scientists", 27-29.

82 Zu dieser Beobachtung kam Wilson, „The International Migration of Talent and Skills", 53.

83 Wilson, „The Emigration of British Scientists", 20.

84 Brief von Derek J. Vance an Dr. Jones vom 12. Dezember 1966 in PRO, HF 7/4.

85 Eine Auswahl von Stellungnahmen ist abgedruckt in Committee on Manpower Resources, The Brain Drain, 91-104.

fallend blieb, wie vielen es anscheinend schwerfiel, ihre „homesickness“ zu überwinden.

Die nach wie vor engen emotionalen Bande, die zwischen Auswanderer und Mutterland zu bestehen schienen, bildeten den Ansatzpunkt für Gegenmaßnahmen der britischen Regierung. Da die USA keinesfalls die Absicht hatten, ihr Einwanderungsrecht zu verschärfen oder hochqualifizierte Interessenten anderweitig abzuschrecken,[86] und Großbritannien kaum – gewissermaßen dem Beispiel der DDR folgend – die eigene Bevölkerung einzäunen konnte, mußten die Briten auf andere Weise versuchen, den „Brain Drain“ einzudämmen. Bereits 1958 hatten die Atomic Energy Authority und die Civil Service Commission ein so genanntes North American Joint Interviewing Board ins Leben gerufen, dessen Aufgabe es war, auf jährlichen Reisen nach Kanada und in die USA geeignete britische Wissenschaftler für entsprechende Stellen in Großbritannien anzuwerben. Ab 1963 beteiligte sich auch das Central Electricity Generating Board an diesem Programm. Zwischen 1958 und 1966 wurden mit 1.650 Kandidaten Bewerbungsgespräche durchgeführt, die letztendlich in 307 Anstellungen resultierten.[87] Die große Mehrheit der so Angeworbenen waren Naturwissenschaftler, die ihren Job an einer amerikanischen Universität für eine Festanstellung in einer Forschungseinrichtung des britischen Staates eintauschten.[88] Daneben führten auch einige britische Unternehmen Rekrutierungskampagnen in eigener Regie durch. So unternahmen seit 1960 Imperial Chemical Industries (ICI) und seit 1964 Unilever regelmäßige Anstrengungen, in Nordamerika geeignete Mitarbeiter aufzuspüren.[89] Es ist allerdings kaum überraschend, daß es vor allem international operierende Großunternehmen waren, die diese Möglichkeit nutzten. So stellte der Bericht der Working Group kritisch fest: „The plain truth appears to be that much of British industry is not really interested in recruiting abroad at present, or in making adjustments within

86 Siehe hierzu ein Gespräch zwischen den Mitgliedern der Arbeitsgruppe und Dr. Ivan L. Bennett, dem stellvertretenden Direktor des Office of Science and Technology, Executive Office of the President, Washington, D.C., am 15. März 1967 in London: CMR (MIG) (67) 4th Meeting: PRO, HF 7/2.

87 Committee on Manpower Resources, The Brain Drain, 90.

88 Hierzu ein Arbeitspapier der Working Group on Migration, das über Herkunft und Verbleib der interviewten Wissenschaftler detailliert Auskunft gibt (allerdings nur für die Jahre 1963 bis 1965): CMR (MIG) (66) 14: „British Emigrants in the United States of America Interviewed by the North America Joint Interviewing Board in 1963, 1964 and 1965", Note by the Ministry of Technology, 29th December, 1966: PRO, HF 7/3.

89 Zur Personalwerbung von ICI siehe eine Aufstellung in CMR (MIG) (67) 4: PRO, HF 7/4.

its hierarchy to accommodate those who have worked for some time abroad and bring valuable new experience."[90]

Trotz der hier konstatierten Vorbehalte der Industrie sah die Arbeitsgruppe gerade im Bereich Anwerbung bzw. Vermittlung von Arbeitskräften einen Ansatzpunkt für erfolgversprechende Gegenmaßnahmen. In Reaktion auf das starke Engagement amerikanischer Personalberatungsgesellschaften in Großbritannien beschlossen, bei einem Treffen im Mai 1967, Vertreter der britischen Industrie und Beamte des Ministry of Technology, in den USA ebenfalls eine Personalagentur zu gründen.[91] Im Herbst 1967 wurde schließlich in New York unter dem Namen Management Selection International Inc. ein Büro aufgemacht, dessen Hauptaufgabe darin bestand, rückkehrwilligen Briten, aber auch interessierten Amerikanern, bei der Vermittlung einer Arbeitstelle in Großbritannien behilflich zu sein. Die britische Regierung hatte sich dabei verpflichtet, etwaige Verluste, die bei dieser Rekrutierungskampagne entstehen würden, in Höhe von bis zu £ 75.000 zu tragen.[92]

Als am 11. Oktober 1967 der Bericht der Working Group dem Parlament und der Öffentlichkeit vorgelegt wurde, gab es zum Teil nocheinmal heftige Reaktionen. Premierminister Wilson nutzte die Eröffnung eines neuen Research and Engineering Center der Ford Motor Company in Durnton, Essex, der britischen Wirtschaft die Verantwortung zuzuschieben:

> One of the biggest problems in British industry is that still too many places in our boardrooms are filled not on the basis of people's knowledge of the job, still less on their technological ability, but on who their fathers, grandfathers, and even their great grandfathers have been before them, or on the school or social connexions.[93]

Andere Stimmen kritisierten hingegen Wilson, weil seiner Rhetorik von 1963/64 keine wirksamen Taten folgten.[94] Die Forderung, mehr Sachverstand in die Vorstandsetagen zu bringen, gewann vor dem Hintergrund der „American challenge" in den sechziger Jahren indes immer mehr an Bedeutung, die sich institutionell auch in der Gründung der ersten britischen Business Schools in London und Manchester artikulierte.[95] Mochte sich der

---

90 Committee on Manpower Resources, The Brain Drain, 44-45.

91 Siehe hierzu CMR (MIG) (67) 43 und 49, beide in PRO, HF 7/6.

92 „Brain Drain Task for Briton", The Times, 12. Oktober 1967, 6.

93 „Mr. Wilson Decries 'Wastage'", The Times, 13. Oktober 1967, 2.

94 „The Drain since 1963", The Times, 13. Oktober 1967, 9.

95 Zur Geschichte der – und Kritik an den – britischen Business Schools siehe Brian Griffiths und Hugh Murray, Whose Business? An Analysis of the Failure of the British Business Schools (London: Institute of Economic Affairs, 1985).

diagnostizierte Immobilismus nur auf die traditionelle Unternehmensführung beziehen oder, wie Michael Shanks in einem Leitartikel der *Times* vermutete, die entscheidende Ursache der 'English disease' sein,[96] in jedem Fall schien festzustehen, daß größere Anstrengungen vonnöten sein würden, wollte man der amerikanischen Herausforderung erfolgreich begegnen.

Es ist bemerkenswert – und aus historischer Sicht vermutlich die wichtigste Konsequenz dieser Umbruchphase –, daß mehr und mehr Briten, Konservative wie Sozialisten, in einer stärkeren Zusammenarbeit mit den kontinentaleuropäischen Staaten den besten Weg sahen, nicht den Anschluß an die Moderne zu verpassen. Wie die *Times* kommentierte:

> The vast wealth of the United States combines with its primacy in scientific and technological exploration to give the cross-currents of the migration of talent a heavy bias in its favour. Britain possesses other attractions which enter into the account, but cannot match that one. The creation of continental industries and continental research centres by an economic integration of Europe might produce the counter-attraction which no single European country can provide. That in the longer term may be the best hope.[97]

Am 13. November 1967, nur wenige Wochen nach Veröffentlichung des Berichts über den „Brain Drain“, hielt der britische Premierminister auf Einladung des Mayors in der Londoner Guildhall die alljährliche Ansprache vor führenden Repräsentanten aus Handel, Finanz und Industrie. Wilson wiederholte seine Warnung vor den Gefahren eines zu starken Eindringens amerikanischer Unternehmen in Europa. Neu war indessen seine Forderung nach Schaffung einer „European Technological Community“.[98] 1970 wurde Harold Wilson überraschend abgewählt und das Ministry of Technology wieder aufgelöst. Mit der Auflösung des Ministeriums endete die administrative Beschäftigung mit dem „Brain Drain“. Auch in der Öffentlichkeit und in den Medien hatte das Interesse an diesem Thema stark nachgelassen beziehungsweise war durch andere Kontroversen, wie der Zustrom an Immigranten aus dem New Commonwealth, bald verdrängt worden. Das Interesse an wirtschaftlicher und technischer Kooperation mit den kontinen-

---

96 Michael Shanks, „Putting a Filter in the Brain Drain“, The Times, 16. Oktober 1967, 23. In seinem Artikel schlug Shanks eine umfassende Reform des Steuersystems (weniger direkte Besteuerung) und der Entlohnungsstrukturen (mehr leistungsbezogene Gehälter) vor: „This is the kind of grand design towards which we should be moving, instead of reclining in a frozen posture through fear of offending anybody by moving from a status quo which in itself satisfies nobody. I sometimes think it is the immobility which is the real 'English disease'.“

97 „The Alarming Loss of Talent“, The Times, 1. Februar 1967, 13.

98 Zum Hintergrund und zu internationalen Reaktionen auf diese Rede siehe PRO, PREM 13/1728, 1850 und 1851.

taleuropäischen Staaten ist jedoch nicht nur geblieben, sondern hat sich seitdem sogar noch verstärkt.

Autoren und Herausgeber

Dr. Burghard Ciesla ist wissenschaftlicher Mitarbeiter am Historischen Institut der Universität Potsdam. Seine Forschungsschwerpunkte sind die Wissenschafts- und Technikgeschichte des 20. Jahrhunderts sowie Wirtschafts- und Sozialgeschichte nach 1945.

Dr. Volker Depkat ist wissenschaftlicher Assistent am Lehrstuhl für Allgemeine Geschichte der Neuesten Zeit an der Ernst-Moritz-Arndt-Universität Greifswald. Seine Hauptarbeitsgebiete sind deutsche Kultur- und Sozialgeschichte des 18. bis 20. Jahrhunderts, Geschichtstheorie sowie die Geschichte der USA.

Mathias Eberenz, M.A., arbeitet zur Zeit als freier Journalist in Hamburg. Er hat Amerikanistik und Neuere Geschichte an der Universität Hamburg studiert und erwarb an der University of Kansas einen Master of Arts in American Studies. Zu seinen Forschungsinteressen zählt die Vorgeschichte des Jazz sowie die Architektur Chicagos im späten 19. Jahrhundert. Die laufende Dissertation befaßt sich mit der World's Columbian Exposition von 1893.

Dr. Philipp Gassert ist wissenschaftlicher Assistent am Historischen Seminar der Universität Heidelberg und ehemaliges Mitglied des Deutschen Historischen Instituts in Washington. Seine Forschungsschwerpunkte sind die internationalen Beziehungen im 20. Jahrhundert, deutsch-amerikanische Beziehungen sowie die westdeutsche Zeitgeschichte seit 1945.

Dr. Daniel Gossel arbeitet als wissenschaftlicher Assistent am Lehrstuhl für Auslandswissenschaft (Englischsprachige Kulturen) der Friedrich-Alexander-Universität Erlangen-Nürnberg. Seine Forschungsschwerpunkte sind die Rolle Großbritanniens und der USA in den internationalen, insbesondere transatlantischen und europäischen Beziehungen; vergleichende Kommunikations- und Mediengeschichte.

Prof. Dr. Hans J. Kleinsteuber lehrt seit 1975 Politische Wissenschaft und seit 1982 auch Journalistik an der Universität Hamburg. Von 1969 bis 1975 war er Mitarbeiter am John F. Kennedy-Institut für Nordamerikastudien an der FU Berlin. Seine Hauptforschungsgebiete umfassen Medien, Technik, Internet und verwandte Gebiete in Nordamerika und Europa. Im SS 2000 hat er die Alcatel-SEL-Stiftungsprofessur für interdisziplinäre Technik-studien an der TU Darmstadt inne. Er ist Vorsitzender des Amerikazentrums Hamburg.

Prof. Dr. Ursula Lehmkuhl, Lehrstuhl für Nordamerikanische Geschichte, Universität Erfurt. Ihre Forschungsschwerpunkte sind amerikanische, britische und kanadische Außenpolitik im 20. Jahrhundert, Theorien internationaler Politik, internationale Organisationen sowie amerikanische Sozial- und Kulturgeschichte im 19. und 20. Jahrhundert.

Dr. Gabriele Metzler, derzeit Stipendiatin am Max-Planck-Institut für Gesellschaftsforschung in Köln, arbeitet am Seminar für Zeitgeschichte der Universität Tübingen an einem Habilitationsprojekt zur Geschichte politischer Ordnungsvorstellungen und Handlungskonzeptionen in der Bundesrepublik von den fünfziger bis zu den siebziger Jahren. Weitere Forschungsschwerpunkte: Geschichte der Natur- und Sozialwissenschaften des 20. Jahrhunderts, Geschichte des Sozialstaats, internationale Beziehungen des 19. Jahrhunderts, englische Geschichte des 19. Jahrhunderts.

Priv.-Doz. Dr. Michael Wala vertritt die Professur für Anglo-Amerikanische Geschichte und leitet die gleichnamige Abteilung des Historischen Seminars der Universität zu Köln. Seine Forschungsschwerpunkte sind die Vereinigten Staaten in den internationalen Beziehungen des 20. Jahrhunderts, deutsch-amerikanische Beziehungen in der Zwischenkriegszeit und Sozial- und Identitätsgeschichte des 18. und 19. Jahrhunderts.

Dr. S. Jonathan Wiesen lehrt Neuere Europäische und Deutsche Geschichte an der Southern Illinois University in Carbondale, Illinois. Seine Hauptforschungsgebiete beinhalten historische Erinnerung, Werbung und Public Relations und Theorien der Massengesellschaft. Eine Arbeit über die westdeutsche Industrie und die „Vergangenheitsbewältigung“ von 1945 bis 1955, wurde gerade abgeschlossen.

Dr. Gregory Zieren ist Professor an der Austin Peay State University in Clarksville, Tennessee, wo er Amerikanische Geschichte, Schwerpunkt Wirtschafts- und Sozialgeschichte, lehrt. Zur Zeit widmet er sich dem Amerikabild in Deutschland im späten 19. und frühen 20. Jahrhundert.

Personenregister

Beiträge zur Geschichte der Kulturpolitik
Herausgegeben von Kurt Düwell

Bd. 1:
Kurt Düwell, Werner Link (Hg.):
Deutsche auswärtige Kulturpolitik seit 1871.
Geschichte und Struktur. Referate und Diskussionen eines interdiziplinären Symposions.
1982. VIII, 368 S. Gb.
ISBN 3-412-05581-6.

Bd. 2:
Guido Müller:
Weltpolitische Bildung und akademische Reform.
Carl Heinrich Beckers Wissenschafts- und Hochschulpolitik 1908–1930.
1991. XII, 448 S. Gb.
ISBN 3-412-02691-3.

Bd. 3:
Carlo Lejeune:
Die deutsch-belgischen Kulturbeziehungen 1925-1980. Wege zur europäischen Integration?
1992. XII, 392 S. Gb.
ISBN 3-412-01092-8.

Bd. 4: Franziska von Ungern-Sternberg:
Kulturpolitik zwischen den Kontinenten – Deutschland und Amerika. Das Germanische Museum in Cambridge /Massachussetts. 1994. XVI, 251 S. 81 Abb. Gb. ISBN 3-412-14993-4.

Bd. 5:
Kurt Düwell:
Technologietransfer zwischen Rhein und Maas.
Deutsch-französische Wissenschafts- und Technikbeziehungen im 18. und 19. Jahrhundert.
2000. Ca. 304 S., ca. 20 Abb. Gb. ISBN 3-412-06295-2.

Bd. 6:
Maritta Hein-Kremer:
Die amerikanische Kulturoffensive.
Gründung und Entwicklung der amerikanischen Information Centers in Westdeutschland und Westberlin 1945-1955. 1996. XIV, 644 S. Mehrere Ktn. Gb. ISBN 3-412-12395-1.

Bd. 7: Michael Wala, Ursula Lehmkuhl (Hg.):
Technologie und Kultur.
Europas Blick auf Amerika vom 18. bis zum 20. Jahrhundert. 2000. XX, 254 S. Gb.
ISBN 3-412-07100-5.

Böhlau

Köln Weimar

Ursulaplatz 1, D-50668 Köln, Telefon (0221) 913900, Fax 9139011

Böhlau
Köln Weimar

Elisabeth Meilhammer
Britische Vor-Bilder
Interkulturalität in der Erwachsenenbildung des Deutschen Kaiserreichs 1871–1918

(Kölner Studien zur internationalen Erwachsenenbildung, Band 13)
2000. XI, 475 Seiten. Broschur.
ISBN 3-412-03600-5

Im Deutschen Kaiserreich, einer Epoche nationalistischen Wettbewerbs, gab es im Fachmilieu der Erwachsenenbildung vielfältige und intensive Kontakte zu Großbritannien. Zahlreiche Berichte über die britische Erwachsenenbildung, die als entwickelt galt, wurden von der Gründung des Deutschen Reiches bis zum Ende des Ersten Weltkriegs in deutscher Sprache publiziert. Von welcher Art und Qualität aber waren diese Berichte? Inwiefern war Großbritannien Vorbild für die deutsche Arbeiter- und Frauenbewegung, für Wissenschaftler und Sozialreformer? Wo liegen andererseits die Probleme, die den Deutschen das Verständnis der Briten und ihrer Erwachsenenbildung erschwert oder sogar verwehrt haben?
Die Studie zeigt, wie die Beschäftigung mit Großbritannien die Volksbildung und den Zeitgeist im kaiserlichen Deutschland spiegelt und wie große interkulturelle Kenntnisse und Motivationen mit nationaler Selbstbezogenheit und konkurrenzhafter Abgrenzung einhergehen konnten.

Ursulaplatz 1, D-50668 Köln, Telefon (0221) 913900, Fax 9139011